En dernière analyse

Du même auteur
chez le même éditeur

Insidieusement vôtre
Justice poétique
Une mort si douce
Sur les pas de Smiley

Amanda Cross

En dernière analyse

Traduit de l'anglais
par Frank Reichert

Collection dirigée par Claude Chabrol
et François Guérif

Rivages/Mystère

Couverture : D.R.

Titre original : *In the Last Analysis*

106, boulevard Saint-Germain – 75006 Paris

ISBN : 2-7436-0192-2

Prologue

– Je n'ai pas dit que je récusais Freud, fit Kate. J'ai dit que je récusais ce que Joyce nommait les erreurs "freuduleuses"... toutes ces conclusions absurdes auxquelles s'empressent de sauter les gens, sans la moindre réticence, et moins de cervelle encore.

– Si tu entends rendre la psychiatrie responsable de tous les petits jeux sadiques de salon, je ne vois pas l'intérêt de poursuivre la discussion, répliqua Emanuel.

Mais ils la poursuivraient néanmoins, cette discussion ; la querelle durait depuis des années et ne montrait pas le moindre signe d'être en voie de se vider.

– À propos, fit Kate, je t'ai adressé un patient. À tout le moins, une étudiante m'a demandé de lui recommander un psychanalyste et je lui ai donné tes nom et adresse. Je ne peux pas t'assurer qu'elle te téléphonera mais, à mon avis, tu peux t'attendre à ce qu'elle le fasse. Elle s'appelle Janet Harrison.

Kate se dirigea vers la fenêtre et regarda, derrière le carreau, le temps déchaîné et tonitruant. C'était un de ces jours de janvier où elle-même qui, pourtant, faisait profession de mépriser le printemps, y aspirait ardemment.

– Compte tenu de l'opinion que tu as de la psychiatrie, dit Nicola, Emanuel devrait se sentir profondément honoré. Essaye de prendre l'air honoré, voyons, Emanuel !

Nicola, l'épouse d'Emanuel, suivait ces discussions un peu comme le spectateur d'une partie de tennis suit la balle, la tête pivotant alternativement d'un joueur à l'autre. Ayant réussi à placer dans la conversation la foi qu'elle nourrissait pour la psychiatrie, sans renoncer pour autant à son droit à la critique, elle applaudissait aux beaux coups et grommelait aux fautes. Ravis d'avoir trouvé un public en la personne de Nicola, Kate et Emanuel prenaient grand plaisir à ces matchs, non seulement pour les éventuels éclaircissements qui pouvaient s'en dégager, mais encore parce qu'ils partageaient le même don pour s'asticoter l'un l'autre sans jamais vraiment se blesser. Nicola leur sourit à tous deux.

– Ce n'est pas tant à Freud lui-même que nous faisons un procès, fit Kate, non plus qu'au vaste corpus théorique qu'il a engendré. Mais à la vulgarisation de ses idées dans le monde moderne. Je garde toujours en mémoire l'histoire du gentleman japonais et de la sainte Trinité : "Honorable Père, très bien ; Honorable Fils, parfait ; mais Honorable Oiseau, je pas comprendre du tout."

– Tes citations, assura Emanuel, ont toujours le don d'animer le débat, sans pour autant faire avancer la discussion d'un iota.

– La seule citation qui me vienne à l'esprit, dit Nicola, en s'approchant à son tour de la fenêtre, c'est : "Si l'hiver arrive, alors pourquoi le printemps devrait-il tarder ?"

Réflexion qui, comme il devait s'avérer, était la plus sensée de toutes celles qui furent émises cet après-midi-là.

1

Quelqu'un avait inscrit à la craie « avril est le plus cruel des mois » sur les marches du Baldwin Hall. Kate, peu impressionnée par l'érudition, était néanmoins de tout cœur avec le sentiment exprimé. Le printemps, sur un campus américain, même aussi urbain que celui-ci, plongeait inéluctablement le corps enseignant dans une humeur composite, faite de lassitude, d'irritabilité et de morosité. Il se peut, songea Kate, que la faute en incombe au fait que nous vieillissons, alors que les étudiants, eux, telles les foules de César sur la voie Appienne, gardent toujours le même âge. Tout en lorgnant du coin de l'œil les étudiants qui se vautraient, ou flirtaient, sur le moindre carré de gazon disponible, Kate se languissait, comme à chaque printemps, d'une époque plus imposante, et moins débraillée. « Les jeunes, dans les bras l'un de l'autre », se plaignait déjà Yeats.

Elle en fit part au professeur Anderson, lequel s'était lui aussi arrêté pour ruminer l'inscription à la craie : « À cette époque de l'année, fit-il, l'envie irrésistible me prend toujours de me cloîtrer dans une pièce obscure, avec tous les rideaux tirés, et de jouer du Bach. En fait, vous savez », continua-t-il sans cesser de contempler le vers d'Eliot, « Millay dit ça beaucoup mieux : "Dans quel but, avril, nous reviens-tu sans cesse ?" » Kate fut stupéfiée par le professeur Anderson, homme du XVIIIe siècle qui professait le plus grand dédain pour les auteurs du beau sexe, à partir de Jane Austen. Ils pénétrèrent de conserve dans le bâtiment et gravirent l'escalier qui menait au département d'anglais, à l'étage supérieur. Et c'était exactement ça, tout bien considéré. Si attendu, si prévisible que puisse être avril, il ne cessait pas d'être stupéfiant.

Patientant sur la banquette, à la porte du bureau de Kate, et attendant l'heure de sa permanence, étaient assis une rangée d'étudiants. C'était là encore un autre symptôme d'avril. Les bons élèves soit disparaissaient totalement du campus, soit débarquaient aux heures les plus indues pour discuter de quelque obscur ou oiseux point d'interprétation. Les plus médiocres et parmi eux, tout spécialement, les désargentés commençaient à se faire du mouron pour leurs notes. Avril, en réveillant leurs sens engourdis, leur rappelait que l'heure des notes approchait, et que le B qu'ils s'étaient juré en toute bonne foi de décrocher semblait se fondre dans un néant saumâtre. Ils étaient là pour en discuter. Kate soupira, en même temps qu'elle ouvrait la porte de son bureau, et pila net, à la fois surprise et agacée. Un homme, debout devant la fenêtre, se retourna à son entrée.

– Entrez, je vous prie, Miss Fansler. Peut-être devrais-je dire docteur, ou professeur ; je suis le capitaine suppléant Stern, inspecteur des services de police. J'ai présenté ma carte à la secrétaire, au bureau, qui m'a laissé entendre que je ferais peut-être mieux de vous attendre ici. Elle a eu l'amabilité de me faire entrer. Je n'ai touché à rien. Voulez-vous vous asseoir ?

– Je peux vous assurer, capitaine, dit Kate en prenant place derrière son bureau, que je sais bien peu de choses de la vie privée de mes étudiants. L'un d'entre eux se serait-il créé des problèmes ?

Elle observait le capitaine avec intérêt. La lectrice passionnée de romans policiers qu'elle était avait toujours subodoré que, dans la vie réelle, les inspecteurs étaient des hommes d'une désespérante banalité, du genre à se tirer à merveille d'un examen à réponses monosyllabiques (corrigées à la machine) mais à ne pas s'embarrasser d'idées plus sophistiquées, littéraires ou autres ; de l'espèce des hommes qui apprécient les faits dans leur brutalité mais considèrent d'un œil méprisant toute légitime aspiration à l'ambiguïté.

– Auriez-vous l'extrême bonté de me dire, Miss Fansler, à quoi vous avez employé votre temps dans la matinée d'hier, jusqu'à midi ?

– Ce que je *faisais* ? Voyons, capitaine Stern, je vous jure bien que…

– Soyez assez aimable pour vous contenter de répondre à mes questions, Miss Fansler. Je vous en donnerai les raisons dans le plus bref délai. Hier matin ?

Kate lui jeta un regard fixe, puis haussa les épaules. Suivant en ceci la très regrettable manie des littéraires, elle se voyait déjà en train de consigner par écrit cet extraordinaire événement. Elle surprit le regard de l'enquêteur, et tendit la main pour prendre une cigarette. Il la lui alluma, attendant patiemment.

– Je ne fais pas cours le mardi, laissa-t-elle tomber. J'écris un livre, en ce moment, et j'ai passé la totalité de la matinée d'hier plongée dans les réserves de la bibliothèque, à étudier des articles de presse de périodiques du XIXe siècle. J'y suis restée jusqu'à un petit peu moins d'une heure, puis je suis allée me refaire une beauté, avant de retrouver le professeur Popper pour le déjeuner. Nous avons mangé au club de la faculté.

– Vivez-vous seule, Miss Fansler ?
– Oui.
– À quelle heure exactement êtes-vous arrivée dans ces “réserves” ?
– Ces réserves, capitaine, sont les pièces inaccessibles au public, où sont conservés les livres. (Pourquoi faut-il, se demanda-t-elle, que les femmes se montrent toujours aussi agacées quand on leur demande si elles vivent seules ?) Je suis arrivée à la bibliothèque à neuf heures trente.
– Avez-vous rencontré quelqu'un, dans lesdites réserves ?
– Qui puisse me fournir un “alibi”, voulez-vous dire ? Non. J'ai trouvé les volumes que je cherchais et j'ai travaillé sur eux sur l'une des petites tables alignées le long du mur à cet effet. Plusieurs personnes m'ont probablement aperçue, mais je ne saurais vous dire si elles m'ont reconnue, ou si elles se souviennent de moi.
– Avez-vous une étudiante du nom de Janet Harrison ?
Dans les livres, songea Kate, les détectives se passionnent toujours avec enthousiasme pour leur travail, un peu à la manière de preux chevaliers en quête du Graal. Elle n'avait encore jamais effectivement réalisé la ferveur qu'ils mettaient à l'ouvrage. Bien entendu, le plus souvent, ils étaient liés personnellement à l'accusée ou à la victime, sinon amoureux d'elle mais, que leur condition de détective soit la résultante d'un job ou d'un sacerdoce, ils semblaient toujours animés par la plus véhémente des passions. Elle se demanda ce qui pouvait bien passionner le capitaine suppléant Stern, si d'aventure il se passionnait pour quelque chose. Pouvait-elle se permettre de lui demander s'il vivait seul ? Certainement pas.

– Janet Harrison ? Elle faisait partie de mes élèves ; c'est-à-dire qu'en fait elle a suivi l'un de mes cours, celui sur le roman au XIXe siècle. C'était au dernier semestre ; je ne l'ai pas revue depuis.

Kate songea nostalgiquement à lord Peter Wimsey ; à ce point de la conversation, il se serait probablement accordé une petite digression pour débattre du roman au XIXe siècle. Le capitaine Stern, pour sa part, paraissait n'en avoir jamais entendu parler.

– Lui avez-vous jamais recommandé de consulter un psychanalyste ?

– Seigneur Dieu, soupira Kate, c'est donc de ça qu'il s'agit ? Je veux croire que la police n'enquête pas sur tous les particuliers qui consultent un analyste. Je ne lui ai pas "recommandé" de consulter un analyste ; faire une chose pareille me paraîtrait déplacé. Elle est venue me trouver alors qu'elle avait déjà pris la décision, ou suivi le conseil, d'aller voir un analyste. Elle m'a demandé si je pouvais lui en recommander un qui soit valable, dans la mesure où elle avait entendu dire qu'il était primordial en l'occurrence de se mettre entre les mains d'un homme hautement qualifié. Maintenant que vous m'en parlez, je ne suis plus bien sûre de savoir exactement pourquoi elle est venue me trouver ; je présume que nous sommes tous un peu trop pressés de voir autrui nous considérer comme des himalayas de bon sens, qui font autorité dans tous les domaines.

Il n'y eut pas, de la part du capitaine Stern, le moindre sourire de connivence :

– Lui avez-vous effectivement recommandé un psychanalyste ?

– Oui, j'ai effectivement fait ça !

– Quel était le nom de l'analyste que vous lui avez recommandé ?

Brusquement, Kate sentit la moutarde lui monter au nez. Regarder par la fenêtre, derrière laquelle avril allumait le désir tous azimuts, ne contribua certes pas à radoucir son humeur. Elle détourna les yeux du campus et considéra l'inspecteur, qu'avril ne semblait nullement émouvoir. Nul doute qu'il ne trouvât tous les mois de l'année également cruels. Quels que puissent être les tenants et aboutissants de toute l'affaire – et sa curiosité à ce sujet avait été fortement entamée par son exaspération – y avait-il la moindre raison de mêler Emanuel à tout ça ?

– Capitaine Stern, s'enquit-elle, suis-je obligée de répondre à cette question ? Je n'ai pas la moindre assurance concernant mes droits constitutionnels en la matière, mais ne serait-il pas plus séant que je sois "briefée" auparavant sur mes droits ou, au minimum, qu'on me mette au courant de ce dont il s'agit, si je dois répondre à un interrogatoire ? Ne pourriez-vous vous contenter, pour le moment, de ce que je vous garantis (sans néanmoins pouvoir en apporter la preuve) que le seul être humain auquel j'ai eu affaire hier matin, et ce jusqu'à une heure de l'après-midi, était Thomas Carlyle, être humain dont la mort, remontant à plus d'un demi-siècle, exclut toute possibilité que je puisse y avoir pris une part active.

Le capitaine Stern ignora superbement ce dernier commentaire :

– Vous dites avoir recommandé un psychanalyste à Janet Harrison. S'en est-elle montrée satisfaite ? Avait-elle l'intention de poursuivre longtemps ses entretiens avec lui ?

– Je l'ignore, fit Kate, plus ou moins honteuse de s'être abandonnée à sa violente bouffée de persiflage. Je ne sais même pas si elle est allée le voir. Je lui ai donné son nom, son adresse et son numéro de téléphone. J'ai rapporté la chose à ce monsieur. Depuis lors et jusqu'à ce jour, je n'ai jamais revu cette fille et ne lui ai même pas accordé la moindre pensée.

– L'analyste n'aurait pas manqué de vous en faire part, s'il avait accepté d'en faire sa patiente. D'autant, ajouta le capitaine Stern, laissant pour la première fois transparaître quelques lumières jusqu'ici soigneusement dissimulées, qu'il s'agit d'un ami intime.

Kate le fixa, l'œil écarquillé. Au moins, se dit-elle, nous ne sommes pas en train de jouer au jeu des vingt questions :

– Je ne peux pas vous forcer à le croire, bien entendu, mais il n'y a jamais fait allusion, pas plus que ne le ferait d'ailleurs tout autre psychanalyste de premier plan, et d'autant plus que je ne lui ai rien demandé. Le monsieur dont il s'agit est membre de l'Institut de psychanalyse de New York, et parler d'un patient contreviendrait à leurs principes. Ça peut vous paraître étrange ; c'est pourtant la stricte vérité.

– Quel genre de fille était Janet Harrison ?

Kate se rejeta en arrière dans sa chaise, tentant d'évaluer le degré d'intelligence de l'homme. Elle avait appris, en enseignant au collège, qu'en schématisant par trop ce qu'on essayait d'énoncer, on le faussait. On ne pouvait bien dire que ce qu'on avait réellement en tête, et le plus clairement possible. Qu'avait bien pu fabriquer cette Janet Harrison ? Essayaient-ils de prouver qu'elle était mentalement instable ? À la vérité, ce policier laconique faisait plus qu'essayer.

– Capitaine Stern, pendant que les étudiants assistent à leurs cours ici, leur vie continue ; la plupart d'entre eux ne sont pas cloîtrés dans des dortoirs, ils ne sont donc pas soustraits aux pressions familiales, financières, sentimentales, émotionnelles, aux pressions de toute nature. Ils sont en âge, s'ils ne sont pas mariés – et c'est là une condition qui comporte ses propres problèmes – de souffrir par amour, ou manque d'amour. Ils couchent avec quelqu'un qu'ils aiment, donc dans un certain état émotionnel, ou bien avec quelqu'un qu'ils n'aiment pas, ce qui implique encore un autre état d'esprit, ou bien ne couchent avec personne, et c'est là une troisième espèce de condition émotionnelle. Certains d'entre eux sont de couleur, ou bien sont les enfants non pratiquants de parents religieux. Ce sont parfois des femmes déchirées entre leur famille et la vie de l'esprit. Il arrive souvent qu'ils aient des problèmes, d'une espèce ou d'une autre. En tant que leurs professeurs, nous ne savons pas grand-chose de tout cela et, si jamais une facette nous en est dévoilée, alors nous leur servons – comment vous dire ? – non pas de prêtre, mais d'église : nous nous posons là ; nous persévérons. Nous parlons au nom de quelque chose qui perdure – art, science ou histoire. Naturellement, nous avons aussi l'éventuel étudiant qui peut vous parler de lui en même temps qu'il respire ; mais, sur la plupart d'entre eux, nous ne disposons que d'une impression d'un ordre très général, exception faite, bien entendu, de leur travail du moment. Vous voulez savoir quel genre de fille était Janet Harrison ? Si je vous dis tout ceci, c'est pour que vous puissiez comprendre ma réponse. Je n'ai qu'une simple impression. Si vous me demandiez : était-elle du genre à braquer une banque, je vous répondrais tout de suite non, elle ne m'a pas fait cet effet-là, mais je ne saurais pas exactement vous dire pour quelle raison. C'était une étudiante intelligente, d'une intelligence supérieure à la moyenne ; elle m'a donné l'impression d'être capable de fournir un excellent travail, à condition de s'y atteler, mais elle n'avait jamais entièrement la tête à ça. Un peu comme si une partie d'elle-même était ailleurs, attendant de voir ce qui allait se passer. Je dois cependant vous avouer, ajouta Kate, que, jusqu'à ce que vous me posiez la question, je n'avais pas envisagé les choses sous cet angle.

– Vous n'aviez pas la moindre idée de ce qui la poussait à vouloir consulter un psychanalyste ?

– Non, pas la moindre. Les gens, de nos jours, se tournent vers l'analyse comme ils pouvaient auparavant se tourner vers... quoi, exactement ? Dieu, leur directeur de conscience, leur famille ; je n'ai pas la prétention de savoir. J'ai entendu des gens dire, en ne plaisantant qu'à moitié, que les parents feraient bien d'économiser maintenant, en vue de l'analyse de leurs enfants, comme ils le faisaient autrefois pour leur payer des études au collège. Un jeune, aujourd'hui, lorsqu'il fréquente des milieux intellectuels, se tournera plutôt vers la psychiatrie en cas de pépin, et ses parents l'y aideront fréquemment, si c'est dans leurs moyens.

– Et un psychiatre, ou un psychanalyste, acceptera de prendre en charge n'importe quel malade qui viendra le trouver ?

– Bien sûr que non, dit Kate. Mais vous n'êtes sûrement pas ici pour apprendre de moi ce genre de choses. Il y a des gens bien plus compétents que moi, pour débattre...

– Vous adressez donc cette fille à un psychanalyste, et il accepte de la prendre en charge. J'aimerais savoir pourquoi vous estimiez qu'elle devait consulter un analyste, et pourquoi vous pensiez que celui-ci tout particulièrement la prendrait en thérapie.

– C'est l'heure où je suis présente à mon bureau, rappela Kate. Non qu'elle se souciât outre mesure, en ce jour précis d'avril, de faire faux bond à ses étudiants (" J'ai une bourse, professeur Fansler, et si je ne décroche pas un B dans cette matière..."), mais la seule idée de savoir ses étudiants patientant sur la banquette, la submergeant peut-être à l'heure qu'il était... mais le capitaine Stern ne voyait aucune objection, semblait-il, à faire poireauter les étudiants. Peut-être, finalement, devrait-elle adresser le capitaine Stern à Emanuel. Tout soudain, l'idée d'être assise dans son bureau, par un beau jour de printemps, à causer de psychiatrie avec un officier de police, lui parut d'une totale incongruité.

– Écoutez, capitaine Stern, fit-elle, que voulez-vous savoir exactement ? Avant qu'un bon analyste n'accepte de prendre un malade en charge, il lui faut d'abord s'assurer que ledit malade est bien perméable à la psychanalyse. Il devra être d'une intelligence suffisante, présenter un certain type de problèmes et une certaine aptitude aux associations libres. Ni les psychotiques ni même parfois certains névrosés ne seront des sujets idoines. Et, par-dessus tout, le patient devra *souhaiter* entrer en analyse, *désirer* ardemment qu'on lui vienne en aide. D'un autre côté, la plupart des psychanalystes que j'ai rencontrés pensent que toute personne intelligente peut bénéficier d'une assistance et se voir octroyer, par le truchement d'un bon analyste, une plus grande liberté d'action. Si l'on me demande de recommander un bon analyste, je m'exécute, sachant que tout bon analyste n'acceptera de prendre en charge que les seuls patients accessibles à l'analyse, et à une analyse pratiquée, de surcroît, avec cet analyste précis. Je peux difficilement me montrer plus limpide dans un domaine où je brille moi-même notoirement par mon ignorance, et n'importe quel analyste, en m'entendant, pousserait probablement les hauts cris, et dirait que j'ai tout faux, ce qui d'ailleurs est plus que vraisemblablement le cas. Maintenant, au nom du ciel, pourriez-vous me dire ce qu'a fait Janet Harrison ?

– Elle a été assassinée.

Le capitaine Stern laissa à ses paroles le temps de se frayer leur chemin. Dehors, des bruits printaniers montaient du campus. Quelques garçons, membres d'une fraternité, vendaient des tickets de tombola dans une voiture. Une ombre, celle probablement d'un étudiant, faisait les cent pas derrière la porte vitrée du bureau de Kate.

– Assassinée ? interrogea Kate. Mais je ne sais strictement rien d'elle. A-t-elle été agressée dans la rue ?

Subitement, cette fille parut se rappeler au souvenir de Kate, ressuscitée, assise à la place qu'occupait actuellement le capitaine Stern. *Tu es un savant : parle-lui, Horatio* [1].

– Vous avez dit, Miss Fansler, qu'elle avait l'air d'attendre pour voir ce qui allait se passer. Qu'entendiez-vous exactement par là ?

– J'ai dit ça ? Je ne sais plus trop ce que je voulais dire. Façon de parler.

– Y avait-il, entre vous et Janet Harrison, *quoi que ce soit* de personnel ?

– Non. C'était une étudiante. (Soudain, Kate se remémora sa première question : *À quoi avez-vous occupé votre temps hier matin ?*) Capitaine Stern, qu'ai-je à faire dans cette histoire ? Parce que j'ai

1. Shakespeare, *Hamlet*, acte I, scène 1. (*N.d.T.*)

donné à cette fille le nom d'un analyste, et qu'elle était mon étudiante, je suis censée savoir qui l'a assassinée ?

Le capitaine Stern se remit sur pied :

– Veuillez me pardonner de vous avoir enlevée à vos étudiants, Miss Fansler. Si je dois vous revoir, je tâcherai de choisir une heure plus convenable. Merci d'avoir bien voulu répondre à mes questions.

Il s'interrompit pendant un instant, comme pour préparer son petit discours :

– Janet Harrison a été assassinée dans le cabinet du psychanalyste auquel vous l'avez adressée. Emanuel Bauer, c'est son nom. Elle était sa patiente depuis sept semaines. Elle a été assassinée sur le divan, dans son bureau, le divan sur lequel, ai-je cru comprendre, les patients s'allongent au cours de leur séance d'analyse. Elle a été poignardée avec un couteau provenant de la cuisine de Bauer. Nous sommes bien entendu très désireux de découvrir sur elle le maximum de choses. Mais les informations susceptibles d'être recueillies m'ont l'air d'une denrée très rare. Et à présent, au revoir, Miss Fansler.

Kate le regarda partir, l'œil toujours rivé sur lui tandis qu'il refermait la porte derrière lui. Elle avait sous-estimé son sens de la dramaturgie ; c'était on ne peut plus clair. *Je t'ai adressé un patient, Emanuel.* Qui donc lui avait-elle adressé ? Où pouvait-il bien être, à présent ? La police n'avait tout de même pas imaginé Emanuel capable de poignarder une patiente sur son propre divan ? Mais comment, dans ce cas, le meurtrier était-il entré ? Emanuel était-il sur place ? Elle s'empara du combiné et composa le 9 pour obtenir l'extérieur. Quel était son numéro, déjà ? Elle n'avait pas la moindre envie de feuilleter un annuaire. Elle fut stupéfaite de constater, tandis qu'elle composait le

411, indicatif des renseignements, que sa main tremblait. « Pourriez-vous me donner, s'il vous plaît, le numéro de Mrs. Nicola Bauer, 879, 5e Avenue ? » Le numéro de téléphone du bureau d'Emanuel était à son nom, et celui de son domicile au nom de Nicola, se souvenait-elle : afin d'éviter que les patients ne l'appellent chez lui. « Merci, mademoiselle. » Elle ne l'inscrivit pas, mais se le répéta mentalement, sans interruption. Trafalgar 9. Mais elle avait négligé de recomposer le 9 pour obtenir l'extérieur. Recommencer, en prenant son temps. *Emanuel, que t'ai-je fait ?* « Allô. » C'était Pandora, la bonne des Bauer. Dieu que ce nom pouvait être drôle, avait-on trouvé à une certaine époque !

– Pandora, ici Miss Fansler, Kate Fansler. Pourriez-vous dire à Mrs. Bauer que j'aimerais lui parler ?

– Une petite minute, Miss Fansler, je vais voir.

On reposa le téléphone. Kate entendit l'un des petits Bauer. Puis Nicola fut en ligne.

– Kate. Je suppose que tu as appris.

– Un inspecteur sort d'ici ; je suis dans mon bureau. Compétent, laconique et, je le soupçonne, superficiel. Ils t'ont permis de rester, Nicki ?

– Oh ! oui. Des milliers de types ont retourné toute la maison, mais ils ont dit qu'on pouvait rester. Maman a dit qu'on pouvait venir habiter chez elle mais, une fois les policiers disparus, nous avons préféré rester, tout bien considéré. Comme si, en partant, nous nous interdisions de jamais revenir, nous interdisions à Emanuel de jamais revenir. On a même gardé les garçons à la maison. Ça doit te sembler fou, je suppose.

– Non, Nicki. Je comprends très bien. Puis-je passer te voir ? Tu voudras bien m'expliquer ce qui s'est passé ? On me laissera entrer ?

– Ils n'ont laissé qu'un policier de garde devant la porte, pour s'occuper de la populace. Il y a eu plein de journalistes. On aimerait beaucoup te voir, Kate.

– Tu m'as l'air épuisée, mais je viens malgré tout.

– Ça me fera très plaisir de te voir. Pour Emanuel, je ne sais pas. Kate, j'ai l'impression qu'ils nous soupçonnent d'avoir fait ça, dans le cabinet d'Emanuel. Tu connais bien un adjoint du District Attorney, non ? Tu pourrais peut-être…

– Nicki, j'arrive immédiatement. Je ferai tout ce qui est en mon pouvoir. Je pars à l'instant.

Quelques rares étudiants patientaient encore devant le bureau. Kate passa précipitamment devant eux et dévala l'escalier. Sur cette même banquette avait patienté Janet Harrison, plusieurs mois plus tôt. *Professeur Fansler, pourriez-vous me recommander un bon psychanalyste ?*

2

Aucune raison valable au monde n'oblige les psychanalystes à se cantonner dans le quartier résidentiel le plus chic de la ville. Broadway, par exemple, est accessible par le métro, tandis que la 5e Avenue, Madison et Park Avenue, tout comme les rues transversales qui les coupent, exigent qu'on emprunte, pour s'y rendre, un taxi, un bus ou la marche à pied. Mais nul psychanalyste n'irait nourrir le projet d'aller s'installer à l'ouest, à l'exception des quelques âmes héroïques de Central Park West qui, apparemment, estiment que la vue dont elles jouissent sur la 5e Avenue, de l'autre côté du parc, suffit à rassasier leur exigence de chic somptuaire. Soit parce que ce phénomène, de lui-même, a revêtu la forme de l'équation : East Side = grande classe ; psychiatrie = grande classe ; donc psychiatrie = East Side, soit parce qu'il semble à présent convenu que West Side et réussite sociale s'excluent l'un l'autre, toujours est-il qu'il appert que les psychanalystes vont toujours nicher dans les sixties, seventies, peut-être le bas des eighties, entre les avenues, et que c'est donc là que leurs patients doivent venir les dénicher. Le secteur est connu, dans certains cercles, sous le sobriquet de Quartier des psys.

Les Bauer vivaient dans un appartement au rez-de-chaussée, dans les sixties, juste en retrait de la 5e Avenue. L'immeuble proprement dit était situé sur la 5e Avenue, mais l'adresse officielle du cabinet du Dr. Emanuel Bauer était libellée : 3 East. À quoi pouvait se monter le loyer des Bauer, Kate n'osait même pas l'imaginer. Nicola, bien sûr, avait de l'argent et, dans la mesure où le cabinet d'Emanuel était installé dans leur appartement, un certain pourcentage dudit loyer était déductible des impôts. Kate, quant à elle, habitait un vaste quatre pièces qui surplombait l'Hudson, non pas, comme le laissaient entendre certains de ses amis, parce qu'elle faisait du snobisme à rebours, mais bien parce que les vieux appartements de l'East Side étaient inabordables et que, s'agissant du neuf... Kate aurait préféré planter sa tente plutôt que d'avoir une cuisine sans fenêtres, des murs si minces qu'on pouvait de chez soi écouter, bien à contrecœur, la télévision des voisins, de la musique d'ambiance dans les ascenseurs et des poissons rouges dans le hall. Ses plafonds étaient hauts, ses murs épais, et son élégance s'évanouissait.

Tandis que le taxi de Kate zigzaguait à travers les files de voitures, l'emportant vers l'appartement des Bauer, elle réfléchissait, non pas à leur loyer, mais à la disposition de leur appartement, si commode pour un meurtrier. L'appartement, en fait, quand on y repensait, était même idéalement conçu pour faciliter les intrusions de toute nature. L'entrée située sur la rue conduisait à une sorte de vestibule, lequel donnait d'un côté sur l'appartement des Bauer et, de l'autre, sur celui d'un autre médecin (qui n'était d'ailleurs pas psychiatre, autant que Kate s'en souvienne). Au-delà de ces deux portes d'entrée, le corridor s'élargissait pour former un petit hall, où l'on trouvait un banc, un ascenseur puis une porte, qui ouvrait sur le garage. Bien que le hall principal de l'immeuble soit surpeuplé d'employés, ce hall secondaire ne pouvait se targuer, lui, que de la présence du seul liftier qui, en bon représentant de son espèce, passait la majeure partie de son temps à monter vers les étages supérieurs, ou à en redescendre. Lorsqu'il était à l'intérieur de sa cabine, le hall était désert. Ni l'appartement des Bauer ni le cabinet situé en face dans le hall n'étaient fermés à clef pendant la journée. Les patients d'Emanuel entraient sans plus de façons et patientaient dans la petite salle d'attente jusqu'à ce qu'Emanuel les introduise dans son bureau. En théorie, lorsque l'ascenseur était dans les étages, n'importe qui pouvait entrer, à n'importe quel moment, sans se faire remarquer.

Mais, bien entendu, d'autres personnes encore pouvaient traîner dans les parages. Sans même parler de l'autre médecin, de ses malades et de son infirmière – laquelle semblait se livrer à de multiples allées et venues – il y avait Emanuel lui-même, ses patients, dont l'un pouvait par exemple se trouver dans son bureau tandis qu'un autre patientait, Nicola, la bonne, les petits garçons Bauer, Simon et Joshua, des amies de Nicola, des amis des enfants et, bien sûr, Kate réalisa soudainement, n'importe quel locataire habitant les étages supérieurs, entré dans l'immeuble par l'entrée de la rue adjacente et ayant attendu l'ascenseur dans le petit hall. Que celui, quel qu'il soit, qui avait fait ça, connaissait à fond l'appartement et les habitudes des Bauer, c'était là une chose qui s'imposait de plus en plus clairement à l'esprit de Kate, tout comme elle avait dû, très probablement, s'imposer à la police. C'était une idée pour le moins déstabilisante mais Kate, dans l'immédiat, se refusait à en tirer les déprimantes conclusions qu'elle impliquait. Il se pourrait, songeait-elle, que le meurtrier ait été vu. Encore que, néanmoins, elle en doutât fortement. Et s'il (ou elle) avait été vu(e), il (ou elle) était probablement passé(e) pour un locataire tout à fait ordinaire, un visiteur ou un patient, par conséquent quelqu'un dont on ne se souvient pas, proprement invisible.

Kate trouva Nicola étendue sur son lit au fond de l'appartement. Kate était entrée sans se faire voir de personne, sinon du policier dans le hall, chose qui ne manqua pas de la déprimer plus encore, bien qu'elle eût été bien en peine de dire si ce désarroi croissant était engendré par l'aisance avec laquelle elle s'était immiscée dans la place ou par la présence du policier. D'ordinaire, on trouvait toujours Nicola au fond. Le salon des Bauer, visible depuis le grand vestibule que devaient traverser les patients, n'était guère utilisé pendant la journée ni même pendant les premières heures de la soirée, lorsque Emanuel recevait encore. On prenait au contraire bien soin qu'aucun des patients ne rencontre qui que ce soit appartenant au foyer d'Emanuel. Jusqu'aux garçons qui étaient devenus experts à se faufiler de la partie de l'appartement où étaient situées les chambres à coucher jusqu'à la cuisine sans rencontrer un seul patient.

– Emanuel est en train de travailler ? s'enquit Kate.

– Oui. Ils l'ont autorisé à exercer de nouveau mais, naturellement, on va en parler dans les journaux, et je ne sais absolument pas si ses patients vont revenir, ni ce qu'ils en penseront si jamais ils reparaissent. Je suppose que ça risque surtout, en fait, de faire remonter à la surface un matériau proprement fascinant, s'ils daignent en parler ; mais ce n'est pas vraiment ce qu'on peut rêver de mieux comme décor pour l'élaboration d'un transfert en cours d'analyse, du moins pour un transfert *positif*: un cabinet d'analyste reconverti en théâtre du crime, avec pour couronner le tout votre analyste dans le rôle du principal suspect. Les patients, tu vois, peuvent parfaitement nourrir le fantasme d'être agressés sur le divan d'un analyste – et je suis persuadée que c'est vrai pour la plupart d'entre eux – mais il est tout de même préférable que *personne* n'ait effectivement été poignardé dans les locaux.

Rien, remarqua Kate avec gratitude, rien ne semblait pouvoir tarir le flot de paroles que déversait Nicola. Sauf lorsqu'elle parlait de ses enfants (et la seule façon de couper court au rabâchage, se disait Kate, était d'éviter soigneusement le sujet), Nicola n'était jamais barbante, en partie parce que son bavardage prenait sa source dans une joie de vivre qui allait au-delà du pur et simple égocentrisme et en partie aussi parce qu'elle ne se contentait pas de parler, mais qu'elle savait également écouter, et écouter avec une attention concernée. Kate se disait fréquemment qu'Emanuel avait épousé Nicola en grande partie pour son verbe, qui le submergeait de ses vagues déferlantes, renflouant tous les sujets superficiels possibles et imaginables, et le maintenant à flot en dépit de la pesanteur de son propre esprit. Car la seule chose qui pouvait pousser compulsivement Emanuel à parler, c'était une idée abstraite et, de façon pour le moins saugrenue, cette bizarrerie de caractère leur convenait à merveille. À l'instar de la plupart des disciples hommes de Freud, à l'instar de Freud lui-même, finalement, Emanuel éprouvait le besoin de la compagnie des intellectuels du sexe faible, et la recherchait, en évitant toutefois de contracter toute alliance contraignante.

– Et, naturellement, poursuivait Nicola, les malades ne sont pas censés connaître le moindre détail personnel de la vie de leur analyste et, même si les policiers font de leur mieux – comme ils s'y sont engagés – les journaux risquent d'imprimer qu'il a une femme et deux enfants, sans parler du fait qu'il est soupçonné d'avoir poignardé l'un de ses patients sur son divan, et je vois mal comment nous pourrions nous remettre d'un tel désastre, à supposer qu'Emanuel ne soit pas jeté en prison, encore qu'un psychanalyste aussi brillant que lui aurait sans nul doute fort à faire en prison, mais si Emanuel avait souhaité étudier la mentalité criminelle, c'est par là qu'il aurait commencé. Peut-être aurait-il pu découvrir le coupable, s'il l'avait fait, d'ailleurs. Je n'arrête pas de lui répéter que ça ne peut qu'être l'un de ses patients, et il me rétorque à chaque fois : "Parlons d'autre chose, Nicola, si tu veux bien." Et je ne peux parler à personne, sauf peut-être à Mère, qui voudrait bien battre en retraite, mais reste là pour ne pas avoir l'air, parce qu'elle est tellement *courageuse*, mais Emanuel a dit qu'avec toi je pouvais en discuter parce que toi, au moins, tu sais te taire, et que tu seras un bon dérivatif. Pour moi, je veux dire.

– Je vais te servir un sherry, d'accord ? dit Kate.

– Ah ! ne commence pas à jouer les personnes raisonnables, ou je hurle. Pandora se comporte de façon très posée avec les enfants ; moi aussi, bien sûr, mais ce dont j'ai envie, c'est de quelqu'un qui puisse s'asseoir à côté de moi, pour se lamenter avec moi.

– Je ne suis pas raisonnable, mais tout bonnement égoïste. Un verre me ferait le plus grand bien, à moi aussi. Dans la cuisine ? Laisse, laisse, ne bouge pas, j'y vais ; réfléchis pendant ce temps à la façon dont tu vas me présenter l'affaire, en commençant par le tout début...

– Je le sais déjà : en filant l'histoire jusqu'à ce que j'arrive à la fin, et en m'en tenant là.

Tandis que Kate se rendait dans la cuisine et en revenait avec les verres, sans omettre de jeter au préalable un bref coup d'œil par les portes pour voir si le chemin était dégagé (il n'aurait pas été très seyant de croiser un patient avec un verre d'alcool fermement maintenu dans chacune de ses mains), elle s'efforça de faire mentalement le point sur les faits précis qu'il lui faudrait extorquer à Nicki si elle voulait voir clair dans toute cette histoire. Elle était d'ores et déjà décidée à appeler Reed au bureau du District Attorney pour exercer sur lui un petit chantage (s'il fallait en arriver là) afin qu'il lui dise ce que savait la police mais, entre-temps, le plus raisonnable était encore d'en revenir aux faits tangibles. L'étrange faculté dont jouissait Kate de se contempler elle-même d'en dehors lui permit de constater, non sans un certain intérêt, qu'elle s'était déjà résignée à considérer le meurtre comme un fait avéré, qu'elle avait absorbé le choc et était désormais en état de passer à l'action, une action cohérente et valide.

– Eh bien, fit Nicki, en sirotant machinalement son sherry, ça a commencé comme une journée tout à fait ordinaire. (Les journées débutent toutes, inéluctablement, de cette manière, songea Kate, mais nous n'en prenons conscience que lorsqu'elles ne se terminent pas d'une manière ordinaire.) Emanuel s'est levé en même temps que les garçons. C'est le seul moment de la journée où il peut vraiment les voir, à part quelques rares minutes au hasard par-ci, par-là, et ils ont pris leur petit déjeuner ensemble à la cuisine. Étant donné qu'il avait rendez-vous à huit heures avec un patient, il a propulsé les garçons dans leur chambre à huit heures moins dix, où ils ont joué, encore que jouer dans le calme outrepasse apparemment leurs possibilités, et j'ai continué à dormir comme une souche jusqu'à neuf...

– Tu veux dire qu'Emanuel avait un patient dès huit heures du matin ?

– Bien sûr, c'est même l'heure la plus recherchée. Les gens qui travaillent doivent venir avant d'aller à leur travail, ou pendant l'heure du déjeuner, ou le soir en fin de journée, et ça explique pourquoi la journée de travail d'Emanuel, comme celle de tous les psychiatres, j'imagine, commence si tôt et finit si tard. Certes, Emanuel voit en ce moment cinq patients dans la matinée, mais c'est là une disposition tout ce qu'il y a d'exécrable et il a l'intention... enfin, il *avait* l'intention... de reporter celui de dix heures dans l'après-midi dès qu'il pourra s'arranger – le patient, je veux dire – pour se libérer l'après-midi. Celui de onze heures n'est plus là, maintenant, et tous les autres, si ça se trouve, vont lui emboîter le pas.

– Le patient de onze heures, c'est Janet Harrison ?

– Kate, est-ce que tu crois qu'elle avait un passé chargé ? Il ne peut pas en être autrement, tu ne penses pas, pour que quelqu'un l'ait pistée jusqu'ici pour venir la tuer dans le bureau d'Emanuel. Je n'arrête pas de faire remarquer qu'on peut raisonnablement s'attendre, de la part de quelqu'un qui suit une analyse, qu'il fasse allusion à son passé, et de me demander pourquoi, nom d'un chien, Emanuel refuse de s'en ouvrir à la police. Mais, bon, évidemment, c'est comme le secret de la confession ; tout de même, cette fille est morte, maintenant, et Emanuel est en danger...

– Nicki chérie, il n'est pas nécessaire qu'elle ait eu un passé chargé ; le présent peut suffire amplement, et même l'avenir, un avenir dont quelqu'un aurait tenté d'enrayer le déroulement. J'espère seulement de tout cœur que c'est bien *elle* que le meurtrier cherchait à tuer. Parce que si la police devait mettre le grappin sur un éventuel maniaque homicide, subjugué par la vision de cette fille sur le divan, et qui entrait là par pur hasard, sans même savoir qui elle était... bon, bien entendu, c'est une idée grotesque. Revenons-en à la journée d'hier. Emanuel avait donc des patients à huit heures, neuf heures, dix heures, onze heures et midi.

– Il s'attendait à les avoir ; mais il se trouva que les patients de onze heures et de midi annulèrent leur rendez-vous, à moins qu'Emanuel n'ait rêvé qu'ils l'avaient fait, parce que bien entendu ils sont venus tous les deux, et c'est comme ça que j'ai trouvé le corps, parce que le patient de midi...

– Nicki, s'il te plaît, essayons de nous en tenir à un ordre un peu rigoureux. L'essentiel, c'est que tu ne laisses rien de côté, si banal et insignifiant que ça puisse te paraître. Au fait, combien Emanuel a-t-il de malades, en tout et pour tout ? Combien en avait-il, plutôt, jusqu'à hier matin ?

– Je n'en sais rien exactement. Emanuel ne parle jamais de son travail. Je sais qu'il ne peut pas en recevoir plus de huit par jour mais, naturellement, tous ne peuvent pas se permettre de venir une fois par jour, de sorte que le total doit probablement avoisiner les dix ou douze ; je n'en sais rien. Il faudrait que tu demandes à Emanuel.

– D'accord, nous en sommes donc à hier, neuf heures du matin, quand tu sors de ton profond sommeil.

– Neuf heures cinquante et des poussières, en fait. Suite à quoi, les enfants et moi faisons un saut dans la cuisine, où je prends mon premier petit déjeuner, et eux leur second. Nous avons un peu tendance à traînasser, je l'avoue, et j'ai pris l'habitude de dresser des listes, les emplettes du jour ou les courses que j'ai à faire, et je téléphone au boucher, ou j'appelle Mère, et ainsi de suite. Tu sais comment ça se passe, hein, le matin.

– À quelle heure Pandora arrive-t-elle ?

– Oh ! Pandora est déjà arrivée. Désolée, je n'arrête pas d'oublier des trucs. Pandora arrive à neuf heures ; d'ordinaire, elle est dans la cuisine quand j'y entre avec les garçons. Une fois qu'ils ont grappillé pratiquement tout mon petit déjeuner, et qu'elle a débarrassé la table et tout le tralala, elle les habille et ils sortent, à moins bien entendu qu'il ne tombe des cordes. Pandora a une sorte de colonie qu'elle retrouve au parc ; je n'ai pas la moindre idée de l'âge, du sexe, ni de la nationalité des autres enfants, mais les garçons ont l'air de bien apprécier et Pandora, bien évidemment, est un parangon de bon sens, surtout maintenant qu'elle a été…

– Il est donc dix heures du matin, grosso modo, et les enfants viennent tout juste de sortir avec Pandora…

– Un tout petit peu après dix heures, en fait, en règle générale. Ensuite, je commence à enfiler mes affaires, et ainsi de suite, puisque je dois partir au maximum à onze heures moins vingt pour mon heure de psychanalyse, même si je suis d'habitude assez en avance pour faire une course ou deux sur le trajet.

Nicki suivait aussi une analyse, encore que Kate n'ait jamais réussi à déterminer exactement pour quelle raison. Ça semblait avoir une corrélation avec le désir d'une plus grande compréhension de son époux et d'une entente plus parfaite avec lui ; mais, à ce qu'il paraissait, Nicki avait également éprouvé le besoin urgent de résoudre certains petits problèmes, dont le plus préoccupant semblait être ce qu'elle appelait ses crises d'angoisse. Kate n'avait encore jamais réussi à cerner avec précision ce qu'était une crise d'angoisse, encore qu'elle avait cru comprendre que c'était quelque chose d'assez terrifiant et que sa principale caractéristique était de toujours survenir à un moment où il n'y avait justement pas lieu de s'angoisser. Ainsi, lui avait expliqué Nicki, quelqu'un pouvait parfaitement être victime d'une crise d'angoisse dans un ascenseur ; la personne en question éprouvait alors l'angoisse virulente de voir l'ascenseur tomber en chute libre mais, même si vous parveniez à lui démontrer par A plus B que ledit ascenseur ne pouvait *pas* tomber, même si elle-même savait pertinemment qu'une telle chose était impensable, c'était en vain et rien de tout ceci ne permettait de surmonter la crise d'angoisse. Ça n'impliquait absolument pas, comme Kate avait cru le comprendre ultérieurement, qu'elle (la victime de la crise d'angoisse) se soit jamais trouvée dans un ascenseur tombant en chute libre, ni qu'elle ait connu quelqu'un qui soit passé par là, ni même qu'elle ait jamais eu avec les ascenseurs le moindre rapport, aussi ténu soit-il. Les crises d'angoisse de Nicki n'étaient nullement associées aux ascenseurs – et c'était grand dommage, assurément, vu qu'elle habitait au rez-de-chaussée – mais s'attachaient, semblait-il, aux transports publics. Kate se fit la réflexion une fois de plus que, même si elle était profondément impressionnée par le génie de Freud, la phraséologie brouillonne, emberlificotée et dénuée de toute efficacité, la mixture de jargon et de prêchi-prêcha doctrinaire qui étaient l'apanage de l'analyse clinique de nos jours la laissaient de marbre au plus haut point. Le hic, entre autres, était que si d'aventure Freud revenait sur terre de nos jours, il serait toujours meilleur psychiatre que n'importe qui ; Einstein, juste avant sa mort, ne comprenait plus rien aux travaux qui se faisaient alors dans le domaine de la physique et ça, au moins, songeait Kate, c'était dans la norme des choses, tel que ça devrait toujours être. La psychiatrie, qui avait pris son essor avec Freud, paraissait s'être arrêtée avec lui ; mais il était peut-être un peu trop tôt pour se prononcer.

– En fait, je suis sortie à dix heures trente, hier matin, disait Nicki.

– Pendant ce temps, Emanuel recevait des patients dans son bureau.

– Oui. Entre celui de neuf heures et celui de dix heures, il est revenu dans l'appartement pour dire bonjour et aller aux toilettes. Jusque-là, tout se passait normalement. Je ne l'ai pas revu avant...

– Une petite minute, Nicki. Mettons ça au clair tout de suite. Vers dix heures trente, Emanuel est dans son bureau avec un patient (le patient, soit dit en passant, qu'il souhaitait reporter à l'après-midi... est-ce que ça a une quelconque importance ? Je me demande s'il connaissait la fille), Pandora est sortie avec les enfants et tu sors toi-même pour te rendre à ton rendez-vous de onze heures et faire une course. Au moment de partir, il ne reste donc plus personne dans l'appartement, à part Emanuel et son patient, qui se sont probablement enfermés dans son bureau ?

– Oui. Ça peut sonner légèrement dramatique, bien sûr, mais c'est parfaitement authentique. La police, elle aussi, semblait beaucoup s'intéresser à ce détail.

– Quiconque ayant épié la maisonnée savait donc que c'est ce qui se produisait effectivement, ou ne pouvait manquer de se produire, à moins que quelqu'un ne soit alité, ou qu'il ne pleuve ?

– Oui. Mais qui pourrait bien épier notre appartement ? Tu ne vois donc pas, Kate, que tout le problème est là.

– S'il te plaît, Nicki. Tenons-nous en pour une minute à la chronologie. À onze heures, donc, cette fille, Janet Harrison, aurait dû arriver ; et le patient précédent aurait dû être reparti. Toi, tu es censée être chez ton psychanalyste, les garçons et Pandora au parc, et cette situation doit perdurer pendant une heure, c'est bien ça ?

– Pendant cinquante minutes, en tout cas. L'heure de cinquante minutes, tu sais bien. Les patients partent à moins dix, et le rendez-vous débute à l'heure pile. Mais te voilà en mesure de constater par toi-même le problème que ça peut poser à la police. On peut très bien comprendre leur point de vue, je veux dire, même sachant qu'Emanuel n'aurait jamais poignardé un patient dans son propre cabinet, sur son propre divan ; c'est une idée complètement insensée. Il était là ou, tout du moins, ils croient savoir qu'il était là, dans son bureau insonorisé, en compagnie d'une fille, personne aux alentours, et il prétend que quelqu'un d'autre est entré et a poignardé la fille sur le divan alors qu'il n'était absolument pas présent. De leur point de vue, je peux comprendre que ça puisse sembler louche, et le mot est faible. Naturellement, Emanuel leur a très clairement expliqué que…

– Pourquoi cette pièce est-elle insonorisée, au fait ?

– Pour la tranquillité d'esprit des patients, non, vraiment. Si un patient assis dans la salle d'attente entendait le moindre son sortir du cabinet, il en tirerait aussitôt la conclusion qu'on pourrait *lui aussi* l'entendre, et ça pourrait avoir sur lui un effet dramatiquement inhibant. Aussi Emanuel a-t-il décidé de faire insonoriser son bureau – comme la plupart des psychiatres, j'imagine – et il est allé s'asseoir dans tous les recoins possibles et imaginables de la salle d'attente, pendant que j'étais allongée sur le divan du bureau et que je hurlais J'AIME MA MÈRE ET JE HAIS MON PÈRE à tire-larigot, sauf que, bien évidemment, les patients ne crient pas, eux, et qu'ils ne diraient jamais une chose pareille, mais on a fait ça pour en avoir le cœur net, et Emanuel n'a strictement rien entendu.

– Sautons quelques minutes, Nicki. Passons directement à midi, quand tu as retrouvé le corps. Pourquoi toi ? Tu as l'habitude d'entrer dans le bureau d'Emanuel ?

– Jamais pendant la journée, en réalité. Le soir, j'y entre pour épousseter un peu et vider les cendriers, puisque Pandora n'en a jamais vraiment l'occasion et, parfois aussi en été, dans la soirée quand, avant de sortir, on va s'y asseoir un moment parce que c'est la seule pièce climatisée de la maison. Mais, dans la journée, aucun de nous ne s'en approche jamais. Nous essayons même de ne pas faire trop d'allées et venues quand il y a un patient dans la salle d'attente, quoique Emanuel se soit exercé à toujours refermer la porte du hall derrière eux, de façon à ce que, techniquement parlant, ils ne puissent jamais nous voir, sauf quand nous entrons ou ressortons. Je sais que beaucoup de psychiatres voient d'un mauvais œil qu'un analyste ait son cabinet à son domicile, mais ils réalisent mal à quel point est infime ce que les malades peuvent entrevoir de ce qui se passe chez nous. Même si les patients d'Emanuel pressentent qu'il est probablement marié, un seul et unique d'entre eux, au cours de toutes ces années, a pu m'entrapercevoir et, encore, il peut très bien m'avoir prise pour une autre patiente. Aucun d'entre eux, je crois, n'a seulement soupçonné l'existence des enfants. Le bureau est totalement inaccessible et je n'y pénètre pas plus souvent que s'il était installé autre part ; et même moins, si ça se trouve.

– Suppose que, pour une raison quelconque, tu aies quelque chose à lui dire pendant la journée.

– Si c'est très important, j'attends qu'il en ressorte, ce qui lui arrive très fréquemment entre deux patients. S'il y a urgence, je lui passe un coup de fil. Il a sa propre ligne privée dans son bureau, bien entendu.

– Mais hier, à midi, tu es entrée dans son bureau.

– Pas à midi, non ; je ne rentre jamais avant midi et demi, d'ordinaire, mais hier j'étais un petit peu en avance. Il peut arriver, certains jours, que je retrouve quelqu'un pour déjeuner, à moins que je ne descende en ville, pour ne revenir qu'en début d'après-midi. Mais hier, Dieu merci – oui, je suppose que je peux dire Dieu merci – je suis rentrée de bonne heure. Au moment où je mettais les pieds dans l'appartement, le patient de midi...

– Tu l'as reconnu ?

– Non, bien sûr que non. Je ne l'avais encore jamais vu. L'homme dont j'ai appris ultérieurement que c'était le patient de midi, je veux dire, a passé la tête par la porte du hall et a demandé si le docteur recevait bien ses patients. Il était une heure moins vingt-cinq, et le docteur n'était pas encore venu le chercher. Bon, ça, c'était vraiment très bizarre, Kate, tu vois. Jamais, au grand jamais, Emanuel n'a laissé un patient en plan. Je savais qu'il avait reçu son patient de onze heures (Janet Harrison) et il ne prend jamais la peine de filer faire un tour dehors pendant les intervalles de dix minutes entre deux patients. Je me suis demandé ce qui avait bien pu lui arriver. Se pouvait-il qu'il soit encore dans son bureau, totalement incapable, pour Dieu sait quelle raison, d'affronter un patient ? J'ai appelé sur sa ligne privée, de la cuisine et, au bout de trois sonneries, le service des abonnés absents a répondu, et c'est là que j'ai compris que, de deux choses l'une, ou bien il n'était pas là, ou bien il ne souhaitait pas décrocher, et j'ai commencé à m'inquiéter. Entre-temps, j'avais adjuré le patient de retourner dans la salle d'attente. Bien sûr, je me suis fait tout un tas d'idées, plus saugrenues les unes que les autres, comme par exemple qu'il avait fait une crise cardiaque, ou bien qu'il avait été incapable de se dépêtrer du patient de onze heures – dans ces moments-là, il vous vient vraiment à l'esprit les lubies les plus inconcevables. Pandora était dans la cuisine avec les enfants, qui étaient en train de déjeuner, et je suis donc allée frapper à la porte du bureau. Je savais que le patient de la salle d'attente se rendait parfaitement compte de ce que j'étais en train de faire, même s'il ne pouvait me voir, mais il fallait bien que je fasse quelque chose et, évidemment, personne ne m'a répondu quand j'ai frappé, si bien que j'ai entrebâillé la porte et passé la tête. Elle était étendue là, devant mes yeux, sur le divan, qui est installé près de la porte. Pas moyen de ne pas la voir. Je me suis d'abord dit : “Elle a dû s'assoupir.” Mais, tout de suite après, j'ai vu le couteau qui sortait de sa poitrine. Et pas la moindre trace d'Emanuel. J'ai eu la présence d'esprit de refermer la porte du bureau et de dire au patient qu'il ferait mieux de s'en aller. Il était dévoré de curiosité et il était visible qu'il n'avait pas la moindre envie de quitter un endroit dont il flairait obscurément qu'il était le théâtre de quelque drame, mais j'ai réussi à le pousser dehors. J'étais étonnamment calme, comme ça arrive souvent immédiatement après un grand choc.

– Et, ensuite, tu as appelé la police ?

– Non. En fait, je n'ai absolument pas songé à la police, pas sur le moment.

– Qu'as-tu fait, alors ?

– Je me suis précipitée dans le cabinet d'en face et j'ai ramené le docteur. Il a été très gentil et il est venu tout de suite, alors que son cabinet était bourré de patients. Il s'appelle Barrister, Michael Barrister. Il m'a dit qu'elle était morte.

3

– Le dîner est servi, dirait-on, fit Emanuel en entrant dans la chambre à coucher. Salut, Kate. Pandora t'as mis un couvert. Comment cette femme se débrouille pour tenir le coup de la sorte, j'en suis encore à me le demander, mais il est vrai qu'elle n'a pas eu affaire à la police.

– Tu m'as l'air de très bien tenir le choc toi-même, assura Kate.

– La journée d'aujourd'hui, en définitive, était encore peu ou prou un prolongement de ma vie d'avant. Les patients n'étaient pas encore au courant, du moins jusqu'au dernier d'entre eux, celui de six heures. Il avait un journal du soir.

– Est-ce que les journaux y font allusion ? demanda Nicola.

– S'ils y font allusion ? Je crains fort que nous ne fassions la une. Psychiatres, divans, patientes du beau sexe, médecins du sexe fort, couteaux – on peut difficilement les en blâmer. Allons dire bonsoir aux enfants et tâchons ensuite de manger un minimum.

Mais ce ne fut qu'une fois le dîner achevé, et quand ils furent installés dans le salon, qu'ils reparlèrent du meurtre. Kate s'était plus ou moins attendue à voir Emanuel s'éclipser, mais il semblait ressentir le besoin de parler. D'ordinaire, il prenait toujours prétexte d'un « besoin urgent de faire quelque chose d'utile », d'« utiliser son temps à plein », pour esquiver les mondanités ou, dans le cas contraire, s'il restait, pour se morfondre, agité par une tension interne grandissante. Ce soir, cependant, alors qu'un problème très tangible, s'il en est, fondait sur lui du dehors, Emanuel paraissait avoir atteint une sorte de sérénité intérieure, quasi empreinte de gratitude, dans la contemplation d'une chose qui échappait à son contrôle. L'extériorité même du meurtre lui procurait une manière de soulagement. Kate, qui s'en rendait compte, savait également que la police risquait de se méprendre, de prendre ce calme apparent pour le symptôme, l'indication de sa très réelle culpabilité alors qu'en réalité – ah ! si seulement ils avaient pu savoir ! – c'était la marque de son indubitable innocence. Eut-il tué cette fille que ledit problème n'aurait bien entendu pu venir de l'extérieur. Mais y avait-il au monde un seul policier qu'on puisse en convaincre ? Stern ? Kate contraignit son esprit à revenir aux seuls faits.

– Emanuel, demanda-t-elle, où étais-tu donc entre onze heures moins dix et midi et demi ? Ne viens surtout pas me dire que tu as reçu un coup sur le crâne et que tu as erré par les rues, sans plus trop savoir qui tu étais.

Emanuel la regarda, puis tourna les yeux vers Nicola, avant de répondre à Kate :

– Que t'a-t-elle exactement raconté ?

– Juste un petit laïus sur votre train-train quotidien, en fait, plus quelques mots sur la façon dont elle a trouvé le corps. Nous avons jusqu'à maintenant fait l'impasse sur l'heure ensorceleuse.

– Ensorceleuse est le mot, fit Emanuel. Tout ceci a été exécuté avec une intelligence si diabolique que je ne peux reprocher à la police de porter ses soupçons sur moi ; j'en suis presque arrivé à me soupçonner moi-même. Si l'on ajoute aux suspicions tout à fait justifiées de la police ma mystérieuse profession de psychiatre, mystérieuse et encore aujourd'hui, j'en ai peur, pas vraiment américaine à cent pour cent, il ne faut pas s'étonner qu'ils puissent partir du principe que j'ai perdu subitement les pédales et poignardé cette fille sur mon divan. À mon sens, ils n'ont plus le moindre doute.

– Pourquoi ne pas t'avoir arrêté, dans ce cas ?

– Je suis le tout premier à me poser la question, et j'ai finalement décidé qu'ils n'avaient pas encore rassemblé les preuves suffisantes. Je ne m'y connais pas spécialement, en l'espèce, mais il me semble que le bureau du District Attorney doit d'abord être convaincu qu'ils sont en possession d'assez de preuves contre moi pour avoir une bonne chance de me condamner, avant d'autoriser mon arrestation et mon inculpation. Un avocat un tant soit peu intelligent (et, bien entendu, on s'attend plus ou moins à ce que j'aie les moyens de m'en payer un de cet acabit) risquerait de pulvériser en moins de temps qu'il n'en faut pour le dire le maigre dossier dont ils disposent actuellement. Et, tel que je vois les choses, ça pose au moins deux problèmes : l'incidence de cette histoire sur ma vie professionnelle, chose qu'à l'heure actuelle j'aime autant ne pas envisager, et le fait que tant qu'ils me croiront coupable, ils ne feront strictement rien pour rechercher le vrai meurtrier. Dans une telle éventualité, je suis fichu, d'un côté comme de l'autre.

Kate sentit monter en elle un grand élan d'admiration et d'affection pour cet homme profondément intelligent et intègre. Qui (à l'exception, peut-être, de la seule Nicola ?) aurait été mieux placé qu'elle pour apprécier l'insuccès des gros efforts qu'il faisait pour répondre aux exigences quotidiennes de la vie à deux mais il lui semblait distinguer, dans cette sérénité intérieure – comme elle le ferait d'ailleurs plus tard, à l'occasion de toutes les autres crises – un sens de l'honneur, un caractère, que rien ne pourrait jamais broyer. Elle avait assez vécu pour savoir que là où, chez le même être, on rencontre à la fois intelligence et intégrité, on a déniché un trésor.

– Je m'étonne qu'ils t'autorisent encore à recevoir tes patients, même aujourd'hui, dit Nicola, sur le ton du sarcasme. Tu pourrais fort bien perdre à nouveau les pédales, puisqu'il nous faut admettre que c'est là l'un des traits marquants de ta profession, et poignarder une nouvelle victime. Ils auraient l'air malin, si ça se produisait, tu ne crois pas ?

– Bien au contraire, fit Kate d'un ton léger. Il leur faciliterait la tâche, ce faisant. Je présume qu'ils espèrent plus ou moins qu'il recommencera, écartant ainsi tous les doutes qui subsistent à son sujet, en même temps que, à leur façon sinistrement méthodique, ils pressentent, quelque part au fond d'eux-mêmes, qu'Emanuel n'est pas coupable.

Son regard croisa celui d'Emanuel, puis elle baissa les yeux, mais il y avait lu la foi, et elle l'avait revigoré.

– L'ironie de l'histoire, assez violente pour faire hurler Shakespeare de rire, fit Emanuel, c'est que cette fille, très récemment, avait commencé à se mettre très en colère, ce qui est la marque d'un transfert en cours. Lorsqu'elle a annulé hier, j'ai présumé que c'était justement pour cette raison et ça ne m'a pas surpris outre mesure. On se croit parfois tellement intelligent !

– Elle t'avait téléphoné pour annuler son rendez-vous ?

– Je ne lui ai pas parlé en personne mais, quand les choses suivent leur cours normal, ça n'a rien de bien surprenant. Elle, et le patient de midi – qui devait finalement se montrer par la suite et amener par ricochet Nicola à découvrir le corps – avaient l'un et l'autre annulé leur rendez-vous ; je l'ai appris vers onze heures moins cinq.

– N'est-ce pas très inhabituel ?

– Pas nécessairement. En règle générale, bien sûr, il est rare que deux patients se désistent l'un derrière l'autre, mais ça n'a absolument rien d'extraordinaire. Il arrive parfois que les patients se heurtent à une strate difficile et qu'ils soient incapables d'y faire face avant un certain temps. C'est là une chose qui se manifeste dans le cours de toute thérapie. Ils se racontent alors qu'ils sont trop fatigués, ou trop occupés, ou trop bouleversés. Freud a compris ça extrêmement tôt. C'est même l'une des raisons pour lesquelles nous insistons tant pour que les patients versent des honoraires pour leurs rendez-vous annulés, même lorsqu'ils présentent, ou paraissent présenter, une excuse tout à fait valable. Ça choque toujours les gens qui n'entendent rien à la psychiatrie et ils nous considèrent comme des pompes à fric, mais tout le mécanisme des honoraires, y compris le fait qu'on doive parfois faire des sacrifices pour se payer son analyse, fait partie intégrante de la thérapie, dont il est un rouage essentiel.

– Par quel moyen as-tu pu apprendre à onze heures moins cinq qu'ils annulaient leur rendez-vous ?

– J'ai téléphoné à la permanence et ils m'en ont informé.

– La permanence, c'est le service des abonnés absents ? Tu les appelles toutes les heures ?

– Seulement si je sais qu'il y a eu un coup de fil.

– Tu veux dire que le téléphone a sonné pendant que tu étais avec un patient, et que tu n'as pas répondu, c'est bien ça ?

– Le téléphone n'a pas exactement sonné ; il dispose, à la place de la sonnerie, d'une petite lumière jaune clignotante. Le patient ne peut pas la voir du divan. Si je n'ai pas répondu au bout de trois coups de sonnette, la permanence décroche. Naturellement, je n'interromps jamais un patient en répondant au téléphone.

– Tu as pu savoir qui avait appelé la permanence pour annuler ces rendez-vous ? Si c'était un homme, une femme, ou bien encore un homme pour les deux, quoi que ce soit ?

– J'y ai songé tout de suite, bien entendu, mais, quand j'ai obtenu la permanence, il y avait quelqu'un d'autre au standard, et ils ne gardent pas de trace enregistrée des voix qui les appellent, juste le message et l'heure. Mais la police ne manquera certainement pas d'y regarder de plus près.

Nicola, laquelle était restée très tranquillement assise durant tout cet entretien, pivota pour faire face à Kate :

– Avant de poser une autre question, permets-moi de te demander quelque chose. C'est précisément ce qui leur reste coincé en travers de la gorge, aux flics ; j'en suis persuadée, mais Emanuel en a parlé à suffisamment de gens et ils finiront par se rendre compte que c'est vrai et, de toute façon, nous avons rencontré d'autres psychiatres qui font exactement pareil, parce qu'ils se sentent coincés.

– Nicki, chérie, dit Kate, sans même parler de ton usage des pronoms, je n'ai pas la moindre idée de ce que tu essayes de me dire.

– Bien sûr que non ; je ne t'ai pas encore posé ma question. La voici : Si un patient d'Emanuel se désistait, que ferait Emanuel, selon toi ?

– Il irait faire un tour. Peu importe où, se balader, c'est tout.

– Tu vois bien, dit Nicola. Tout le monde sait ça. Je suppose que tu irais chez *Brentano's* pour farfouiller un peu dans les livres de poche, et ma mère, quand je lui ai posé la question, a décidé qu'il irait probablement faire une course quelque part, quelque chose qu'il aurait impérieusement à régler, mais le point capital, dans cette histoire, c'est que la police n'arrive pas à comprendre qu'un psychiatre, qui passe ses journées assis, à écouter sans rien faire ni rien dire, puisse se détendre en allant se promener. Ils s'imaginent que s'il n'avait pas manigancé quelque criminelle entreprise, il serait resté gentiment dans son bureau, comme toute personne sensée, à mettre son courrier à jour. Au pire des cas, ils sont persuadés qu'il aurait appelé un ami pour aller déjeuner en ville, avec deux cocktails à base de vodka en guise d'apéritif. Ça ne sert strictement à rien de leur dire qu'Emanuel ne déjeune jamais, et de toute façon jamais avec quelqu'un, et qu'il n'est absolument pas porté sur les coups de fil aux copains pour aller déjeuner en ville parce qu'il n'est jamais, à part pour une dînette sur le pouce comme celle-ci – et, maintenant que j'y repense, elle n'avait rien d'une dînette sur le pouce, elle était préméditée – libre pour déjeuner.

– Qu'est-ce que tu as fait, Emanuel ? s'enquit Kate.

– J'ai tourné en rond autour du réservoir, en courant plus ou moins.

– Je vois ; je t'ai déjà vu faire ; ça m'est aussi arrivé, à moi aussi.

Ça se passait il y a bien longtemps, avant Nicola, lorsqu'elle était encore assez jeune pour aller courir pour le seul plaisir de courir.

– C'était le printemps ; le printemps qui courait dans mes veines.

Kate revit l'inscription à la craie. Il lui sembla soudain l'avoir vue dans une autre vie. Elle se sentit subitement complètement vannée, et le sol lui fit l'impression de se dérober sous elle, comme ces personnages de dessins animés qu'elle avait vus étant petite, qui, réalisant qu'ils n'étaient assis sur rien de tangible, tombaient par terre. Depuis son premier choc émotionnel, l'annonce impromptue de l'inspecteur Stern – *Elle a été assassinée* – jusqu'à l'instant présent, elle n'avait pas autorisé le moindre sentiment à se cristalliser, relativement à l'actuelle situation d'Emanuel. Elle avait, en particulier, banni du champ de sa conscience la question de sa responsabilité dans ladite situation. Elle restait suffisamment rationnelle, jusque dans son actuel état de bouleversement et d'épuisement physique, pour ne pas se tenir responsable de la totalité de l'affaire. Elle ne pouvait, en aucun cas, prévoir que la fille allait être assassinée, ni ne pouvait non plus deviner – pas même, en fait, tout bonnement imaginer – qu'elle le serait dans le bureau d'Emanuel. Une idée de cet acabit lui eût-elle traversé l'esprit qu'elle aurait aussitôt décidé, dans le langage fleuri de Nicola, qu'elle devait « halluciner ».

Si Kate, toutefois, n'était jamais, dans l'enchaînement des circonstances qui conduisait à ce désastre, qu'un modeste maillon, elle n'en portait pas moins une part de responsabilité, non seulement envers Emanuel et Nicola, mais encore envers elle-même, sinon envers Janet Harrison.

– Vous souvenez-vous de cette blague qu'on entendait il y a quelques années ? leur demanda-t-elle. Celle des deux psychiatres dans un escalier, et l'un des deux fiche la trouille à l'autre. Celui qui a eu peur se met d'abord en colère, puis il hausse les épaules et décide de passer l'éponge. "Après tout", lui fait-on dire, "c'est *son* problème, pas le mien." Eh bien, je refuse de l'imiter ; c'est aussi le mien, de problème, même si nous n'étions pas amis.

À leurs regards qui se fuyaient, et évitaient également le sien, elle comprit qu'ils avaient déjà abordé la question, ne serait-ce que pour l'effleurer.

– En fait, poursuivit-elle, considéré sous un certain angle, celui de la police, mettons, je fais moi-même un suspect assez valable. L'inspecteur qui est venu me trouver m'a demandé ce que je faisais hier matin. Peut-être ne s'agissait-il que d'une pure question de "routine", comme ils disent ; mais peut-être aussi que non.

Emanuel et Nicola la dévisagèrent.

– C'est parfaitement grotesque, fit Emanuel.

– Pas plus, en définitive, que l'hypothèse selon laquelle vous auriez pu, toi ou Nicola, assassiner cette fille dans ton bureau. Essayez de voir les choses du point de vue de l'inspecteur Stern : je suis peu ou prou au fait de vos habitudes journalières, tant au bureau qu'à votre domicile. Comme on a pu voir, je n'étais pas au courant pour ton téléphone, j'ignorais qu'il clignotait au lieu de sonner, comme j'ignorais que tu ne décrochais jamais en présence d'un patient, mais je n'ai pour moi que ma seule parole. J'ai adressé cette fille à Emanuel. J'étais peut-être follement jalouse d'elle, à moins que je ne lui aie volé son argent, ou l'une de ses idées littéraires, et j'ai saisi cette occasion pour m'en débarrasser.

– Mais tu n'avais aucune relation d'ordre personnel avec elle, n'est-ce pas ? demanda Nicola.

– Bien sûr que non. Pas plus qu'Emanuel, je présume. Malgré tout, la police doit préjuger qu'il existe un certain rapport entre eux, une folle passion ou quelque chose du même tonneau, puisqu'il s'est vu contraint de l'assassiner dans son propre bureau. J'ose espérer qu'ils ne s'imaginent tout de même pas qu'il a subitement perdu la tête, pour la poignarder au beau milieu de ses associations libres les plus fertiles.

– Elle était très belle, lâcha Nicola.

Elle avait laissé tomber ces paroles, tel un enfant offrant gauchement un cadeau. Emanuel et Kate allaient s'exclamer, à l'unisson : « Comment le sais-tu ? » mais ils n'en firent rien ni l'un ni l'autre. Se pouvait-il que Nicola ait remarqué la beauté de la fille au moment même où elle découvrait son cadavre ? Kate se remémora soudain, comme dans un choc, la beauté de la fille. Non pas de cette espèce flamboyante qui fait se retourner les hommes sur son passage, dans la rue, ou les pousse à s'agglutiner autour d'elle dans une soirée. Ce genre de beauté, indéniablement, est la résultante d'un teint éclatant et d'une certaine plaisante symétrie des traits. Janet Harrison possédait, elle, cette sorte de beauté que Kate appelait la beauté de l'ossature. Traits finement ciselés, méplats du visage, yeux profondément enfoncés, front haut et dégagé – c'était là ce qui faisait sa beauté, cette beauté qui, au deuxième ou troisième coup d'œil, finissait par se révéler d'elle-même comme si, jusqu'à présent, elle s'était dissimulée au regard. *Seigneur*, songea Kate, la mémoire lui revenant, *ce n'est pas seulement ça.*

– Ce à quoi je voulais en venir, poursuivit-elle au bout d'un moment, c'est que je me sens une certaine part de responsabilité dans tout ça, de culpabilité, si vous préférez et, ne serait-ce que pour cette raison, vous m'aurez été d'un grand secours en me permettant de comprendre avec limpidité, dans la mesure de vos moyens, comment ça s'est passé. J'ai à présent une idée très claire de la façon dont la journée s'est déroulée. À dix heures trente, Nicola était dehors, et Emanuel était dans son bureau avec le patient de dix heures quand le téléphone a clignoté pour signaler un appel. N'a-t-il clignoté qu'une seule et unique fois, pour un seul appel, je veux dire, ou bien à deux reprises ?

– À deux reprises. À coup sûr, même s'il s'agissait d'une seule et même personne – le meurtrier, dirons-nous ? – téléphonant pour annuler de façon frauduleuse les rendez-vous des deux patients, il aura pris la peine de passer deux coups de fil. Une seule et même personne, appelant au nom de deux patients différents pour décommander leur rendez-vous, aurait immanquablement éveillé les soupçons. Les patients ne se connaissent même pas.

– Tu es certain qu'ils ne se connaissent pas ?

– Permets-moi de présenter les choses différemment : ils ont peut-être eu l'occasion de se croiser dans la salle d'attente ; ça peut arriver. Mais s'ils avaient été plus intimement liés, je l'aurais probablement appris.

– En cours d'analyse ?

Emanuel hocha la tête, à l'évidence peu désireux d'entrer dans les détails.

– Mais, poursuivit Kate, si le patient de midi était un homme qui souhaitait, pour une quelconque raison, garder le secret sur l'attirance qu'il exerçait sur elle, sur leur éventuelle liaison, n'aurait-il pas agi ainsi ?

– Ce serait pour le moins inattendu.

– Et, ajouta Kate, ça pourrait alors signifier qu'il préméditait son meurtre.

Personne ne sut que répondre.

– Bon, poursuivons : à onze heures moins dix, tu appelles la permanence, et ils t'annoncent les deux annulations. Tu sors aussitôt de ton bureau et tu vas courir autour du réservoir.

– Tu vois, l'interrompit Nicola, toi-même tu crois que c'est bien ce qui s'est passé et, pourtant, quand tu le dis, ça sonne complètement loufoque.

Emanuel sourit, de ce demi-sourire qui, chez lui, indiquait qu'il se pliait à l'inéluctable. Kate fut soudain frappée par l'idée qu'Emanuel, plus que toute autre personne de sa connaissance, était à même de se plier à l'inéluctable. C'était là une disposition d'esprit à laquelle, sans doute, vous entraînait l'exercice de la psychiatrie, profession ne réservant que peu de surprises à celui qui la pratiquait excellemment et depuis longtemps. Pouvait-on considérer le meurtre de Janet Harrison comme une surprise professionnelle ? Kate décida d'enfouir cet os, se réservant de le ronger ultérieurement.

– Je n'ai pas, à proprement parler, bondi de ma chaise jusqu'au réservoir, admit Emanuel. J'ai certes besoin d'un peu d'exercice, mais pas à ce point impétueusement. Je suis d'abord repassé par l'appartement pour me changer. Puis j'ai flâné un peu au-dehors, d'une façon qu'on pourrait qualifier de “nonchalante et désœuvrée”.

– Quelqu'un t'a-t-il vu sortir ? Tu n'as rencontré personne ?

– Personne qui puisse en jurer. Le hall était désert.

Nicola se redressa :

– L'un des patients du Dr. Barrister l'aura peut-être vu, par la fenêtre, se diriger vers la 5e Avenue. Je suis certaine que si on le lui demandait, il serait d'accord pour leur poser la question, pour une affaire de cette importance. Ou bien, il a pu lui-même te voir de son bureau.

– Peu vraisemblable ; quoi qu'il en soit, s'ils m'avaient vu, ou si lui-même m'avait vu, ça ne m'interdit absolument pas, du point de vue de la police, d'être revenu sur mes pas. Je n'ai rencontré personne autour du réservoir. Tout du moins, j'ai bien croisé des gens, mais je ne me souviens pas d'eux. Comment d'ailleurs pourraient-ils reconnaître un homme vêtu d'un pantalon sale et d'un vieux blouson, et marchant d'un pas rapide ?

– Tu portais cette tenue en rentrant, fit Nicola. Et je doute fort que tu l'aies portée pendant l'analyse de cette fille. Est-ce que ça ne suffit pas à prouver que tu ne l'as pas tuée ?

– Il aurait fort bien pu se changer après l'avoir poignardée, fit remarquer Kate. Mais, une petite seconde. Si c'est bien ainsi que tu es supposé t'être fabriqué un alibi, dans la mesure où on peut appeler alibi le fait de courir autour du réservoir, qui peut bien avoir passé ces deux coups de fil d'annulation ? Tu as dit que le service des abonnés absents gardait la trace de l'heure de l'appel. Si tu étais avec un patient à ce moment donné, et tel était bien le cas, tu n'as pas pu passer toi-même ces coups de téléphone. Même si ton patient n'a pas pu voir le clignotant – et l'assassin pouvait parfaitement avoir eu vent de la chose – le service des abonnés absents connaîtra l'heure exacte à laquelle ces appels ont été passés.

– J'y ai déjà pensé, admit Emanuel. Je suis même allé jusqu'à en faire la remarque à la police, même si ce n'était pas très avisé de ma part. Ils n'ont fait aucun commentaire sur le moment mais, indubitablement, ils rétorqueront, et non sans raison, que j'aurais pu, soit payer quelqu'un pour téléphoner à ma place, soit demander ce service à Nicki, ou à toi.

– Il reste un point faible dans leur argumentation. En ce qui me concerne, j'ai la ferme intention de m'y raccrocher de toutes mes forces. Pourquoi, selon toi, le meurtrier a-t-il passé ses coups de fil à ce moment précis, au lieu d'attendre que tu sois seul dans ton bureau ? C'est pour le coup que tu n'aurais eu que ta seule parole pour ta défense.

– Il était peut-être dans l'impossibilité de les passer à un autre moment. Le plus vraisemblable, toutefois, c'est qu'il voulait s'assurer que je ne répondrais pas au téléphone et donc que je ne prendrais pas les messages en personne. J'aurais pu identifier les voix et ne pas reconnaître en elles celles de mes patients, ou encore – mais c'est beaucoup moins vraisemblable – reconnaître sa voix au bout du fil.

– Il reste une autre possibilité, dit Nicola. S'il avait téléphoné plus tôt, même toi, avec ton penchant marqué pour aller courir, tu aurais pu disposer d'assez de temps devant toi pour projeter autre chose. Tu aurais pu, par exemple, y faire allusion devant moi et j'aurais pu te faire remarquer : "Parfait, on va pouvoir s'asseoir un peu tous les deux pour fixer le budget du mois, ou faire l'amour" – à condition, bien sûr, que j'aie, au préalable, annulé moi aussi mon heure d'analyse, je sais bien que c'est difficile à admettre, mais quiconque nous connaît aussi bien que le meurtrier semble nous connaître aurait pu savoir que je suis précisément le genre de personne à faire ça. Pandora sortie, j'aurais pu décider qu'il serait bien agréable, pour changer, de nous mettre au lit le matin – je ne crois pas qu'il, ou elle, ait voulu laisser à Emanuel le temps de réfléchir, et il voulait être bien sûr que je serais sortie.

– Quoi qu'il en soit, fit Kate, ça pourrait très bien être une bourde de sa part, et une bourde de taille. Espérons-le. Quand tu as réintégré la maison, Emanuel, le rideau, si j'ose dire, était tombé, je me trompe ?

– "Le chaos régnait" décrirait mieux le spectacle. Si je n'avais pas été moi-même autant impliqué dans l'histoire, ç'aurait même pu être passionnant.

– Le Dr. Barrister m'a dit que je ferais mieux de téléphoner à la police, expliqua Nicola. Il semblait même connaître leur numéro, Spring quelque chose, mais j'étais incapable de composer un numéro, j'ai juste décroché le combiné pour appeler la standardiste, mais il me l'a pris des mains et a composé leur numéro. Puis il me l'a rendu. Une voix d'homme a fait : "Services de police", et je me suis dit : Je suis sûrement en train d'halluciner. J'en parlerai demain au Dr. Sanders. Je me demande quel sens caché ça peut bien avoir. Une minute plus tard à peine, je suppose qu'ils avaient dû appeler par radio une de leurs voitures de ronde qui patrouillent toujours dans le secteur – vous vous souvenez que, quand on était petits, les policiers allaient toujours à pied ?

– Quand on était petits, insinua Emanuel, les policiers étaient de vieux messieurs. Quelqu'un a dit quelque chose à ce propos, qu'est-ce que c'était, déjà ? Ils sont assez vieux pour être ton père et, tout soudain, un beau jour, ils sont assez jeunes pour être ton fils.

– Quoi qu'il en soit, poursuivit Nicola, ces policiers tout à fait ordinaires se sont contentés de regarder le corps, comme pour s'assurer qu'on ne leur montait pas un bobard, encore qu'à mon avis, c'eût été un canular d'un goût plutôt douteux et, là-dessus, ils ont à leur tour appelé du renfort et, avant même qu'on s'en rende compte, le défilé commençait ; des hommes avec toute sorte de matériel, et quelqu'un qui se faisait appeler inspecteur suppléant, des gens qui prenaient des photos, un drôle de petit bonhomme qu'ils ont tous accueilli avec le plus grand enthousiasme, en lui donnant du "M. L." En fait, j'ai du mal à me souvenir de tous. On était assis ici, dans le salon. J'ai oublié quand Emanuel est rentré exactement mais j'ai eu l'impression qu'il se passait une éternité avant qu'ils n'emportent le corps. La seule chose qui m'a frappée, c'est qu'une ambulance est arrivée, avec des hommes en blanc, et que l'un d'eux a dit : "Parfait, c'est bien une D. O. A." J'ai vu un film, une fois, qui portait ce titre, D. O. A. *Dead On Arrival*, ça veut dire. Mort à l'arrivée. Quelle arrivée ?

– Ils ont eu l'air fort intéressés de me voir, à mon retour, inutile de le préciser, continua Emanuel. Mais j'ai dû m'asseoir et annuler mes rendez-vous de l'après-midi. Je n'ai pas pu les joindre tous, et l'un d'entre eux a été renvoyé par un policier, ce qui n'a guère fait mon affaire, mais ça valait peut-être mieux que si j'avais débarqué au beau milieu de tout ça pour lui demander moi-même de repartir. Quoi qu'il en soit, "chaos" est bien le mot. Remarquable, vraiment, à quel point nos policiers peuvent être efficaces, et hermétiques à tant de choses !

Plus tard, cette même nuit, ces derniers mots retentirent encore dans la tête de Kate : « *Remarquable à quel point ils sont hermétiques à tant de choses !* » Très peu de temps après cette observation d'Emanuel, un inspecteur était revenu les interroger. Il avait laissé partir Kate, après lui avoir jeté un long regard. À leur décharge, songeait Kate, tout en se glissant avec lassitude dans son lit, les faits – si faits il y avait bien – qui pouvaient jouer en faveur d'Emanuel, n'étaient pas de l'espèce que des policiers, qui devaient tous provenir de milieux petits-bourgeois, étaient en mesure d'appréhender : qu'un psychiatre, par exemple, encore qu'il puisse être plus motivé que la plupart des hommes, ne commettrait jamais un crime dans son propre bureau ; sur son terrain, pour ainsi dire, professionnel ; qu'Emanuel n'irait jamais se lier avec une patiente, si belle soit-elle ; qu'Emanuel était incapable d'assassiner qui que ce fût, et encore moins à coups de poignard ; qu'un homme et une femme qui, jadis, avaient été amants, comme lui et elle, pouvaient rester bons amis. Que pourrait bien tirer de tout ça la police, la police qui ne connaissait probablement que deux choses : le sexe, d'un côté, et le mariage de l'autre ? Et, à propos de Nicola ? « Elle était très belle », avait-elle dit. Mais Nicola était très certainement chez son analyste ; le parfait alibi.

Tandis que les deux cachets de somnifère qu'avait pris Kate – et elle n'avait pas avalé un comprimé de barbiturique depuis cette horrible affaire du lierre, sept ans plus tôt – commençaient de faire effet, elle concentra toute son attention déclinante sur le médecin qui exerçait de l'autre côté du hall. Le meurtrier, de toute évidence. Le fait, et cette fois-ci c'était un fait patent, qu'il n'avait aucun rapport avec aucune des personnes impliquées dans cette affaire lui apparut, au moment où sa conscience sombrait, d'une importance bien secondaire.

4

Reed Amhearst était adjoint du District Attorney, encore que Kate n'ait jamais distingué très exactement les fonctions que recouvraient ce titre. Apparemment, il faisait fréquemment acte de présence à la cour, et trouvait son travail à la fois captivant et harassant. Lui et Kate s'étaient rencontrés par hasard bien des années auparavant, au cours de la fugace période de son existence qu'elle avait consacrée à des activités politiques, lorsqu'elle travaillait pour un club réformiste. Pour Reed, en revanche, la politique avait revêtu un aspect nettement plus durable, mais après que Kate avait donné sa démission, anéantie par le premier et dernier combat qu'elle ait jamais livrée dans une primaire, Reed et elle avaient continué à se voir, sur le mode amical, pour ainsi dire. Ils avaient dîné ensemble, ou bien s'étaient rendus de temps en temps au théâtre, et avaient partagé de nombreux éclats de rire. Quand d'aventure l'un ou l'autre avait besoin d'un cavalier ou d'une cavalière pour l'accompagner à un événement mondain et ne désirait pas, pour telle ou telle raison, s'y montrer en compagnie d'une autre de ses relations intimes, ils s'y rendaient, le cas échéant, de conserve. Comme ni l'un ni l'autre n'étaient mariés, comme ni l'un ni l'autre n'avaient jamais pu envisager un seul instant la perspective proprement insultante de se marier ensemble, leur relation épisodique avait fini par devenir une constante au milieu de toutes les variables de leur vie sociale.

Ainsi auraient-ils pu continuer indéfiniment de se retrouver de cette façon intermittente, jusqu'à l'heure d'entrer en vacillant dans une aimable vieillesse, si Reed, dans une succession d'entêtements et d'erreurs de jugement, ne s'était fourvoyé dans un très moche bourbier. Kate avait, depuis belle lurette, perdu de vue les détails précis de l'affaire, convaincue comme elle l'était que la faculté d'oublier était l'une des obligations primordiales de l'amitié, mais ni l'un ni l'autre, en revanche, n'avaient jamais oublié que c'était Kate qui l'avait sorti dudit bourbier, quand il était au bord du gouffre. Ce faisant, elle en avait fait son débiteur, mais Reed était quelqu'un d'assez bien élevé pour savoir accepter une fleur sans en tenir ensuite rigueur à celui qui la lui avait faite. La seule idée d'exiger le remboursement de sa dette répugnait à Kate et, réalisait-elle subitement, en allant lui tirer les basques maintenant, c'était précisément ce qu'elle semblerait faire. C'est pourquoi, en dépit de sa détermination de la veille, elle dut peser le pour et le contre pendant deux bonnes heures avant de se risquer à lui téléphoner.

D'un autre côté, néanmoins, il y avait l'obligation morale, tout aussi impérieuse, de venir en aide à Emanuel. Et personne, Kate en était convaincue, ne pouvait l'aider, à moins de simultanément partager avec la police les renseignements dont elle disposait et, avec Kate, sa foi en l'innocence d'Emanuel. Et le seul accès à ces renseignements semblait passer par Reed. Maudissant la tournure de son esprit, trop délicat, trop sensible à des dilemmes cornéliens que des gens plus raisonnables qu'elle auraient tenus pour quantités négligeables, maudissant Reed d'avoir eu jamais besoin de son assistance, elle résolut finalement, après avoir pris deux aspirines, avalé huit tasses de café et copieusement arpenté son salon de long en large, d'avoir recours à lui. C'était un jeudi, première bonne nouvelle, puisqu'elle n'avait pas cours. Avec une bouffée de nostalgie pour cette matinée de mardi passée dans les réserves – aurait-elle jamais l'occasion de revenir un jour à Thomas Carlyle, laissé pour compte au beau milieu de l'une des plus anciennes de ses péroraisons ? – elle s'empara du téléphone.

Elle joignit Reed au moment précis où il sortait de chez lui pour une mission urgente. Il avait, bien sûr, entendu parler du « cadavre sur le divan », ainsi qu'ils semblaient avoir baptisé l'affaire (Kate refoula un grognement hargneux). Lorsqu'il saisit enfin ce qu'elle voulait de lui – le dossier de l'affaire au complet (si tel était bien le terme en vigueur) – il garda le silence le plus absolu pendant une vingtaine de secondes au bas mot, qui lui parurent une heure.

– Un bon ami à toi ? s'enquit-il.

– Oui, répondit Kate, et dans une vache de mauvaise passe, tout à fait injuste.

Là-dessus, elle se maudit elle-même d'avoir l'air de se rappeler à lui. Mais bon sang, se dit-elle, c'est exactement ce que je suis en train de faire : me rappeler à lui ; inutile de tourner autour du pot en me voilant la face.

– Je ferai mon possible, fit-il. (De toute évidence, il n'était pas seul.) Ce n'est pas exactement le jour rêvé, dirait-on, mais j'irai jeter un coup d'œil pour toi dans le dossier et je viendrai te rendre compte aux alentours de dix-neuf heures trente. Ça ira ?

Bon, après tout, lui aussi doit travailler pour vivre, se dit Kate. Qu'est-ce que tu t'imaginais ? Qu'il allait se précipiter là-bas aussitôt qu'il aurait raccroché ? Il doit probablement faire un très gros effort, déjà.

– Je t'attendrai, Reed ; merci beaucoup.

Elle raccrocha.

Pour la première fois depuis des années, Kate se retrouva désœuvrée, et fort peu plaisamment désœuvrée, pourrait-on dire : si je me penche sur la dissertation d'un de mes étudiants, je risque fort d'en faire une jaunisse et de filer me réfugier en tapinois dans une salle de cinéma ; c'était là désœuvrement d'un genre proprement horripilant, de l'espèce dont Kate avait mille fois entendu dire (toujours avec un haussement d'épaules) qu'on n'y pouvait remédier qu'en « tuant le temps ». Son existence était suffisamment remplie, meublée et active pour que la moindre minute de loisir puisse lui apparaître comme une bénédiction plutôt que comme un fardeau pesant mais toujours est-il que, pour l'instant, elle en était à se creuser la tête pour savoir à quoi elle pourrait bien occuper son temps jusqu'à dix-neuf heures trente. Elle combattit noblement le désir impérieux d'appeler Emanuel et Nicola ; elle jugea préférable d'attendre, jusqu'au moment où elle aurait quelque chose de réellement constructif à leur annoncer. Travailler était exclu : elle découvrit qu'elle n'était en mesure ni de préparer un cours ni de corriger des copies. Au bout d'un certain laps de temps, passé à tourner en rond, sans but réel, dans son appartement – et elle avait le sentiment, très irrationnel, de tenir là une place forte qu'elle ne devait déserter sous aucun prétexte – elle recourut au remède auquel sa propre mère recourait lorsqu'elle était nerveuse, quand Kate était encore enfant : elle rangea ses placards.

Cette tâche, en combinant comme elle le faisait poussière, labeur pénible et surprenantes découvertes, réussit à la tenir gentiment en haleine jusqu'à quatorze heures. Vannée, elle abandonna alors la penderie de l'entrée à sa poussière et à un incalculable fatras amoncelé, et s'effondra dans un fauteuil avec les *Études sur l'hystérie* de Freud, présent que Nicola lui avait offert pour Noël quelques années plus tôt. Elle était totalement incapable de se concentrer mais une phrase cependant lui tira l'œil, une observation que Freud avait faite à l'une de ses patientes: "Nous aurons fait un grand pas en avant si nous parvenons à transformer ce supplice qu'est votre hystérie en un mal de vivre ordinaire." Elle regretta de n'avoir pas disposé de cette citation pour en faire part à Emanuel, au temps où ils pouvaient encore discuter librement de Freud à bâtons rompus. Rien d'étonnant à ce que nos psychanalystes modernes aient tant de pain sur la planche: ils ne voyaient plus cette poutre qu'est le supplice de l'hystérie et en étaient réduits à se battre contre la paille du mal de vivre ordinaire, pour lequel, ainsi que Freud l'avait très clairement compris, il n'est point de remède clinique. Elle réalisa soudainement que, désormais, dans la mesure de ses moyens, son objectif était de rendre Emanuel à son mal de vivre ordinaire en le soustrayant à la catastrophique destinée qui semblait à présent le guetter. Perspective pour le moins éprouvante, qu'elle délaissa pour une rêverie éveillée.

À quoi elle avait occupé le reste de son après-midi, elle aurait bien été en peine de le dire par la suite. Elle rangea la maison, prit une douche – en prenant soin au préalable de décrocher le téléphone, rongée par la mauvaise conscience, afin qu'un éventuel correspondant (Nicola, Reed, la police?) obtienne la sonnerie occupé et rappelle ultérieurement – commanda quelques provisions au cas où Reed aurait faim, et tourna en rond comme un lion en cage. Un certain nombre de conversations téléphoniques avec des gens qui ne parlaient jamais de meurtres et n'avaient rien à voir non plus dans aucun meurtre lui furent d'un considérable secours.

À huit heures moins vingt-cinq, Reed arriva. Kate dut lutter contre elle-même pour ne pas l'accueillir comme le jeune fils prodigue perdu en mer depuis des lustres et soudain réapparu. Il s'affala dans un fauteuil et accepta un scotch à l'eau avec gratitude.

– Je présume que tu as opté pour la non-culpabilité du psychiatre ?

– Bien entendu, fit Kate. C'est même une hypothèse parfaitement grotesque.

– Très chère, on trouve toujours inéluctablement grotesque l'idée qu'un ami ait pu commettre un meurtre ; dans tous les cas, je serai le premier à le reconnaître, voire même à te croire sur parole. Mais à nos têtes policières, si admirablement abritées de tout préjugé d'ordre personnel, il apparaît tout aussi coupable que le damné livré aux flammes de l'enfer. D'accord, d'accord, ne commence pas à te chamailler avec moi. Laisse-moi d'abord te livrer les faits, et tu pourras ensuite me dépeindre sa belle âme, et me présenter le véritable coupable sur un plateau, si une telle chose existe.

– Reed ! Existe-t-il la moindre possibilité pour qu'elle ait pu se faire ça elle-même ?

– Pas la moindre, je te jure, encore que j'admette volontiers qu'un bon avocat de la défense pourrait éventuellement insinuer cette hypothèse en cours de procès, dans l'espoir d'embrouiller un peu les idées des jurés. Les gens qui se plantent un couteau dans les entrailles ne frappent pas de bas en haut et, au grand jamais, ne se le plantent dans le dos ; ils se précipitent sur la lame, à l'instar de Didon. S'ils se plantent un couteau dans le corps, ils s'égratignent l'endroit du corps qu'ils avaient visé – ne me demande pas pourquoi, ils se font ça à chaque fois, c'est du moins ce que dit le manuel – et, détail infiniment moins discutable, ils laissent inéluctablement leurs empreintes sur le couteau.

– Elle portait peut-être des gants ?

– Alors elle les aura sans doute ôtés après sa mort.

– Quelqu'un a pu les lui enlever.

– Kate, très chère, il me semble que je ferais mieux de te servir un verre ; et tu devrais peut-être prendre quelques tranquillisants avec. On prétend qu'ingurgités avec de l'alcool, ils ont sur les réactions un effet confondant. Pouvons-nous nous en tenir aux faits, pour le moment ? (Kate, tout en se pourvoyant elle-même en alcool et en cigarette, mais pas en tranquillisants, opina docilement du bonnet.) Parfait. Elle a été tuée entre onze heures moins dix, heure à laquelle le patient de dix heures est parti, et midi vingt-cinq, heure à laquelle Mrs. Bauer l'a découverte, découverte plus ou moins attestée par le Dr. Michael Barrister, Pandora Jackson et Frederick Sparks, le patient de midi. Le médecin légiste sera incapable de fournir une approximation plus précise de l'heure de cette mort – ils ne donnent jamais d'estimation plus précise que dans une fourchette de deux heures – mais il a dit, de façon strictement officieuse, ce qui signifie qu'il ne déposera pas sous serment devant la cour à cet effet, qu'elle a probablement été tuée une bonne heure avant qu'on ne la découvre. Il n'y avait pas d'hémorragie externe, parce que la garde du couteau, là où la lame entre dans le manche, a comprimé son vêtement contre la plaie, interdisant tout écoulement de sang. Et c'est bien dommage, parce qu'un meurtrier taché de sang, aux vêtements imbibés, est beaucoup plus facile à retrouver.

La voix de Reed était dénuée d'inflexions, absolument vierge de toute émotion, pareille à celle d'un sténographe relisant ses notes. Kate lui en fut reconnaissante.

– Elle a été tuée, poursuivit-il avec un long couteau à découper provenant de la cuisine des Bauer, et appartenant à un jeu de couteaux accrochés à un support en bois vissé au mur. Les Bauer ne nient pas être propriétaires du couteau, ce qui n'est d'ailleurs pas plus mal, puisqu'il porte leurs empreintes à tous deux. (Kate laissa échapper un hoquet involontaire. Reed s'interrompit pour la regarder.) Je constate, fit-il d'un air chagrin, que ton aptitude à distinguer entre plusieurs catégories de preuves n'est pas particulièrement développée. Il ne s'agit nullement de leur preuve maîtresse. Tout le monde, aujourd'hui, ayant entendu parler des empreintes digitales, on peut présumer sans grand risque que quiconque s'est servi d'un couteau comme d'une arme fera preuve ensuite d'assez de présence d'esprit pour l'essuyer. Bien entendu, un psychiatre émérite, et dont chacun se plaît à reconnaître le grand brio, pourrait être assez averti pour prévoir que la police partira de cette hypothèse. Ne m'interromps pas. Le Dr. et Mrs. Bauer prétendent que leurs empreintes ont été apposées sur ce couteau dans la soirée de la veille, lors d'une petite dispute qu'ils auraient eue à propos de la façon dont il faut découper un gigot à manche, quand ils ont essayé tous les deux, l'un après l'autre. Étant gens de bon sens, ils ne vont pas immerger leurs couteaux dans l'eau, mais se contentent d'essuyer d'abord la lame avec un torchon humide, puis avec un torchon sec. Les empreintes, si elles doivent jouer un rôle quelconque dans l'affaire, leur seraient plutôt favorables, dans la mesure où elles ont été partiellement brouillées, comme elles auraient pu l'être si quelqu'un avait tenu le couteau d'une main gantée. Tout cela, néanmoins, reste éminemment non concluant.

Nous en arrivons à présent à la partie la plus accablante. Elle a été poignardée alors qu'elle était allongée, si l'on en croit les preuves cliniques, par quelqu'un se penchant sur elle, de l'extrémité du divan, et qui a planté le couteau entre ses côtes, en frappant de bas en haut. Et la chose, incidemment, a été perpétrée par une personne ayant une remarquable connaissance de l'anatomie, *id est* un médecin mais, là encore, nous sommes en terrain mouvant. Cette façon bien spécifique de porter le coup de bas en haut, par-derrière (sans pourtant que la victime ne soit étendue) a été enseignée à tous les groupes de résistants pendant la Seconde Guerre mondiale, en France comme partout ailleurs. La question capitale, c'est : *Qui* aurait bien pu obtenir de cette fille qu'elle s'étende ? *Qui* pouvait passer derrière elle ? Et *qui*, enfin, aurait pu la poignarder sans déclencher la moindre velléité de résistance de sa part ? On imagine d'ici les policiers en train de se dire : Où un psychanalyste prend-il d'habitude place ? Dans un fauteuil, bien sûr, derrière la tête de son patient. *Inspecteur* : "Dr. Bauer, pourquoi le psychanalyste s'assoit-il précisément à cette place ?" *Dr. Bauer* : "Pour que le patient ne puisse voir le médecin." *Inspecteur* : "Pour quelle raison le patient ne devrait-il pas voir le médecin ? " *Dr. Bauer* : "C'est une question très intéressante ; il y a de multiples explications possibles : pour aider, par exemple, le patient à se persuader de l'anonymat du médecin, augmentant ainsi d'autant les chances d'un transfert ; mais la véritable raison, semble-t-il, c'est que Freud a mis au point cet agencement parce qu'il ne supportait pas que ses patients le fixent d'un bout à l'autre de la journée." *Inspecteur* : "Vos patients s'allongent-ils sur le divan ? " *Dr. Bauer* : "Uniquement ceux qui sont en analyse ; les patients qui suivent une psychothérapie s'assoient sur une chaise, de l'autre côté de mon bureau." *Inspecteur* : "Vous asseyez-vous derrière eux ? " *Dr. Bauer* : "Non." Haussement d'épaules de l'inspecteur, non consigné ici.

– Reed, essaierais-tu de me dire que la police fonde toute l'affaire sur le seul fait que personne d'autre que lui n'aurait pu passer derrière elle pendant qu'elle était étendue sur le divan ?

– Pas totalement, mais ça reste malgré tout un point hautement controversé. Si le Dr. Bauer n'était pas présent, pourquoi se serait-elle allongée ? Et, à supposer qu'elle soit entrée de son propre chef dans la pièce et se soit étendue dès son arrivée, alors qu'il n'y avait personne – et le Dr. Bauer a assuré à l'inspecteur qu'aucun patient ne ferait une chose pareille, que tous attendent pour entrer le moment où l'analyste en personne les introduit dans son bureau – serait-elle restée allongée, selon toi, si quelqu'un d'autre que l'analyste était entré, pour s'asseoir à ses côtés puis se pencher sur elle, la main armée d'un couteau ?

– Admettons qu'elle n'ait pas vu le couteau lorsqu'il s'est penché sur elle.

– Même dans ce cas. Et, en l'absence de l'analyste, pourquoi aurait-elle été allongée ? Qu'est-ce qui peut bien pousser une femme à s'étendre sur un divan ?

D'accord, tu n'es pas obligée de répondre à cette question.

– Une seconde, Reed. Elle voulait peut-être simplement faire un somme.

– Allons, Kate.

– D'accord, mais suppose qu'elle soit tombée amoureuse de l'un des patients, avant ou après le début de son analyse – nous ne savons strictement rien d'eux – et qu'elle, ou l'un d'entre eux, mettons l'un d'entre eux, se soit débarrassé d'Emanuel de façon à se retrouver seul avec elle et lui faire l'amour sur le divan. Après tout, le patient de dix heures n'aurait eu tout bonnement qu'à rester sur place, et celui de midi est arrivé très en avance…

– Les deux annulations ont été pratiquées au cours de l'heure d'analyse du patient de dix heures, de sorte qu'il aurait difficilement pu s'en charger lui-même.

– Précisément. Il aurait pu en charger quelqu'un d'autre. Ce qui lui fournissait un alibi par la même occasion et, dans la mesure où il se trouvait sur place à heure dite, il pouvait vérifier par lui-même que les appels avaient bien été passés, ou du moins que *certains* appels avaient bien été passés.

– Dans ce cas, pourquoi se contenter d'annuler *au nom* du patient de douze heures, au lieu de le décommander directement ? Bon, d'accord, admettons qu'il n'ait pas su son numéro de téléphone. Mais pourquoi, dans ce cas, tenter de se débarrasser du Dr. Bauer puisque, de toute manière, il va bientôt avoir l'autre patient dans les pattes ?

– Aux amoureux, une petite heure peut paraître une éternité en soi, laissa tomber Kate d'une voix sépulcrale. En outre, il n'avait pas précisément l'intention de lui faire l'amour ; mais de la tuer.

– Je peux te dire au moins une chose, c'est que tu as réponse à tout. Puis-je toutefois te faire remarquer que tu as forgé cette fable de toutes pièces ? Nulle preuve ne vient à l'appui de tout ce que tu as pu échafauder, encore que la police tentera, j'en suis bien persuadé, d'en recueillir partout où elle le pourra.

– Si seulement je pouvais en être aussi certaine que toi. Il n'y a pas non plus le moindre lambeau de preuve permettant d'incriminer Emanuel.

– Kate, très chère, je trouve admirable la loyauté dont tu fais preuve vis-à-vis d'Emanuel, mais essaye néanmoins de mettre un tant soit peu en application la faculté qui est la tienne, tout aussi admirable au demeurant, de regarder les choses en face : cette fille a été assassinée dans le bureau d'Emanuel, avec le couteau d'Emanuel, dans une posture offrant à Emanuel toutes facilités pour commettre ce crime. Il ne peut fournir aucun alibi ; alors que les coups de téléphone décommandant ses patients ont indubitablement été passés, et qu'il pouvait, comme d'ailleurs n'importe qui, payer quelqu'un pour les passer à sa place. Le meurtre a été perpétré alors qu'il n'y avait personne d'autre dans l'appartement mais qui, à l'exception d'Emanuel et de sa femme, aurait bien pu savoir que l'appartement serait désert ? N'en déplaise à toutes les délicieuses envolées de ton imagination, nous *ignorons* si cette fille connaissait personnellement qui que ce soit d'autre, de tous ceux qui fréquentaient ce cabinet pour une quelconque raison. En fait, l'aspect le plus bizarre de toute cette affaire, c'est la difficulté qu'ils rencontrent pour réunir des informations substantielles sur cette fille.

– Était-elle vierge ?

– Pas la moindre idée ; elle n'avait jamais eu d'enfant, en tout cas.

– Reed ! Essaierais-tu de me faire croire qu'en pratiquant l'une de leurs autopsies, ils ne sont pas en mesure de dire si une fille était vierge ou non ? Je croyais que c'était l'une des toutes premières choses qui retenaient leur attention.

– Invraisemblable à quel point des gens auxquels on prête d'ordinaire une intelligence supérieure continuent d'ajouter foi à de vieux contes de bonnes femmes. L'objectif premier dudit conte étant, je présume, de suggérer aux filles qu'elles feraient mieux de rester sages. Comment, à ton avis, pourraient-ils s'en assurer ? Si tu fais allusion à ce que les Élisabéthains désignaient naguère si délicatement par le vocable de "pucelage", je suis au regret de devoir te signaler que le nombre de nos jeunes filles modernes qui ont survécu à leur athlétique adolescence en ayant gardé leur hymen non défloré est assez restreint pour faire rougir ta pauvre grand-mère. Cela dit, quelle autre preuve voudrais-tu avoir de la chose ? S'il y a présence de sperme, nous tenons pour acquis que la femme a eu des relations sexuelles ; si elle est contusionnée ou lacérée, nous suspectons un viol, ou une tentative de viol. Rien, dans cette affaire, n'a pu conduire à ces conclusions. Mais, quant à déterminer si elle était vierge ou non, il vaudrait mieux que tu poses la question aux gens qui la connaissaient, si tu parviens à les retrouver.

– J'ai peine à me souvenir de la dernière occasion où j'ai été aussi choquée. Le monde que j'ai connu fout le camp à une allure…

– Ton ami Emanuel pourra probablement te dire si elle avait des rapports sexuels, du moins si tu parviens à lui faire dire quoi que ce soit.

– Considérant que la police, négligeant totalement le caractère réel d'Emanuel, s'est persuadée de sa culpabilité, quel mobile peuvent-ils bien lui prêter, à ton avis ?

– La police ne s'intéresse pas spécialement au mobile ; un bon faisceau de présomptions, solidement établies, fait beaucoup plus son bonheur. Ils gardent l'œil ouvert, bien entendu, et si d'aventure l'un des deux patients se révélait hériter d'un million de dollars, aux termes du testament de Janet Harrison, ça leur mettrait la puce à l'oreille. Mais un médecin qui s'est laissé impliquer dans une liaison avec une jolie fille, et a pris l'imprudente décision de se débarrasser d'elle sur un coup de tête, c'est là un mobile qui leur paraît amplement suffisant.

– Mais ils n'ont pas la moindre preuve d'une soi-disant liaison entre Emanuel et elle ; et c'est très probablement pourquoi ils ne l'ont pas encore arrêté. Tandis que moi, j'ai des tonnes de preuves, permettant d'affirmer qu'il n'a en aucun cas pu s'impliquer avec elle, ni non plus la tuer, et encore moins sur son divan.

– D'accord, je suis disposé à les écouter. Mais, d'abord, laisse-moi te rapporter la suite. Le coup de couteau qui l'a tuée a été porté avec une assez grande puissance, mais rien qu'une femme de force normale n'ait pu maîtriser – toi, par exemple, ou Mrs. Bauer. Laisse-moi terminer. Le corps n'a pas été déplacé, une fois le coup de couteau porté, mais, ça, je te l'avais déjà dit. Aucune trace de lutte. Pas d'empreintes, hormis celles auxquelles on pouvait s'attendre. Le reste, c'est un fatras de jargon technique, dont quelques photos de nature pour le moins éprouvante. Nous en venons à présent au seul point vraiment intéressant. Le meurtrier – nous partons du principe qu'il s'agissait de lui – a fouillé son sac, probablement après sa mort. Il portait des gants de caoutchouc, lesquels laissent leurs empreintes spécifiques, en l'occurrence sur la fermeture dorée de son agenda. On présume que, s'il a trouvé quelque chose, il l'aura gardé. La fille n'était pas spécialement connue de celles qui vivaient près d'elle, à la Maison des étudiantes de l'université, mais l'une d'entre elles, interrogée par la police, avait remarqué que Janet Harrison portait toujours un carnet de notes dans son sac à main ; on n'a pas retrouvé le moindre carnet de notes. De même, il semble que ni son sac ni son portefeuille n'aient contenu de photographie, alors que presque toutes les femmes portent des photos sur elles, d'une personne ou d'une autre. Tout cela n'est que conjectures. Mais il y avait bel et bien une photo, que le meurtrier aurait apparemment ratée. Elle avait dans son portefeuille un permis de conduire de New York, pas de ce nouveau format carte de crédit, mais à l'ancienne mode, en papier, plié en deux et, à l'intérieur du permis, il y avait une petite photo, celle d'un jeune homme. La police, bien entendu, essaye en ce moment même de découvrir son identité ; j'en obtiendrai une copie dès que possible, pour te la montrer, juste au cas où ça te rappellerait quelque chose. Le point capital, en l'espèce, c'est qu'elle avait soigneusement dissimulé cette photo. Pourquoi ?

– Ça donne l'impression qu'elle avait pressenti que quelqu'un allait fouiller dans son agenda, et qu'elle ne voulait surtout pas qu'on découvre cette photo. Bien sûr, certaines personnes sont normalement enclines à la dissimulation.

– Apparemment, Miss Harrison aurait plutôt été *anormalement* encline à la dissimulation. Personne ne semblait très bien la connaître. L'université a certes fourni quelques renseignements, mais ils restent très minces. Chose assez bizarre, sa chambre de la Maison des étudiantes a été cambriolée la veille au soir de sa mort, et nous ne saurons peut-être jamais s'il s'agit là ou non d'une simple coïncidence. Quelqu'un qui, apparemment, en détenait la clé, a tout chamboulé et est reparti avec un appareil-photo 35 mm, d'une valeur d'environ soixante-dix dollars. Une machine à écrire portative de marque Royal, flambant neuve, n'a pas été touchée, soit parce que la sortir aurait pu attirer l'attention, soit parce que le cambrioleur ne s'intéresse qu'aux appareils-photo, on ne peut pas le déterminer. Tous ses tiroirs, et son bureau, ont été fouillés de fond en comble mais, semble-t-il, on n'a rien emporté d'autre. La chose a été signalée au commissariat du secteur mais, bien qu'ils aient très consciencieusement rédigé un rapport, on n'a guère de chances d'avoir des résultats dans ce genre d'affaires. Au moment de son assassinat, sa chambre avait déjà été rangée, de sorte que tous les indices qu'on aurait pu y trouver ont été anéantis. Les renseignements relatifs à Janet Harrison sont étonnamment peu consistants, encore qu'on n'ait pas encore enquêté dans sa ville natale ; la police du Dakota du Nord, d'où il s'avère qu'elle provient, de façon pour le moins surprenante, fait de son mieux pour recueillir le maximum sur elle. Tout ce qu'a pu nous apprendre l'université, c'est qu'elle était âgée de trente ans…

– Vraiment ? s'enquit Kate. Elle ne les faisait pas.

– Non, à ce qu'il semble. C'était une citoyenne américaine, et elle a fréquenté l'université d'une petite ville du nom de Collins. L'université signale que la rubrique "Personne à contacter en cas d'urgence" n'a pas été remplie, et l'omission serait apparemment passée inaperçue dans la précipitation de l'inscription. C'est à peu près tout, il me semble, conclut Reed, à l'exception d'un petit détail que j'ai gardé, avec le célèbre sens de la mise en scène qui me caractérise, pour la bonne bouche : Nicola Bauer n'était pas chez son analyste le matin du meurtre. Elle a téléphoné à la toute dernière minute pour se décommander. La police vient tout juste de contacter son analyste. Elle prétend avoir passé la matinée à flâner dans le parc, non pas aux alentours du réservoir, mais à proximité de quelque chose qu'elle appelle le vieux château. Les gens, il est vrai, passent une remarquable quantité de temps à flâner dans le coin en toute innocence, mais que les *deux* Bauer aient pu déambuler séparément autour de Central Park pendant que quelqu'un se faisait assassiner dans leur appartement, l'inspecteur suppléant semble avoir un certain mal à l'avaler. Avec la meilleure volonté du monde, je peux comprendre son point de vue.

Reed se leva et servit fort affablement un autre verre à Kate.

– Essaye de garder en tête, Kate, s'il te plaît, qu'ils sont peut-être coupables. Je ne dis pas qu'ils l'ont forcément fait ; je ne dis pas, non plus, que je n'ai pas la plus grande sympathie pour ta certitude qu'ils ne l'ont pas fait ; je t'aiderai de toutes les façons possibles. Mais, je t'en prie, rends-moi ce service, tâche au moins de garder présente, dans un recoin de ta petite tête, la conscience de leur éventuelle culpabilité. Janet Harrison était une très jolie fille.

5

Kate avait fait la connaissance d'Emanuel à une époque où tous deux étaient devenus blasés, à une époque où le monde leur paraissait devenu, à l'un comme l'autre, fade et désenchanté, sinon désaxé. Il se trouva, en fait, que leurs vies se croisèrent à cet instant précis où chacun d'eux s'apprêtait à se consacrer à sa carrière respective, sans toutefois en avoir entièrement admis l'inéluctabilité. Leur rencontre avait été le seul événement romanesque (au sens le plus filmique du terme) de leurs deux existences et, encore que Kate ait fort bien pu « projeter », ainsi qu'Emanuel baptiserait ultérieurement le processus, il lui semblait, encore aujourd'hui, qu'ils avaient réalisé l'un comme l'autre qu'ils s'étaient connus sous des auspices tragiques puisque, voués à se rencontrer, ils l'étaient également à ne jamais s'épouser par la suite, sans jamais toutefois rompre vraiment.

Ils s'étaient rentrés dedans, littéralement, sur une petite bretelle de dégagement de la Merritt Parkway. Kate, ainsi qu'elle ne tarda pas à le signaler à son attention, était en train de sortir, tout à fait normalement, aussi normalement que faire se peut. Emanuel, au contraire, remontait la rocade en marche arrière, en direction de la Parkway qu'il venait tout juste de quitter par erreur. C'était le crépuscule ; Kate avait la tête à l'itinéraire qu'elle devrait suivre ultérieurement et Emanuel, encore secoué, n'avait plus tout du tout l'air en état de fonctionner. Ç'avait été un assez joli télescopage.

Ils finirent, au bout d'un long échange de reproches aigres-doux qui se termina très vite sur un fou rire, par rouler jusqu'à un restaurant dans la voiture d'Emanuel, d'où ils téléphonèrent, pour demander qu'on vienne dépanner celle de Kate. Tous deux avaient entièrement perdu de vue qu'ils étaient attendus ailleurs, Emanuel parce que, comme Nicola, plus tard devait présenter les choses, l'oubli était son sport de prédilection et Kate, délibérément, parce qu'elle ne souhaitait surtout pas obliger ses hôtes à venir la chercher. Elle n'était pas « tombée amoureuse » d'Emanuel ; jamais elle ne serait « amoureuse » de lui. Mais elle avait envie de passer cette soirée avec lui.

À présent qu'elle se dirigeait vers la maison d'Emanuel avec, résonnant toujours à ses oreilles, l'avertissement de Reed de la veille au soir, Kate songeait à quel point il serait malaisé (pourrait être malaisé) d'expliquer leur relation à un policier. Elle avait entrepris à pied le trajet de Riverside Drive à la 5e Avenue, dans l'espoir qu'un peu d'air et d'exercice lui éclairciraient les idées et elle fut soudain frappée par l'idée que ce simple geste pourrait bien lui-même paraître, aux yeux de certains, parfaitement inexplicable. Admettons qu'en ce moment même quelqu'un soit en train de se faire assassiner dans son appartement ; quelle espèce d'alibi pourrait-elle bien fournir, à part la simple déclaration qu'elle avait décidé sur un coup de tête de traverser à pied la moitié de la ville ? En vérité, Emanuel et Nicola, dont les alibis étaient de la même eau, n'avaient pas eu de but précis en tête, mais avaient été pris d'une indicible envie de flâner ; il était vrai, aussi, qu'il était difficile de pénétrer chez elle, et impensable d'imaginer que quiconque soit susceptible d'y assassiner une tierce personne. Il n'en restait pas moins ce fait patent que les Bauer, comme elle-même, vivaient leur vie selon un mode auquel rien, dans toute sa formation, ne pouvait préparer un policier.

Ce soutien qu'Emanuel et elle avaient trouvé l'un dans l'autre, pendant l'année qui suivit leur rencontre, devait prendre racine dans une relation pour laquelle l'anglais lui-même n'a pas de mot. Ni amitié, puisqu'ils étaient homme et femme, ni non plus liaison, puisqu'il s'agissait beaucoup plus, pour eux, du choc de deux esprits que de la concomitance de deux passions, leurs rapports (terme au demeurant imprécis et dénué d'âme) leur avaient ouvert à tous deux une perspective nouvelle sur la vie, et leur avaient octroyé, pour un moment au moins, la faculté de rire et de partager d'intenses discussions, dont la teneur secrète demeurerait à jamais inviolable. Ils avaient été amants pendant un certain temps – ils n'avaient à se soucier que d'eux-mêmes – encore que, dans le mutuel élan qui les jetait l'un vers l'autre, cet aspect de la chose n'avait rien eu de vraiment primordial, loin de là. Au terme de cette première année, l'idée de faire l'amour ne leur serait pas plus venue à l'esprit que celle de s'associer pour élever des visons mais, qui, dans le vaste monde, à l'exception d'une petite poignée d'individus, pouvait bien comprendre ça ?

En entrant dans la chambre de Nicola, Kate, physiquement vidée et, dans cette mesure, légèrement moins agitée, découvrit que les pensées de Nicola avaient peu ou prou suivi le même chemin que les siennes. C'est-à-dire qu'elle avait médité, non pas sur Emanuel et Kate, mais sur le fait que bien peu de gens sont à même d'imaginer une morale en dehors des conventions.

– Nous avons passé, dit Nicola, toute la matinée et la plus grande partie de l'après-midi d'hier avec la police, qui nous a interrogés, d'abord séparément, puis nous a confrontés pendant un court laps de temps, et bien qu'ils ne se soient pas montrés véritablement hargneux, à la manière dont un professeur de chez Berlitz ne va pas s'adresser à vous en français lorsqu'il vous enseigne l'anglais, ils ont laissé entendre, par mille et un signes, qu'ils nous considéraient comme des menteurs, l'un d'entre nous au moins, en tout cas, et que si nous avions la bonne grâce de flancher et d'avouer, nous épargnerions à l'État, comme à eux, une invraisemblable quantité de turpitudes. Bien entendu, Emanuel s'entête, et ne leur dira strictement rien sur Janet Harrison. Il prétend qu'il ne le fait pas seulement, préserver le secret de la confession et tout ça, par pure grandeur d'âme ; mais qu'il ne voit tout simplement pas à quoi ça pourrait servir, parce que le seul résultat que ça aurait, c'est de nous enfoncer encore plus profond. Est-ce que par hasard tu ne connaîtrais pas sur elle, toi, par ton université, quelque chose de bien scandaleusement ravageur ? Au fait, comment se fait-il que tu n'y sois pas en ce moment ? On est bien vendredi, non, il me semble ?

L'aptitude qu'avait Nicola à se remémorer dans le détail l'emploi du temps de chacun (« Je vous téléphone parce que je me suis rappelée que c'était justement l'heure où vous rentriez chez vous après avoir sorti votre chien », avait-elle annoncé une fois à une nouvelle connaissance, absolument sidérée) était l'un de ses talents les plus notables.

– Je me suis fait remplacer pour mes cours, expliqua Kate. Je ne me sentais pas d'attaque.

Elle avait, en fait, très mauvaise conscience, et la définition que quelqu'un avait donnée d'un professionnel : une personne capable d'exercer son activité même quand elle ne se sentait pas d'attaque, ne cessait de la tarauder.

– Le plus épouvantable, poursuivit Nicola, c'est qu'aucun d'entre eux n'a l'air de comprendre un tant soit peu comment nous fonctionnons ; ils nous prennent tous pour des cinglés d'un genre un peu à part, qui ont choisi la psychiatrie parce que toute autre activité exigeant la santé mentale était hors de notre portée. Je ne veux pas dire par là qu'ils ne savent strictement rien de ce qu'est la psychiatrie, sur le plan théorique, dirons-nous – ils ont l'habitude, je présume, d'entendre les dépositions de psychiatres et ce genre de choses – mais de gens comme nous, qui vont se balader à des heures indues et parlent sans détour de la jalousie et des pulsions agressives, et insistent cependant pour souligner que ce n'est pas parce qu'on en parle qu'on éprouve automatiquement le désir de passer à l'acte ; eh bien, la seule chose à mon sujet qui paraissait avoir un sens pour l'un des inspecteurs, c'est que mon père avait fait son droit à Yale. Ils ont réussi à me faire dire qu'Emanuel et toi aviez été amants, à propos, et ils en ont probablement tiré la conclusion qu'on doit tous vivre dans une espèce d'univers fantasmatique à la Noel Coward, puisque nous voilà tous bons amis à présent, et que je t'autorise l'accès de ma demeure. Tu vois, Kate, il me semble qu'ils peuvent parfaitement comprendre qu'un type triche sur ses notes de frais, ou qu'il sorte avec des filles quand sa femme le croit en voyage d'affaires, mais j'ai l'impression que nous leur faisons peur parce que nous prétendons être foncièrement honnêtes au-dedans, tout en offrant l'apparence d'un léger débraillé, alors qu'eux-mêmes peuvent parfaitement comprendre la malhonnêteté, mais tiennent plus que tout au respect des apparences. Ils sont probablement persuadés qu'il y a quelque chose d'obscène dans le fait qu'une femme puisse verser vingt dollars à un homme pour s'allonger sur un divan et lui parler.

– Je crois pour ma part, fit Kate, que les policiers ressemblent plutôt aux Anglais, tels que les voyait Mrs. Patrick Campbell. Elle disait que les Anglais se souciaient fort peu de ce que les gens pouvaient faire, tant qu'ils ne descendaient pas dans la rue pour effrayer les chevaux. Il ne me semble pas qu'ils soient particulièrement montés contre Emanuel, toi, moi ou la psychiatrie. C'est tout bonnement que cette affaire a eu le don de faire peur aux chevaux et, malheureusement, la police apprécie mal l'intégrité fondamentale de la psychiatrie – lorsque celle-ci est effectivement pratiquée de façon intègre, et il nous faut bien reconnaître que tel n'est pas toujours le cas – pas assez en tout cas pour comprendre qu'Emanuel est bien la dernière personne au monde qui pourrait avoir assassiné cette fille. Où étais-tu, toi, au fait, hier matin, et pourquoi diable n'as-tu pas dit que tu n'étais pas passée chez ton analyste, alors que tu as justement souligné que c'était le jour ?

– Comment as-tu appris que je n'y étais pas passée ?

– J'ai mes petites méthodes personnelles ; réponds à ma question.

– Je ne sais vraiment pas pourquoi je ne te l'ai pas dit, Kate. J'en avais l'intention, à chaque fois que le sujet revenait sur le tapis, mais personne n'aime passer pour un poltron, et encore moins en parler. Crois-moi si tu veux – et la police, elle, n'en croit pas un mot – mais j'étais bel et bien en train de faire le tour du parc, vers le château et le lac, tu sais, là où sont les cerisiers du Japon. Ç'a toujours été mon coin préféré, depuis que je suis toute petite et que je retenais ma respiration jusqu'à devenir violette si la nurse faisait mine de prendre un autre chemin.

– Mais pourquoi, pourquoi a-t-il fallu que tu choisisses ce jour en particulier pour revivre tes souvenirs d'enfance, alors que tu aurais très bien pu faire ça sur le divan du Dr. Sanders, tout en te construisant par le même coup un superbe alibi ?

– Personne ne m'avait prédit que Janet Harrison serait assassinée sur le divan d'Emanuel. Quoi qu'il en soit, ça vaut mieux comme ça ; si j'avais eu un alibi, Emanuel serait le seul suspect à rester en lice. De cette manière, la police n'est pas encore tout à fait prête à l'arrêter. En définitive, ils n'ont pas plus de preuves contre Emanuel que contre moi.

– Est-ce que l'épouse du psychiatre a l'habitude d'entrer, de façon parfaitement naturelle, pour aller s'asseoir derrière le patient ? Aucune importance ; j'aimerais tout de même savoir pour quelle raison tu ne t'es pas rendue à ton rendez-vous avec le Dr. Sanders.

– Kate, tu es en train de te comporter comme les policiers, en exigeant des réponses claires et logiques à toutes tes questions. Il y a sûrement des gens qui se rendent avec régularité à leurs rendez-vous avec leur analyste, et même qui s'y précipitent – je suis sûre que ça existe – mais la plupart des personnes que je connais ont le trac, exactement comme moi. Les défenses que ça engendre communément sont toujours les mêmes : arriver en retard, ne pas parler, parler de tout à fait autre chose en éludant les problèmes perturbants –

auquel cas, bien évidemment, on continue de revenir encore et encore jusqu'au moment où on réussit à les affronter. Pour ma part, le plus couramment, je fais toujours appel au même système, celui de l'intellectualisation mais, ce jour-là précisément, la seule chose que j'avais en tête, c'était qu'on était au printemps, et je n'ai pas pu résister. Je suis allée jusqu'à Madison Avenue et j'ai pris ma décision et, au lieu de m'y rendre, je suis allée au parc. Inutile de te dire que je ne me doutais absolument pas qu'Emanuel, de son côté, était lui aussi en train de se baguenauder autour du parc.

– As-tu téléphoné au Dr. Sanders, pour lui annoncer que tu ne viendrais pas ?

– Bien entendu ; ç'aurait été pour le moins injuste de le laisser planté là à m'attendre, au lieu de disposer de son heure de liberté. Rien n'indique qu'il n'aime pas, lui aussi, courir autour du réservoir ; et c'est bien dommage, d'ailleurs, qu'il n'en ait rien fait ; il aurait pu croiser Emanuel.

– Emanuel le connaît ?

– Ils sont tous deux membres de l'institut.

– Nicki, est-ce que quelqu'un t'a vue sortir, pour te rendre à ce que tu croyais encore être un rendez-vous avec ton analyste ? Est-ce que quelqu'un t'a vue passer ce coup de téléphone sur Madison Avenue ?

– Personne ne m'a vue téléphoner. Mais le Dr. Barrister m'a vue sortir. À cette heure, pratiquement, il est toujours occupé avec un patient mais, hier, pour une raison quelconque, il était sur le pas de sa porte, en train de raccompagner un patient ou quelque chose d'approchant. Lui m'a vue sortir, mais qu'est-ce que ça prouve ? J'aurais très bien pu rebrousser chemin et poignarder la fille.

– Quel genre de médecine pratique-t-il ?

– Pour les femmes. Il soigne des femmes, je veux dire.

– Gynécologue ? Accoucheur ?

– Non. Il ne me semble pas opérer énormément, et il n'a sûrement pas grand-chose à voir avec les accouchements ; il ne me fait vraiment pas l'effet d'être le genre d'homme qui apprécierait d'être tiré de son lit et traîné sur le théâtre des opérations pour accoucher un bébé. Emanuel a fait faire une enquête sur lui, en fait, sur mon insistance, mais il jouit d'excellentes recommandations. Emanuel ne l'aime guère.

– Pourquoi ça ?

– Eh bien, en partie parce qu'Emanuel n'aime pas grand monde, surtout les gens qui sont un peu trop polis et aimables mais, plus particulièrement, je pense, depuis qu'il a croisé Barrister dans le hall et que ce dernier a fait la remarque qu'ils exerçaient en quelque sorte la même profession et que ni l'un ni l'autre, du moins, n'avaient jamais enterré un seul de leurs patients. Une variante, je suppose, du vieil adage sur le dermatologue, qui ne guérit jamais personne, mais ne tue jamais ses clients non plus, mais ça a passablement agacé Emanuel, qui a fait la réflexion que Barrister parlait comme un docteur de cinéma.

– Eh bien, la nature imite l'art, non ? Oscar Wilde avait tout à fait raison.

– J'ai dit à Emanuel que c'était par pure jalousie. Le Dr. Barrister est très joli garçon.

– Il me semble un peu plus suspect à chaque seconde qui passe ; j'ai pratiquement décidé, l'autre soir, que c'était lui le coupable.

– Je sais. Je me suis moi-même creusé la tête comme une folle à chercher un coupable possible, et le hic, entre autres, c'est que nous ne croulons pas à proprement parler sous les suspects. À l'exception de toi, de moi et d'Emanuel, qui sommes innocents par définition, pour ainsi dire, nous ne disposons que du liftier, du Dr. Barrister, de ses patients ou de son infirmière, des patients qui ont précédé ou suivi Janet Harrison, ou, en dernier recours, du maniaque homicide. Pas très encourageant. En fait, toute cette histoire est un vrai cauchemar pour le Dr. Barrister, même s'il a pris les choses plutôt aimablement. La police qui vient l'interroger, un policier planté dans le hall juste à l'entrée de son cabinet – ça ne fait peut-être pas plaisir à ses patientes – et, pour finir, moi qui le traîne par sa blouse pour venir contempler un cadavre. Il crève les yeux que s'il devait absolument tuer quelqu'un, il s'y prendrait le plus loin possible de chez lui.

– Nous avons laissé de côté un autre suspect possible : quelqu'un que Janet Harrison aurait retrouvé ici. Qui décommande les patients, s'arrange pour que l'endroit soit déserté et la tue.

– Kate, tu es géniale ! C'est exactement ce qui a dû se passer.

– Sans le moindre doute. Tout ce qu'il nous reste à faire, c'est à mettre la main dessus, à condition qu'il existe.

Ce fut néanmoins l'esprit occupé par cet homme à l'existence plus qu'improbable que Kate débusqua Emanuel dans son bureau quelque temps plus tard. Elle avait, bien entendu, vérifié au préalable qu'il était disponible et, ayant pris soin de frapper avant d'entrer, s'était introduite dans la pièce et avait refermé la porte derrière elle.

– Emanuel, je suis désolée, mais j'ai l'impression que je vais me répéter. Je suis sans arrêt hantée par la ressemblance entre tout cela et une tragédie grecque ; comme si, depuis l'instant de notre collision à la sortie de la Merritt Parkway, nous foncions en droite ligne vers cette crise. Je présume qu'on pourra trouver un certain réconfort à se dire, aussi littéraire que ça puisse paraître, que le hasard préside consciemment à nos destinées.

– La même idée ou presque m'est venue, à moi aussi ; tu n'étais pas sûre d'avoir envie de finir dans la peau d'un professeur d'université, et je nourrissais, relativement à la psychiatrie, toute sorte de réticences ambiguës. Et c'est pourtant bien là que nous en sommes l'un et l'autre : toi, professeur, le même professeur qui a adressé, au psychiatre que je suis, l'une de ses étudiantes, pour qu'elle devienne ma patiente. On pourrait y voir une sorte de dessein comme, bien entendu, ne strictement rien y voir de tel. Si seulement nous pouvions démontrer qu'un tel dessein n'existe pas, ou bien que nous l'interprétons de travers, alors nous serions à même d'élucider tout ceci.

– Emanuel ! Je pense que tu viens d'énoncer là quelque chose d'essentiel, et de très pénétrant.

– J'ai fait ça, moi ? Ça n'a pourtant rien de particulièrement rationnel.

– Allons, peu importe ; je suis certaine que la raison pour laquelle ta phrase me semble si pénétrante m'apparaîtra plus tard. Ce que j'aimerais, pour l'instant, c'est que tu restes installé à ton bureau, pour me dire tout ce que tu peux savoir sur Janet Harrison. Qui sait si ce que tu m'en diras n'évoquera pas en moi quelque chose que je saurais déjà, mais que j'aurais pu oublier. Je suis persuadée d'une chose : si nous trouvons ce meurtrier, toujours à supposer qu'il ne s'agisse pas d'un maniaque homicide déambulant au hasard par les rues, ce ne pourra être que par l'entremise des renseignements dont nous disposons sur cette fille. Tu veux bien essayer de m'aider ?

À la quasi-surprise de Kate, il ne refusa pas avec sécheresse, se contentant de hausser les épaules et de continuer à regarder par la fenêtre, en direction d'une cour intérieure où il n'y avait probablement rien à voir. Kate, avec une nonchalance étudiée, s'assit sur le divan. L'un des fauteuils, à coup sûr, lui aurait offert un plus grand confort, mais ne pas s'asseoir sur le divan, c'était l'éviter.

– Que pourrais-je bien te dire ? L'enregistrement sur bande magnétique d'une analyse, par exemple, serait dépourvu de tout sens, de tout sens significatif, du moins, pour qui ne saurait l'interpréter. On n'y rencontre pas une multitude d'indices, comme dans les histoires de Sherlock Holmes, tout du moins pas le genre d'indices qui feraient le bonheur d'un policier. Elle ne m'a jamais dit, à telle ou telle occasion, qu'elle serait probablement assassinée un jour et que, si ça lui arrivait, le responsable en serait probablement untel ou untel. Crois-moi, si elle avait fait allusion à quelque chose d'aussi précis, je n'aurais pas hésité longtemps à le révéler, encore moins au nom de je ne sais quel idéalisme mal placé. Il est également une autre chose vitale qu'il faut garder en mémoire : c'est qu'il importe peu à l'analyste qu'un événement se soit réellement déroulé ou qu'il ne soit qu'un simple fantasme engendré par le cerveau du patient. Aux yeux de l'analyste, il n'y a pas de différence essentielle entre ces deux choses ; aux yeux du policier, en revanche, il y a un monde entre les deux.

– J'aurais cru au contraire qu'aux yeux d'un patient, le fait qu'une chose soit ou non réellement arrivée revêtirait la plus haute importance. Je serais même allée jusqu'à dire que tout est là.

– Exactement. Mais tu te serais trompée. Et je ne peux pas t'expliquer simplement les choses sans les déformer grossièrement et sans, en les simplifiant à l'extrême, les falsifier. Mais si tu veux, je peux te donner un exemple, presque à contrecœur. Lorsque Freud a entrepris ses premières thérapies sur ses patients, il a été stupéfait de constater le nombre élevé des femmes qui, à Vienne, avaient eu étant enfant des relations sexuelles avec leur père. Tout portait à croire qu'à un moment donné, au minimum une poignée de pères de famille viennois avaient été des maniaques sexuels. Puis Freud prit conscience qu'en réalité aucune de ces expériences sexuelles n'avait jamais eu lieu, et qu'elles n'étaient que des fantasmes. Mais sa constatation la plus fondamentale prit place lorsqu'il comprit qu'en regard du développement psychologique de ses patientes (mais, bien évidemment, pas en regard de la morale sexuelle viennoise) peu importait que ces événements aient ou n'aient pas eu de réalité objective. Le fantasme avait en lui-même une importance considérable. Kate, as-tu jamais essayé d'expliquer *Ulysse* à un individu infatué de sa personne, et pour qui Lloyd Douglas est l'exemple même du grand romancier ?

– D'accord, d'accord, je vois parfaitement où tu veux en venir, je te le promets. Mais permets-moi de continuer à jouer les enquiquineuses, tu veux bien ? Je n'ai jamais compris, par exemple, pourquoi elle pensait avoir besoin d'un analyste ? Que t'a-t-elle dit, la première fois qu'elle est venue te trouver ?

– Au début, c'est toujours plus ou moins la routine. Je demande au malade, bien entendu, quel est son problème. Sa réponse a été très inhabituelle. Elle dormait mal, avait un problème dans son travail, avait du mal à lire au-delà d'une courte phrase et éprouvait une certaine difficulté, ainsi qu'elle a exprimé la chose, dans un bien regrettable jargon d'assistante sociale, à nouer des relations individuelles. L'emploi de cette périphrase est probablement la chose la plus signifiante qu'elle ait exprimée ce jour-là ; elle trahissait le degré d'intellectualisation du problème, et jusqu'à quel point elle l'avait inconsciemment vidé de son contenu émotionnel. Ces policiers découvriront sans peine la majeure partie de tout ceci ; le reste ne pourrait en rien servir leur objectif, ils seraient les premiers à s'en rendre compte. Je lui ai demandé de me dire quelque chose sur elle-même ; là encore, c'est la procédure de routine. Les faits sont d'ordinaire de peu d'importance, mais les omissions, en revanche, peuvent être de la plus haute importance. Elle était la fille unique de parents très stricts et autoritaires, à présent décédés l'un et l'autre. Ils étaient déjà assez âgés à sa naissance – si tu veux plus de détails, je peux te les procurer. Elle s'est gardée de faire allusion, cette fois-là, à la moindre liaison, même de nature épisodique, encore qu'il s'avéra ultérieurement qu'elle s'était impliquée, et très profondément, dans une relation amoureuse. Certaines associations, à l'occasion, l'amenaient à se trahir, en triomphant de ses résistances, mais elle changeait aussitôt de sujet de conversation. Quand c'est arrivé, nous venions juste d'aborder certaines strates essentielles.

– Ne vois-tu donc pas l'importance que ça peut avoir, Emanuel ? Au fait, avait-elle… était-elle vierge ? (À cette question, à l'idée que Kate ait pu la poser, il tourna vers elle un regard surpris. Kate haussa les épaules.) C'est peut-être le produit de ma salacité naturelle, mais j'ai l'étrange impression que ça pourrait être déterminant.

– Je ne connais pas la réponse avec certitude. Si tu peux te contenter de mon intuition professionnelle, je te dirai qu'à mon sens la relation amoureuse avait été consommée. Mais il ne s'agit que d'une simple supputation.

– Au départ, les patients parlent-ils plus volontiers du passé, ou du présent ?

– Du présent ; le passé, bien entendu, refait surface, de plus en plus souvent au fur et à mesure que nous progressons. J'ai eu le sentiment – mais tâche surtout d'en relativiser l'importance – qu'il y avait dans sa vie actuelle quelque chose dont elle refusait de parler, quelque chose qui se rattachait, mais peut-être uniquement par le biais du même sentiment de culpabilité, à sa relation amoureuse. Ah ! je suis particulièrement en admiration devant toi quand je surprends cette lueur dans ton regard, tel un faucon sur le point de fondre sur sa proie. Tu penses qu'elle jouait un rôle de tout premier plan dans une filière de la drogue, c'est bien ça ?

– Rira bien qui rira le dernier ; une dernière question. Tu as fait allusion, l'autre soir, au fait qu'elle devenait irritable, et que le transfert était en cours. C'est quoi, le transfert, dans le civil, comme dirait Molly Bloom ?

– J'abomine la psychiatrie vulgarisée. Disons tout simplement que la colère en germe dans une situation donnée prend alors directement l'analyste pour cible, et qu'il devient l'objet de cette émotion.

– Ne comprends-tu pas, Emanuel ? C'est pourtant simple. Il suffit de juxtaposer deux choses que tu m'as révélées au passage. La première, probablement afférente à son passé, et qu'elle dissimulait. La seconde, cette émotion qui a commencé à poindre dans tes rapports avec elle. Conclusion : elle aurait très bien pu te dire, ou laisser transparaître, pour ton oreille professionnelle exercée, une chose dont quelqu'un ne souhaitait pas que quiconque ait vent. Peut-être a-t-elle parlé à quelqu'un – incidemment, croyait-elle – de son analyse – il arrive aux gens de parler plus ou moins de leur analyse ; je le sais, je les ai entendus faire – et cette personne, quelle qu'elle puisse être, a décidé qu'elle devait mourir. Il lui était facile d'apprendre, de sa bouche, comment les choses se passaient ordinairement ici et il est entré et l'a tuée, en te laissant son cadavre sur les bras. C.Q.F.D.

– Kate, Kate, je n'ai, de ma vie, jamais entendu simplifications plus dénuées de rigueur.

– Pur non-sens, Emanuel. Ce qui te manque, ce qui vous manque à tous, à vous autres psychiatres, si tu veux bien me passer l'expression, c'est le don de voir l'évidence. Bon, je ne veux pas te retarder plus longtemps. Mais promets-moi, en tout cas, de répondre à toutes les questions que je pourrai te poser, aussi idiotes qu'elles te paraissent.

– Je te promets de collaborer de tout cœur à ta tentative, pleine de panache, pour me sauver du désastre. Mais vois-tu, chérie, puisqu'on parle d'évidence, la police dispose déjà d'un dossier plutôt bien ficelé.

– Ils ne te connaissent pas comme je te connais ; c'est mon seul avantage sur eux. Ils ne savent pas de quel bois tu es fait.

– Ni non plus de quel bois est faite Nicola ?

– Non, fit Kate. Ça non plus. Vous vous en sortirez ; tu verras.

Elle resta néanmoins plantée un moment dans le hall, irrésolue et se sentant un peu dans la peau du chevalier qui se serait embarqué dans sa quête avec l'intention d'occire le dragon, mais aurait omis de s'enquérir du gîte exact de ce dernier. C'était certes une très bonne chose que de passer à l'action, mais quelle action, exactement, devait-elle entreprendre ? Fidèle à son habitude, elle sortit un carnet et un stylo et entreprit de dresser une liste : visiter chambre de Janet Harrison et parler gens de la résidence universitaire qui l'avaient connue ; se renseigner sur patients de dix heures et midi ; découvrir qui était personne sur la photo que Janet Harrison avait (les listes, immanquablement, avaient sur la syntaxe de Kate un effet déplorable).

– Navré de déranger. Mrs. Bauer est-elle ici ?

Kate, qui écrivait avec son carnet en équilibre sur son sac, laissa tomber carnet, stylo et sac à main. L'homme se cassa en deux pour l'aider à récupérer ses affaires et, en même temps qu'ils se redressaient tous les deux, elle prit conscience de l'essence particulière de sa beauté virile, à laquelle nulle femme ne devait rester insensible, fût-ce de façon épidermique. Non pas, au demeurant, qu'elle attirât spécialement Kate ; mais, confrontée à elle, elle éprouvait la sensation de recouvrer une plus grande féminité. Elle se souvint avoir rencontré, lors d'un souper, un jeune Suédois très beau et très chaste. Il avait des manières exquises et rien, dans son attitude, ne laissait transparaître un quelconque désir de séduire, mais Kate avait remarqué avec horreur que toutes les femmes de la pièce avaient les yeux rivés sur lui ; horreur qui, un peu plus tard, avait cédé le pas à l'amusement, lorsqu'il s'était adressé à elle et qu'elle s'était retrouvée en train de minauder.

Cet homme-là n'était pas jeune ; ses cheveux grisonnaient aux tempes.

– Vous êtes le Dr. Barrister, je pense ? fit Kate. (Avec difficulté, elle se retint d'ajouter : *notre principal suspect.*) Je suis Kate Fansler, une amie de Mrs. Bauer ; je vais la chercher.

Tandis que Kate regagnait le fond de l'appartement, à la recherche de Nicola, elle réalisait à quel point, en vérité, était étroite la relation entre apparence et réalité. Pris dans l'abstrait, des dehors avantageux pouvaient paraître menaçants ; cependant, en présence de la beauté physique, Kate lui trouvait l'apparence de l'innocence. Ce n'était certes pas un hasard si, dans la littérature occidentale et en tout cas dans la tradition populaire de l'Occident, beauté et innocence allaient toujours de pair.

Ils se retrouvèrent finalement debout tous les trois dans le salon, par cette journée sans patients. Non pas que Nicola, d'ailleurs, les ait priés de s'asseoir ; ce n'était pas que Nicola fasse fi des convenances… elle paraissait avoir toujours méconnu leur existence.

– Je suis passé voir si vous repreniez le dessus, dit le Dr. Barrister à Nicola. Je sais qu'il n'est pas grand-chose que je puisse faire mais j'ai du mal à résister à mon penchant naturel pour les visites de bon voisinage, même à New York, où les voisins ne sont pas censés se connaître ni se fréquenter.

– Vous n'êtes donc pas de New York, s'enquit Kate, plus pour dire quelque chose.

– Comme tout bon New-Yorkais, il me semble, répliqua-t-il.

– Je suis née à New York, moi, dit Nicola, et mon père avant moi. Son père, cependant, venait de Cincinnati. D'où êtes-vous ?

– J'ai cru comprendre qu'un de nos chers critiques intellos avait récemment découvert une nouvelle espèce de roman, traitant le thème du jeune homme débarquant de sa province. J'ai été ce jeune homme débarquant de sa province. Mais vous ne m'avez toujours pas dit où en étaient les choses ?

– Emanuel a été obligé de décommander tous ses patients d'aujourd'hui. Nous espérons qu'il pourra les reconvoquer dans un jour ou deux.

– Je l'espère également, de tout cœur. Faites-moi savoir, je vous prie, si jamais je puis faire quelque chose ? J'ai la meilleure volonté du monde, mais je manque singulièrement d'idées.

– Je comprends, dit Nicola. Quand il y a eu un décès dans la famille, ou un malade, on peut toujours envoyer des fleurs ou à manger. Dans notre cas, je présume, tout ce que vous pouvez faire, c'est de dire au plus grand nombre de gens possibles que ni Emanuel ni moi n'avons fait ça. Kate est bourrée d'idées et elle va retrouver le meurtrier.

Le Dr. Barrister considéra Kate avec un intérêt non dissimulé.

– Ce que je vais faire, surtout, dit Kate, c'est rentrer chez moi.

– Je vais vers l'est, fit le Dr. Barrister. Je peux vous déposer quelque part ?

– C'est bien aimable à vous, rétorqua Kate, mais je vais vers l'ouest.

Ce n'est qu'une fois assise dans le taxi qui la reconduisait chez elle que Kate pensa à Jerry.

6

Que Kate disposât encore de tout son week-end, avant que la journée de lundi ne la ramène à ses cours, rien n'était plus vrai, bien sûr. Mais il était malgré tout relativement conseillé de préparer lesdits cours, d'autant plus que, ces deux derniers jours, elle avait complètement perdu le contact avec la réalité universitaire, autant que si elle s'était accordé une année sabbatique. Il n'en restait pas moins vrai qu'on a des obligations envers la profession, envers et contre tous les meurtres, et aussi impérieuse que puisse être la nécessité d'enquêter.

Et, à y repenser sérieusement, sur quoi, exactement, allait-elle bien pouvoir enquêter ? Certes, elle pourrait toujours glaner quelques informations en se livrant à un petit interrogatoire un peu fouillé, aux alentours du dortoir où avait vécu Janet Harrison ; l'examen des archives de l'université pouvait lui aussi faire remonter à la surface quelque indice intéressant. Tout cela, Kate pouvait l'entreprendre, sans empiéter de manière trop indue sur ses devoirs professionnels. Mais la police avait déjà plus ou moins sondé tout ce terrain et, désormais, il lui semblait beaucoup plus fructueux de se pencher un peu sur les autres suspects, que la police paraissait traiter par-dessus la jambe, ne leur accordant qu'une attention somme toute superficielle : les patients

– tous deux du sexe masculin – qui avaient précédé ou suivi Janet Harrison ; le liftier ; et tout homme de passage qui pouvait, du moins fallait-il l'espérer, avoir connu Janet Harrison, si fugacement soit-il.

Il apparut à Kate que, mise à part la question du temps qu'elle devrait consacrer à cette tâche, il était flagrant, dans cette affaire, que l'appui logistique d'un enquêteur du sexe fort était sérieusement recommandé, de préférence sans attaches ni entraves, susceptible de passer soit pour un jeune diplômé qui a roulé sa bosse, nanti de ce vernis que seule peut vous apporter la fréquentation des universités les plus huppées, ou bien pour un jeune travailleur qui, ayant trimé dur toute la journée, pourrait, après avoir passé la tenue appropriée, traîner dans les parages, à discuter de football ou de tout ce dont peuvent discuter les jeunes travailleurs, et ce sans détoner. La description correspondait parfaitement au signalement de Jerry et, encore une fois, mettait en relief l'immense avantage qu'il y avait à faire partie d'une famille nombreuse.

Non que Jerry fût en quelque manière apparenté à Kate ; pas encore, tout du moins. Mais il deviendrait, un jour très proche, son neveu par alliance. Kate ne se souvenait plus de son âge exact, mais il était assez vieux pour aller voter, et assez jeune encore pour croire que la vie était riche de possibilités infinies. « Les jeunes gens s'imaginent qu'ils ne mourront jamais. » Hazlitt, en vérité, devait avoir Jerry en tête.

Kate, tout en étant issue d'une famille nombreuse, avait également été une enfant unique : rarissime cumul d'avantages. Ses parents, se pliant au cours normal des choses – au cours normal des choses, dirons-nous, pour une famille éduquée et aisée vivant une existence new-yorkaise (agrémentée d'étés passés à Nantucket) –

avaient engendré trois rejetons mâles durant leurs huit premières années de mariage. Ils s'étaient écartés des normes établies, ou peut-être de ce que Kate avait fini par considérer comme une planification budgétaire, juste ce qu'il fallait pour se retrouver, alors que le plus jeune de leurs fils avait déjà quatorze ans, avec une petite fille au berceau. Ils lui avaient fourni une nurse et, plus tard, par la force des choses, une gouvernante, l'avaient adulée sans réserve et gâtée imprudemment, et avaient assisté, impuissants, à son rejet de la haute société, à laquelle elle avait tourné le dos pour devenir, non seulement une « intellectuelle » mais encore un docteur ès lettres. Ils en attribuèrent, de façon quelque peu inique, l'entière responsabilité au fait qu'elle avait été baptisée Kate, car tout ce que sa mère se rappelait de ses cours de littérature à l'université était que Kate était le prénom féminin préféré de Shakespeare. Ses frères, quant à eux, avaient épousé des carrières autrement plus respectables et considérées. Sarah Fansler, la fille de son frère aîné, était fiancée à Jerry.

Jerry, bien entendu, n'était pas tout à fait le gendre qui convenait. S'il ne l'avait pas été du tout, s'il avait été par exemple mécanicien automobile, les fiançailles auraient probablement été rompues coûte que coûte. Mais si la famille s'était permis de délibérément fouler Jerry aux pieds, elle aurait ce faisant tourné le dos – la famille filait volontiers la métaphore physiologique – au rêve américain. Le père de Jerry était décédé ; sa mère tenait une modeste boutique de cadeaux dans le New Jersey et avait, tant par dévouement que par un labeur acharné, réussi à envoyer son fils à l'université ; elle l'aiderait également, l'automne prochain, à suivre des études de droit. Jerry avait décroché des bourses, avait travaillé pendant les vacances d'été et après ses heures de cours, l'avait aidée à la boutique. Jerry, qui venait tout juste d'être libéré de son temps de six mois sous les drapeaux, était employé actuellement, et jusqu'au début de l'automne, à conduire le camion d'un grossiste en aliments surgelés. Kate se disait qu'il serait certainement disposé, pour la même somme d'argent, à occuper son temps de manière un peu plus aventureuse.

Le coup de téléphone passé à Jerry chez sa mère, dans le New Jersey, le trouva à peine rentré de son travail et tout à fait disposé (à la grande surprise de Kate) à descendre le soir même en voiture pour en discuter avec elle ; elle crut comprendre que la voiture d'un ami était justement disponible. Kate réussit à lui suggérer de garder le secret sur sa destination, comme sur le coup de téléphone, sans paraître, espérait-elle, aussi conspiratrice qu'elle avait l'impression de l'être. Il était pour le moins saugrenu, réalisa-t-elle, qu'elle puisse ainsi s'apprêter à placer toute sa confiance en un jeune homme qu'elle n'avait rencontré qu'à quelques reprises, lors des quelques fêtes familiales organisées pour célébrer les fiançailles auxquelles elle avait consenti à se rendre. Ils s'étaient sentis attirés l'un vers l'autre par ce même air de détachement amusé qui irradiait de leurs deux seules personnes parmi tous les convives présents. Mais qu'est-ce qu'on fiche ici ? avaient-ils l'air de se demander l'un à l'autre, avec un grand sourire. Kate était là parce qu'elle se pliait bien volontiers à certaines obligations familiales, à condition qu'elles ne se renouvellent pas trop fréquemment, et Jerry s'y trouvait parce que Sarah était très jolie et convenable. Kate l'avait toujours trouvée passablement ennuyeuse mais Jerry était peut-être assez avisé des choses de ce monde pour préférer épouser une femme un peu morne et conventionnelle, tant qu'elle était jolie.

À son arrivée, Kate lui offrit une bière et entra directement dans le vif du sujet :

– Je vais te proposer un boulot, fit-elle. Même tarif que ce que tu touches actuellement. Est-ce que tu es en mesure de prendre un congé et de revenir quand ça te chante ?

– Probablement. Mais je touche en fait une fois et demie la paie normale pour ce job, parce que je travaille en heures supplémentaires.

Il était détendu, prêt à être mis au courant et, Kate le soupçonnait, légèrement amusé.

– Je ne peux te payer que le tarif normal. Ce job sera beaucoup plus passionnant, et exigera plus de talent de ta part. Mais, si tu réussis, tu toucheras un bonus à la fin.

– C'est quoi, le travail ?

– Avant de te le dire, je veux que tu me fasses la promesse solennelle de garder ça sous le sceau du secret. Personne ne doit en entendre parler – ni ta famille ni tes amis ; pas la moindre allusion leur permettant de comprendre dans quoi tu t'es engagé. Même Sarah n'en devra rien savoir.

– Accordé. Comme les amis de Hamlet, je ne laisserai même pas voir que je pourrais avoir quelque chose à cacher. J'en fais le serment par l'épée. Une très bonne pièce, j'ai trouvé, ajouta-t-il, avant que Kate n'ait eu le temps de maîtriser son expression de surprise. Je promets de n'en pas susurrer le moindre mot à Sarah.

Kate jugea que cette détermination à ne pas se confier à Sarah augurait bien mal de leur mariage mais elle avait depuis beau temps passé le cap des scrupules, relativement aux éventuels coups de chance qui pouvaient lui échoir.

– Alors parfait. Je désire que tu m'aides à élucider un meurtre. Non, ne crains rien, je n'ai pas perdu les pédales, et je ne suis pas non plus devenue paranoïaque ou mégalomane. As-tu par hasard lu dans la presse l'histoire de cette fille qui a été assassinée sur le divan de son psychanalyste ? Difficile de passer à côté, j'imagine. Ils croient le psy coupable ; c'est un très bon ami à moi et je veux prouver qu'il n'a pas pu faire ça, ni lui ni sa femme, l'autre suspect qu'ils se gardent en réserve. Mais je suis persuadée que le seul moyen de prouver qu'Emanuel n'a pas fait ça est de débusquer celui qui l'a fait. Le jeune homme que tu es peut prendre langue de façon naturelle avec des tas de gens, et poser des questions qui me sont à moi interdites. D'autre part, à l'université, vers la fin du printemps, le travail prend des proportions monstrueuses. Tu commences à situer le tableau ?

– Et la police, là-dedans ?

– La police opère très consciencieusement, à sa façon, sans grande imagination. Peut-être ai-je un préjugé ; et peut-être aussi que non. Mais ils disposent d'un suspect tellement commode, et ils sont tellement persuadés que personne d'autre n'aurait pu commettre ce crime, que leurs recherches, dans toute autre direction, risquent fort de briller par un manque total de pugnacité, c'est du moins ce qu'il me semble. Cependant, si nous découvrions une belle piste bien juteuse conduisant à quelqu'un d'autre, je suppose qu'on arriverait à les persuader de la remonter.

– Avez-vous un suspect de premier plan, vous ?

– Hélas ! non. Et nous ne manquons pas seulement de suspects ; nous sommes également somptueusement démunis de toute information.

– La fille a peut-être été droguée. N'importe qui

aurait alors pu l'allonger sur le divan et l'assassiner, après s'être d'abord débarrassé de l'analyste.

– Très prometteur, ce que tu me dis là. En réalité, nous disposons toutefois de certains renseignements sur le meurtre, sinon sur les autres suspects ou sur la fille. Elle n'a pas été droguée. Si tu acceptes le job, je te mettrai au courant de tout. Ça ne prendra pas bien longtemps.

Cela prit, en fait, beaucoup plus de temps que Kate ne l'aurait cru. Elle narra à Jerry la totalité de l'affaire, depuis le tout début, à commencer par le fait qu'elle avait elle-même recommandé Emanuel à la fille. Il écouta attentivement, et posa un grand nombre de questions pertinentes. Kate réalisa qu'elle était en train de lui proposer l'aventure au tarif de la sécurité, et que la chose pourrait fort bien modifier du tout au tout la conception qu'il avait du monde. La jeune génération, à ce qu'en disaient les journalistes – et c'était en général assez exact pour vous coller la frousse – optait toujours pour la sécurité, celle de l'emploi, de la retraite, de la vie tranquille garantie. Peut-être avaient-ils le goût de l'aventure, mais ils n'étaient pas disposés à en payer le prix ; autant lire le *Kon-Tiki* dans un bureau climatisé de Westchester, pour arriver au même résultat. Jerry allait avoir droit aux deux : à l'aventure, plus un chèque en fin de prestation, basé sur le tarif syndical. Ce n'était peut-être pas, à proprement parler, la meilleure façon de former la jeunesse mais, s'il fallait voir les choses sous cet angle, trouver des cadavres sur son divan n'était pas non plus, à proprement parler, ce qu'on pouvait rêver de mieux pour former un psychiatre.

Dans tous les cas, Jerry n'aurait strictement rien à faire avant lundi. Il promit formellement de se présenter au rapport ce jour-là, en fin d'après-midi, délai qu'il espérait mettre à profit pour se dépêtrer des aliments surgelés et concocter une histoire plausible, si jamais on lui posait des questions. Le départ de Jerry fut accéléré par un coup de téléphone. L'appel était de Reed. Non, il n'avait rien de bien neuf à lui apprendre, mais il avait une copie de la photo. Deux copies ? Oui, elle pouvait en avoir deux. Il les lui apporterait ce soir même, si ça lui convenait. Que dirait-elle d'un bon film, pour se changer un peu les idées ? Danny Kaye ? Kate donna son accord, sans réellement délirer d'enthousiasme.

Après le film, Reed et Kate allèrent dîner dehors. Kate tira de son sac la photo du jeune homme. Elle avait fixé ce visage si longuement qu'il lui semblait presque que la photo allait se croire obligée de parler.

– La question, en fait, fit Kate, c'est : est-ce là le jeune homme de sa liaison ?

Elle rapporta à Reed la teneur de sa conversation avec Emanuel :

– Quel âge lui donnerais-tu ? demanda-t-elle à Reed.

– Vingt-cinq, trente ans, peut-être ; il fait très jeune ; en même temps, il donne l'impression de faire très jeune pour son âge, si tu me suis.

– À merveille. N'empêche qu'il continue de me rappeler quelqu'un.

– Lui-même, fort probablement ; tu ne quittes pas cette photo des yeux.

– Tu as sûrement raison.

Kate remisa avec fermeté le jeune homme dans son sac.

– Un jeune et zélé inspecteur a parcouru la totalité du dortoir avec cette photo à la main, dit Reed. C'est un jeune homme très attirant et toutes ces dames et jeunes filles ont été enchantées de pouvoir tailler une bavette avec lui. Elles auraient été ravies de pouvoir lui apprendre qu'elles avaient vu le jeune homme de la photo tous les jours, depuis celui de leur naissance, rien que pour lui faire plaisir mais, la triste vérité, c'est qu'aucune d'entre elles n'avait jamais posé les yeux sur lui. Une dame d'un certain âge a bien cru le reconnaître, mais il s'est avéré qu'elle pensait plutôt à Cary Grant en son jeune temps. Si ce jeune homme, ou sa photo, ont jamais traîné dans les parages de ce dortoir, il s'est débrouillé pour passer inaperçu de tout le monde, y compris, incidemment, des personnes de service qui, elles aussi, ont été interrogées. Kate, tu dois réaliser qu'il s'agit probablement d'un garçon parfaitement banal qui l'aura plaquée ou, pour faire preuve de moins de cynisme, se sera fait tuer à la guerre ou dans un accident de voitures, en la laissant porter son deuil à jamais.

– Il est moins séduisant que Cary Grant. Et il n'a pas du tout le genre d'un acteur de cinéma.

– Kate, tu commences à m'inquiéter bigrement. Serais-tu… cet homme, Emanuel Bauer, a-t-il une telle importance à tes yeux ?

– Reed, si je ne parviens pas, moi, à te faire comprendre une chose aussi simple, comment voudrais-tu que la police puisse comprendre Emanuel ? C'est bien le dernier homme marié au monde susceptible d'aller s'impliquer avec une femme, et encore moins avec une patiente. Mais, en admettant même qu'une telle chose soit envisageable, ce qui pas une seconde ne me viendrait à l'esprit, tu ne comprends donc pas que son bureau, son divan... sont les instruments de sa profession ? Tu ne vois donc pas qu'aucun psychanalyste digne de ce nom, aussi émérite que l'est Emanuel, ne saurait être la proie d'une bouffée délirante de passion pendant ses horaires de consultation ? En admettant même (Dieu m'en préserve) qu'il puisse, en tant qu'être humain, avoir la faiblesse de commettre un meurtre, il est absolument incapable d'en commettre un quand il porte sa casquette de psychiatre.

– Les psychiatres seraient-ils tout d'un coup investis d'une si vaste intégrité, supérieure à celle des autres gens ?

– Non, bien sûr que non ! Nombre de psychiatres de ma connaissance sont de véritables vermines. Des gens qui se répandent sur leurs patients dans les soirées mondaines. Qui s'enrichissent et se vantent ensuite des honoraires exorbitants qu'ils pompent à leurs clients ; qu'on paye cent cinquante dollars rien que pour avoir leur signature sur un bout de papier, afin de tirer un malade de l'asile. La signature est censée garantir que le malade relaxé sera désormais sous leur responsabilité, mais ils se contentent de signer et d'encaisser, et n'entendent plus jamais parler de lui. Même à raison d'une seule signature par jour, ça fait un joli petit revenu annuel. On trouve des psychiatres qui traitent royalement certains médecins, pour que lesdits médecins leur adressent des malades. Tout ça passant en notes de frais, bien entendu. Mais Emanuel, et certains autres comme lui, aime son travail ; et je peux te livrer ma recette personnelle de l'intégrité faite homme : il suffit de chercher celui qui aime en même temps son travail et la cause qu'il sert en l'exerçant. Est-ce assez grandiloquent pour toi ?

– Cette cause dont tu parles, quelle est-elle ? Venir en aide à autrui ?

– Très curieusement, non. Je ne le pense pas… pas pour Emanuel, en tout cas. Ce qui le passionnerait plutôt, c'est de découvrir quelque chose de nouveau sur le fonctionnement de l'esprit humain. Si tu lui posais la question, il te répondrait probablement que l'analyse vaut surtout pour ce qu'elle peut apporter à la recherche, et que la thérapie est plus ou moins un produit dérivé. Que veux-tu bien que le bureau du District Attorney fasse de ça ?

– Kate, tu voudras bien me pardonner, mais vous avez été amants ; le fait ressort de la déposition de son épouse, encore qu'il ne s'agisse nullement d'un aveu spontané, je le reconnais. Je pense que les inspecteurs cherchaient vaguement des mobiles plausibles.

– Dans ce cas, c'est moi qui aurais été assassinée, et par Nicola, ou bien j'aurais tué Nicola. Sauf que nous savons tous pertinemment que ça remonte à très très longtemps, et que les cendres ont largement eu le temps de refroidir.

– Où vous retrouviez-vous, Emanuel et toi, à l'époque où ces braises étaient encore brûlantes ?

– J'avais déjà un appartement, à l'époque. Serais-tu par hasard en train d'essayer de me faire passer pour une femme perdue ? Pourquoi faut-il sans cesse que j'oublie que tu es un policier, Reed ?

– Parce que je n'en suis pas un. Pour l'instant, je représente le ministère public. Emanuel avait-il déjà un cabinet, à cette époque ?

– Il partageait un petit bureau avec un autre psychanalyste.

– T'est-il arrivé de l'y retrouver ?

– Oui, il me semble. Deux ou trois fois.

– Vous êtes-vous jamais retrouvés – ensemble – sur le divan ?

– Reed, je t'ai sous-estimé. Tu ferais un excellent procureur, pour ne pas dire un procureur diabolique, susceptible non seulement de mettre en pleine lumière des faits à demi suggérés, mais encore de les distordre pour les faire mentir. À la barre, bien sûr, je serais bien en peine de m'expliquer. La vérité, toutefois, c'est qu'Emanuel venait tout juste de débuter, à l'époque. Il ne pratiquait encore que des psychothérapies, de sorte qu'il n'avait pas l'usage du divan, lequel faisait cependant bel et bien partie des meubles... réservé à une utilisation ultérieure, je suppose. Et je n'étais jamais là aux heures d'ouverture du cabinet.

– Kate, chérie, j'essaye simplement de te montrer à quoi tu t'attaques, en plongeant la tête la première dans ce truc sans avoir la moindre idée de ce à quoi tu pourrais bien te heurter. Je sais bien que, là où les anges n'osent poser le pied, les imbéciles foncent tête baissée ; mais je n'ai encore jamais réussi à découvrir les résultats auxquels parvenaient les imbéciles, si résultats il y a. Non, je ne suis pas en train de te traiter d'imbécile, loin de moi cette idée. J'essaye simplement de dire que tu t'es dressée, courageusement, Dieu m'est témoin, pour sauver Emanuel, et que tu pourrais bien finir seulement par rendre les eaux plus troubles encore qu'elles ne le sont déjà, et aller à ta perte. Et s'il n'y a effectivement plus rien entre vous, comme on dit dans les magazines, pour quelle raison fais-tu tout cela ? Par amour désintéressé de la vérité ?

– Je suis toute prête à admettre que c'est la pire des raisons qui soit. Je suis trop vieille pour m'offusquer maintenant du fait que tout le monde est à vendre et que la corruption est le seul mode d'existence viable ; jusqu'aux discours des remises de diplômes, et j'en ai entendu un certain nombre, qui se lamentent sur la corruption. Tout ce que je sais, néanmoins, c'est que, de-ci, de-là, de temps en temps, quelqu'un semble se passionner pour la vérité en soi, la bonté en soi, si tu y tiens. Combien, selon toi, New York compte-t-il de policiers qui n'ont jamais palpé un dollar en dehors de leur seul salaire ? D'accord, mettons que je divague. Essayons de voir les choses à la façon froide et distanciée qui a ta préférence. Emanuel a derrière lui quatre ans de lycée, quatre ans de fac de médecine, un an d'internat en tant que généraliste, deux ans de stage en psychiatrie, trois ans de formation à l'institut et de nombreuses, très nombreuses et précieuses années d'expérience. Tout ceci doit-il obligatoirement passer au vide-ordures, sous prétexte qu'un meurtrier un peu subtil a assassiné une fille dans son cabinet ?

– J'avais toujours cru comprendre que tu n'accordais à la psychiatrie qu'une confiance très relative.

– En tant qu'outil thérapeutique, c'est à mon sens un instrument très grossier, pour ne pas verser dans le péjoratif. J'ai encore en réserve bien d'autres objections contre son utilisation. Mais quel rapport ça peut-il bien avoir avec le fait qu'on est en train d'accuser un psychiatre d'un crime qu'il n'a pas commis ? Il y a chez Emanuel un tas de choses devant lesquelles je suis loin de rester baba, mais j'éprouve à son égard ce qu'Emerson éprouvait pour Carlyle : “Si le génie courait les rues”, disait Emerson, “nous pourrions certes nous passer de Carlyle mais, dans l'état actuel de la population existante, on peut difficilement en faire l'économie.”

– Puis-je te demander par quoi tu comptes commencer ?

– Je me sentirais beaucoup moins mal à l'aise si tu éludais la question. As-tu découvert quoi que ce soit d'autre sur les autres patients ?

– Celui de dix heures se nomme Richard Horan. Vingt-huit ans, célibataire, travaille dans une agence publicitaire. Comptait permuter d'heure le plus vite possible, car celle de son rendez-vous n'était guère pratique, ni pour lui ni pour Emanuel, encore que, tout à fait entre nous, je subodore que les agences de publicité ont l'habitude que leur personnel se fasse psychanalyser. Nous vivons une époque fascinante ; pas moyen de sortir de là. Le patient de midi enseigne l'anglais, ça va sûrement te faire plaisir, dans l'une des universités de la ville. J'ai oublié laquelle exactement mais il y a un très long trajet en métro pour s'y rendre. Célibataire lui aussi et, si le flair de l'inspecteur a la moindre valeur, ne prenant guère le chemin de prendre femme ; il peut se tromper. Ton Emanuel, à son habitude, est resté coi, mais je respecte parfaitement son point de vue. De toute évidence, il ne peut pas parler de ceux de ses patients qui n'ont pas été tués. Le nom du dernier est Frederick Sparks, comme tu le sais déjà, mais je te ferai parvenir une copie des notes ; tu seras alors en position de me faire chanter. Ai-je assez fait valoir toute la confiance que je place en toi ?

– Je peux avoir leur adresse ?

– Tu peux avoir tout ce qu'il sera en mon pouvoir de te fournir. Mais tiens-moi au courant de ce que tu fais, tu veux bien, d'une façon générale, si l'on peut dire ? Et si jamais tu recevais un message te demandant de retrouver quelque part quelque mystérieux inconnu détenant d'intéressantes informations, ne t'y rends surtout pas.

– La facilité, dit Kate d'un ton moqueur, ne te conduira nulle part. Puis-je avoir une autre tasse de café ?

7

Lundi matin, la vie avait opéré, sinon un retour à la normale, du moins à une apparence de normalité. Emanuel était revenu – amputé toutefois de son patient de onze heures – à l'exercice de la psychiatrie. Nicola assistait à sa propre heure d'analyse. Kate, qui avait réussi à s'imposer sa préparation de cours pendant le week-end, avait repris l'enseignement. Elle avait passé la soirée de samedi avec un peintre qui ne lisait que les journaux français et n'avait de théories strictement sur rien, l'art excepté. Et c'était d'un considérable réconfort.

Mais le principal facteur qui avait soustrait les Bauer à l'attention générale, comme au regard des médias, c'était le crime atroce qui s'était produit à Chelsea: un dément avait kidnappé, violé et tué une petite fille de quatre ans. La police, comme la presse, au moins pour le moment, avaient dérouté le gros de leurs troupes sur un autre objectif. (Le forcené fut capturé, sans trop de peine, une semaine plus tard, ce qui devait rendre à Kate un peu de sa sérénité. Les fous, médita-t-elle, finissaient toujours par se faire prendre. En conséquence de quoi, Janet Harrison n'avait pas pu être assassinée par un fou. Elle trouvait un grand soulagement dans ce sublime syllogisme.)

À dix heures du matin, ce même lundi, Kate faisait une conférence sur *Middlemarch*[1]. Se pouvait-il qu'il existât, en définitive, chose au monde plus importante que le fait que l'imagination pouvait créer des univers analogues à celui de *Middlemarch*, qu'on pouvait apprendre à percevoir ces univers et à discerner toutes les articulations de leurs infrastructures ? En parcourant le roman, la nuit précédente, Kate était tombée par hasard sur une phrase qui lui semblait étrangement bien s'appliquer à ce qu'ils vivaient actuellement : « Il est curieux que certains d'entre nous soient en mesure, par la grâce d'une vision prompte et alternée, de voir au-delà de nos engouements et, alors même que nous divaguons dans les sommets, d'appréhender dans sa totalité la vaste plaine où est resté figé, à nous attendre, notre moi tenace et imputrescible. » À dire vrai, cette phrase n'avait strictement rien à voir avec le cas présent : un meurtre n'a rien d'un engouement. Néanmoins, après l'avoir lue, Kate avait réalisé que, pendant tout ce temps qu'elle avait consacré à débattre de *Middlemarch*, elle avait été incapable de songer à quoi que ce soit d'autre. Le moi présent, se disait-elle, devait résider tout entier dans la seule tâche qui sait absorber totalement l'attention d'un individu. Emanuel, prêtant l'oreille derrière son divan, en savait peut-être quelque chose. Il apparut à Kate que peu de gens devaient posséder un « moi imputrescible » et qu'Emanuel, dans la mesure où il était l'un d'entre eux, méritait d'être épargné.

Elle n'en reprit pas moins, aussitôt sa conférence achevée, le chemin de la Maison des étudiantes où

---

1. *Middlemarch* : œuvre de George Eliot ayant pour thème la Révolution industrielle (1872). (*N.d.T.*)

avait vécu Janet Harrison. Peu d'entre les étudiantes, ainsi que Kate l'avait confié à l'inspecteur Stern, résidaient sur le campus mais l'université continuait cependant de mettre un foyer universitaire à la disposition des femmes qui souhaitaient y vivre, ou dont les parents insistaient pour qu'elles y vivent, dans un environnement plus contrôlé et plus propice aux études. Le foyer était également, pour celles des étudiantes qui ne souhaitaient pas s'encombrer du fardeau des corvées domestiques, un très réel avantage, et, vraisemblablement, c'était précisément la raison qui avait poussé Janet Harrison à s'y établir.

Kate avait ourdi un plan d'attaque extrêmement complexe pour prendre d'assaut la résidence universitaire, plan d'attaque impliquant notamment force déambulations dans les couloirs, palabres avec les portiers et les femmes de ménage et peut-être, également, un échange réciproque de muettes confidences avec la responsable du lieu ; mais ce plan et ses implications perdirent subitement leur raison d'être lorsqu'elle se heurta, sur le pas de la porte, à Miss Lindsay. Miss Lindsay, l'an dernier, était encore l'une des élèves de Kate, inscrite au cours d'écriture que Kate avait hérité d'un collègue parti en congé sabbatique, et laissé tomber dès son retour, avec un soulagement comme, jamais de sa vie, elle n'en avait éprouvé. Le cours, quoi qu'il en soit, avait eu ses bons moments et Miss Lindsay, dont les matières principales étaient latin et grec, avait été l'instigatrice de la plupart d'entre eux. Kate chérissait tout particulièrement, en fait, sa version latine de *Twinkle, Twinkle, Little Star* s'ouvrant sur *Mica, mica, parva stella, Micor quae sis, tam bella*, que Miss Lindsay lui avait présentée, à quelque occasion aujourd'hui oubliée. Le propre latin de Kate, nonobstant sa lecture assidue et fascinée de *L'Énéide* de Virgile, quelques années plus tôt, était encore de l'espèce *hic, haec, hoc*.

Miss Lindsay était l'une des rares étudiantes à savoir converser de façon non protocolaire avec un professeur, sans pour autant jamais tomber dans la familiarité. Elle suivait à présent Kate avec entrain à l'intérieur de la cafétéria, renonçant sans sourciller à sa destination première. Kate, qui avait besoin d'elle, ne s'y opposa pas avec la dernière détermination. Il lui vint à l'esprit, et ce n'était pas la première fois, que dans le processus de l'élucidation d'un meurtre, il était primordial d'ignorer sans relâche l'impératif catégorique de Kant. Kate demanda à Miss Lindsay si elle avait connu Janet Harrison.

– Plus ou moins, répliqua Miss Lindsay. (Si la question l'avait surprise, elle n'en montra rien.) Nous ne parlons que de ça depuis des jours, vous pensez bien. De fait, la seule fois où je lui ai adressé la parole, c'était pour parler de vous. Vous étiez la seule de ses professeurs, semblait-il, capable de la faire sortir de son habituelle indifférence à l'université. Il me semble me rappeler qu'il s'agissait de quelque chose ayant plus ou moins trait aux impératifs moraux.

– Ne trouvez-vous pas pour le moins étrange qu'une personne comme elle se fasse assassiner ? Non pas, bien sûr, qu'on puisse s'attendre, de la part de quiconque, à ce qu'il se fasse assassiner, mais elle avait l'air – comment dire ça ? – si "détachée du monde", oui, c'est bien le mot que je cherche, si peu susceptible, en dépit de toute sa beauté, d'inspirer la passion.

– Je ne suis pas d'accord. Dans la ville d'où je viens, il y avait une fille dans son genre, très distante, vous voyez, très au-dessus de tout ; mais il s'est avéré par la suite qu'elle avait une liaison, depuis ses quinze ans, avec un épicier que tout le monde croyait heureux en ménage. Pas vraiment le calme plat sur une mer d'huile, mais plutôt l'eau dormante, sous laquelle coule un courant mortel. Bien sûr, je peux parfaitement me tromper sur le compte de Janet Harrison. C'est à Jackie Miller, plutôt, que vous devriez parler. Sa chambre est près de celle de Janet. Jackie fait partie de ces bavardes impénitentes qui n'ont jamais l'air de vous écouter, encore qu'il lui arrive parfois de ponctuer son flot de paroles de questions pointues que personne ne peut éluder. Elle en connaît toujours plus long sur tout le monde que qui que ce soit. Vous voyez vaguement le genre, non ? (Kate se contenta d'un grognement en guise de réponse. Elle ne le voyait que trop.) Pourquoi ne monteriez-vous pas la voir maintenant ? Elle vient probablement tout juste de se réveiller et, si vous réussissez à la lancer, elle vous racontera tout ce qu'il y a à savoir sur la question. Il me semble bien, poursuivit Miss Lindsay, en passant devant dans l'escalier, que c'est elle qui a dit à l'inspecteur que Janet avait toujours un calepin sur elle. Personne d'autre ne l'avait remarqué.

Jackie répondit aux coups qu'elles frappèrent à la porte en ouvrant celle-ci à la volée et en leur faisant jovialement signe d'entrer dans la chambre la plus bordélique que Kate ait jamais vue depuis l'époque où elle faisait ses études. Jackie, parée d'une tenue de nuit composée d'un short extrêmement court et d'un haut en dentelles, bras nus – pur gaspillage, semblait-il, dans un foyer pour dames – était en train de se préparer une tasse de café soluble avec l'eau du robinet. Elle leur en offrit ; Miss Lindsay déclina avec une louable fermeté, mais Kate accepta docilement la sienne, dans l'espoir que ça leur permettrait d'entrer plus rapidement dans le vif du sujet. Elle aurait toutefois mieux fait de s'épargner la torture d'avaler cette décoction.

– Alors, comme ça, c'est vous le professeur Fansler ? commença Jackie.

Il était flagrant qu'elle appartenait à l'espèce de celles qui, un siècle plus tôt, auraient légèrement écarté leur ombrelle pour dire : « Alors, comme ça, c'est vous le président Lincoln ? »

– Tous les étudiants me parlent de vous depuis je ne sais combien de temps, mais je n'arrive malheureusement pas à caser l'un de vos cours dans mon emploi du temps. Mes meilleures notes, à l'université de Boston, étaient en lettres – j'adore tout bonnement les romans – de sorte que j'ai été obligée de passer tout mon temps à m'inscrire à des cours de perfectionnement dans un tas de matières toutes plus épouvantables les unes que les autres. Mais je dois absolument suivre l'un de vos cours parce que tout le monde dit que vous êtes l'une des rares professeurs à être en même temps vivante et profonde ; et, ne nous voilons pas la face, mais la plupart des professeurs femmes sont de sinistres vieilles biques.

Apparemment, Jackie ne semblait pas s'émouvoir le moins du monde du côté navrant de son assertion. Kate dut lutter contre la crise de rage que cette généralisation hâtive menaçait de soulever en elle.

– Janet Harrison était l'une de mes élèves, énonça-t-elle, sans plus de subtilité.

Mais, à n'en pas douter, Jackie était imperméable à la subtilité.

– Oui, je sais ça. Elle y a fait allusion une fois, pendant un déjeuner et, d'ordinaire, voyez-vous, c'est à peine si elle ouvrait la bouche – le genre roc taciturne, pas vraiment séduisant, chez une femme, je veux dire. Quoi qu'il en soit, ce jour-là, au déjeuner, (Tu devais avoir la bouche pleine, toi, songea malicieusement Kate) elle a dit que vous aviez dit que Henry James avait dit que la valeur morale – celle de l'action d'un individu, je veux dire – dépend au premier chef des vertus morales présentées par l'individu qui va commettre cette action, et non de celles de la personne à qui elle s'adresse. Évidemment, ajouta Jackie, donnant ce faisant pour la première fois un aperçu de ce qu'elle était réellement, elle a dit ça beaucoup mieux que moi. Mais la grande question, surtout, c'était qu'elle n'était pas du tout d'accord. Elle pensait que, si quelqu'un était moralement perverti, il fallait intervenir pour y remédier, au nom de ses vertus morales, et non des vôtres.

Kate, tout en subissant sans ciller cette version des propos de Henry James et des siens propres, se demanda si Janet Harrison avait effectivement dit quelque chose de ce genre. Aurait-elle *réellement* eu vent d'une filière de la drogue ?

– Bien entendu, poursuivait Jackie, elle était frigide, la pauvre choute, et complètement infoutue de nouer des relations personnelles. Je lui en ai fait la remarque et elle a été à deux doigts de l'admettre. J'ai cru comprendre, naturellement, que c'était précisément pour cette raison qu'elle suivait une analyse. Elle partait d'ici tous les matins à la même heure, très précipitamment et j'ai découvert finalement que ce n'était pas pour assister à un cours, et que c'était ce qui pouvait lui arriver de mieux. Si vous voulez mon avis, je pense que son analyste l'a poignardée par pure et simple frustration. Elle devait rester allongée des heures sans ouvrir la bouche. Vous avez suivi une analyse ?

Kate n'avait pas ressenti une aussi impérieuse envie de tirer la langue à quelqu'un depuis un bon quart de siècle :

– Est-ce que d'autres chambres ont été cambriolées, à part la sienne ? demanda-t-elle.

– Non, c'est vraiment très curieux, d'ailleurs. Je lui ai dit qu'elle avait probablement éveillé un genre de fétichisme chez un pauvre type refoulé. Si vous voulez mon avis, il n'a emporté l'appareil photo que pour se couvrir mais, en réalité, il devait chercher un objet personnel ; mais il n'y avait strictement rien, dans cette chambre, qui en vaille la peine – Jackie se hâta de passer outre, éludant les regrettables sous-entendus présents dans sa dernière phrase – et, naturellement, elle s'habillait comme une directrice de pensionnat de jeunes filles. Je n'arrêtais pas de lui dire qu'elle était très jolie, qu'elle ferait mieux de se faire couper les cheveux plutôt que de les porter bêtement tirés en arrière et de, bon... vous me comprenez... montrer un peu plus d'elle-même, quoi. J'étais fascinée par cette photo que l'inspecteur a montrée partout à la ronde, celle de quelqu'un qui, à ce qu'il semblait, aurait connu Janet. Peut-être qu'elle sortait pour aller retrouver un type, mais ça me paraît bien peu vraisemblable. Si c'était le cas, elle le cachait rudement bien, ce type.

– Elle sortait souvent ?

– Eh bien, non, pas souvent, mais assez régulièrement. Elle allait dîner, ou bien elle disparaissait tout d'un coup et, de toute évidence, ce n'était pas pour se rendre à la bibliothèque. Il me semble que quelqu'un l'a aperçue une fois avec un homme.

– Qui ça ? demanda Kate. Quelqu'un qui a vu la photo ?

– L'inspecteur m'a posé exactement la même question, rétorqua Jackie, à sa manière exaspérante, et je n'arrive pas à m'en souvenir, figurez-vous. Il s'agissait d'une personne avec qui je parlais près de la fontaine, parce que je me rappelle que quelqu'un avait mis du savon dans la fontaine, et que cette fille et moi, on parlait de ça; mais je ne me rappelle plus à quel propos la question est venue sur le tapis... sans doute parce que j'ai dû dire qu'il était plutôt inattendu de trouver du savon dans une fontaine, et qu'elle a répondu: à propos de choses inattendues, justement, etc., etc. Mais, voyez-vous, j'ai complètement oublié de qui il s'agissait. J'ai peut-être simplement rêvé tout ça. Naturellement, c'était – Janet, je veux dire – une enfant unique et j'ai toujours pensé que l'émulation naturelle d'une relation entre frères et sœurs fait énormément pour le développement de la personnalité; vous n'êtes pas de cet avis?

Elle avait l'air toute prête à continuer sur sa lancée, sans attendre de réponse, mais Kate se remit debout et consulta sa montre sans s'en cacher. Il y avait des limites au-delà desquelles elle refusait d'aller, même pour résoudre un meurtre. Miss Lindsay se joignit à elle dans un mouvement d'ensemble vers la sortie.

– Faites-moi savoir, voulez-vous, dit Kate, sur un ton qu'elle espérait détaché, si jamais le nom de cette personne, celle qui a vu Janet avec un homme, vous revenait.

– Pourquoi ça vous intéresse à ce point? s'enquit Jackie.

– Merci pour le café, rétorqua Kate du tac au tac et, refermant la porte derrière elle, elle se mit à redescendre le couloir d'un pas précipité, flanquée de Miss Lindsay.

– Dommage qu'on ne l'ait pas assassinée *elle*, fit Miss Lindsay, faisant écho aux propres pensées de Kate. À mon avis, même la police serait trop contente de classer le dossier.

En proie à un profond sentiment de frustration, Kate prit la direction des archives de l'université. Là, non sans avoir au préalable, comme le dirait probablement Jerry, « déplacé pas mal d'air », elle réussit à avoir accès au dossier de Janet Harrison. Pour la première fois de sa vie et, fort probablement, pour la dernière, Kate éprouva une certaine gratitude à l'égard de la moderne manie des formulaires. Elle commença par le dossier du troisième cycle universitaire de Janet ; ses notes tournaient toutes, grosso modo, autour du B –, avec, de temps en temps, un B. À l'œil de la professionnelle qu'était Kate, ça signifiait que ses professeurs la croyaient de toute évidence capable d'un travail de niveau A, mais qu'elle se cantonnait probablement au niveau C. Il y avait chez les professeurs, elle-même se comprenant dans le lot, une forte inclination à réserver les C aux seuls étudiants dont le niveau ne méritait effectivement pas mieux, lesquels étudiants, Dieu merci, étaient déjà bien assez nombreux comme ça.

Les résultats de deuxième cycle de Janet Harrison étaient parfaitement en ordre. Elle avait réussi haut la main en histoire, avec les félicitations du jury, et de justesse en économie. Pourquoi diable, dans ce cas, avoir choisi de se spécialiser en littérature anglaise en troisième cycle ? Bon, bien sûr, les disciplines en question n'étaient pas totalement antagonistes. Elle avait, semblait-il, postulé à divers prêts d'études, qu'elle avait touchés, ainsi qu'à une bourse. Pour avoir accès aux détails de cette dernière candidature, il fallait s'adresser au Bureau des bourses.

En pestant sourdement, Kate alla consulter ledit bureau. Janet avait probablement décroché sa bourse, mais il serait peut-être intéressant de s'en assurer. Dans le deuxième cycle, ses notes avaient presque toujours été des A, encore que son université, située, présumait-elle, à proximité de son domicile (Kate, s'agissant de la géographie du Middle West, avait quelques petites lacunes) avait été trop commune pour abriter un Phi Beta Kappa. Mais, encore une fois, pourquoi une fille qui, sans arrêt, avait décroché des A dans le deuxième cycle, si petite et médiocre que soit l'université, devrait-elle retomber au niveau B – en entrant dans le troisième cycle ? De fait, c'était pratiquement toujours l'inverse qui se passait. C'est qu'elle avait probablement la tête à autre chose. Et, effectivement, tout le monde – à présent que Kate y repensait – avait paru frappé par le fait que Janet Harrison semblait préoccupée par quelque chose. Mais par quoi ? Par quoi ?

Les formulaires des demandes de bourse étaient beaucoup plus exigeants que ne l'avaient été ceux de l'université. Où, voulait par exemple savoir son dossier, avait-elle passé chacune des années de son existence ? (Ne pas laisser de blancs ! déclarait sévèrement le formulaire.) Après ses études de deuxième cycle, Janet avait fréquenté l'École d'infirmières de l'université du Michigan. L'École d'infirmières ! C'était pour le moins baroque, ça. Histoire, École d'infirmières, lettres anglaises. Il fallait croire que nos jeunes Américaines avaient une façon bien à elles d'opérer, lorsqu'elles n'étaient pas précocement mariées, pour chercher leur véritable vocation professionnelle mais, pour le coup, l'éventail de la recherche était fichtrement étendu. Il se pouvait, certes, que ses parents aient été assez vieux jeu pour consentir à l'envoyer à l'université à la condition expresse qu'elle suive parallèlement une formation professionnelle spécialisée. Et, aux yeux des gens de cette espèce, Kate était bien placée pour le savoir, il n'y avait pour une fille que trois formations professionnelles envisageables, trois façons de gagner sa vie : en devenant secrétaire, infirmière ou institutrice.

Mais Janet Harrison n'avait pas persisté dans sa vocation d'infirmière. Son père s'était éteint un an après le début de son apprentissage, et elle était rentrée chez elle vivre avec sa mère. Ce n'est, semblait-il, qu'après la mort de cette dernière que la fille était montée à New York pour étudier la littérature anglaise. Mais pourquoi à New York ? Ce fichu formulaire soulevait plus de questions qu'il n'apportait de réponses. Si l'on en croyait l'état financier joint au dossier, Janet, à la mort de sa mère, touchait encore un certain revenu, trop insuffisant cependant pour lui permettre de régler les honoraires élevés de l'université, à moins de prendre un emploi par ailleurs, et l'université préférait prêter de l'argent à ses étudiants plutôt que de les obliger à mener de conserve leurs études et un job d'appoint. Elle avait bel et bien, nota Kate, décroché sa bourse, laquelle n'était pas très élevée.

Kate retourna dans le bureau, la tête tourbillonnante de questions en suspens. Janet Harrison avait-elle laissé un testament et, le cas échéant – comme d'ailleurs dans le cas contraire – à qui son argent était-il allé ? Cet argent valait-il qu'on la tue ? À Reed de le découvrir. La police, que Kate avait une fâcheuse tendance à oublier ces temps-ci, avait peut-être déjà enquêté dans ce sens. Ça paraissait sauter aux yeux. Pourquoi Janet Harrison était-elle montée à New York ? L'université du Michigan possédait une excellente faculté. Bon, elle avait peut-être eu envie de s'éloigner de chez elle, mais était-il nécessaire de mettre une telle distance entre elle et sa ville natale ? Pourquoi avait-elle choisi de suivre un cursus si hétéroclite ? Et pourquoi, quand on y songeait, ne s'était-elle jamais mariée ? Jackie Miller, maudites soient-elles, elle et sa crétine volubilité, pouvait toujours croire Janet frigide, ou « incapable de nouer des relations personnelles » (la fille avait bien entendu ressorti cette phrase mot pour mot à Emanuel) ; mais il n'en restait pas moins qu'elle était belle et qu'elle avait connu, si l'on en croyait Emanuel, une liaison.

Dans son bureau, Kate trouva des étudiants qui l'attendaient et se replongea tout de go dans sa tâche universitaire, avec plus ou moins l'impression d'être une artiste du trapèze volant.

Elle rentra chez elle assez tard dans la soirée, vidée, pour y trouver Jerry en train de camper sur le pas de la porte. Ses yeux pétillaient de la lueur scintillante du prospecteur qui vient de tomber sur un filon. Elle le récompensa avec une bière de sa longue attente.

– Je me suis attelé à la tâche, expliqua-t-il. Je n'ai pas pu vous joindre ce matin, après avoir remis ma démission temporaire et, ayant cru comprendre que j'étais payé à compter d'aujourd'hui, j'ai décidé qu'il serait bien honnête de ma part de me mettre tout de suite au boulot. Vous ne m'aviez pas, toutefois, laissé la moindre instruction, aussi ai-je décidé de fouiner un peu de mon propre chef. Ne voyant pas trop quoi faire d'autre, je suis allé directement au foyer où vivait Janet Harrison.

– En fait, déclara Kate, j'y suis moi-même passée. Tu as rencontré Jackie Miller, toi aussi ?

– Je ne me suis pas occupé de ces dames ; c'est visiblement de votre ressort. Je suis descendu directement au sous-sol et j'ai causé avec le concierge. Bien évidemment, je ne lui ai pas posé mille et une questions sur Janet Harrison ; ce n'est pas la meilleure façon de s'y prendre, à mon sens, pour glaner des informations. J'étais juste un gentil petit gars en panne d'ouvrage, cherchant à savoir comment il pourrait décrocher une place de concierge à l'université, où je voulais absolument travailler, parce que comme ça je n'aurais pas besoin de payer les cours que je comptais suivre. C'est gratuit pour les employés, vous saviez ça ? Nous avons fait allusion au fait que les Tigers avaient de bonnes chances de remporter le fanion, parlé de la vie qui n'en finit plus d'augmenter et, petit à petit, par paliers, j'en suis venu à mettre la main sur le fait qui peut-être sauvera Emanuel, si je peux me permettre de l'appeler par son prénom.

– Pour l'amour de Dieu, sois un peu moins théâtral et viens-en au fait.

– Le fait, ma chère Kate, c'est que la livrée du concierge a été volée le matin même du jour où l'on a cambriolé la chambre de Janet Harrison. Le concierge commence à connaître son affaire, parce que l'université s'entête à ne pas vouloir lui en racheter une autre ; vous voyez le genre d'uniforme qu'ils ont sur le dos – chemise et pantalon bleus avec, cousus sur la poche, les mots *Building and Grounds* [1]. D'accord, d'accord, ne me faites pas une crise d'hystérie. De toute évidence, voyez-vous, un homme aura dérobé cette tenue pour s'introduire dans la chambre de Janet. Un homme, d'ordinaire, n'aura pas le droit de traîner dans les parages des foyers des dames, comme je l'ai appris à mes dépens, mais personne ne fera attention à un

1. *Building and Grounds* : bâtiment et domaine. (*N.d.T.*)

concierge ; il est là pour réparer quelque chose, forcément, et personne n'ira le regarder à deux fois. Bon, le plus beau de l'affaire, c'est que le portier n'a pris son service qu'à midi, heure à laquelle il a remarqué le vol de son uniforme, alors que la chambre n'a pas été cambriolée avant dix heures trente, parce que la femme de ménage y est entrée à ce moment-là pour la remettre en état. Si bien que l'uniforme a été dérobé et la chambre cambriolée au moment où Emanuel dispose précisément d'un excellent alibi ; il était avec un patient et le patient en question, mesdames, messieurs, n'est autre que Janet Harrison. Donc la chambre n'a *pu* être cambriolée par Emanuel et je ne vois pas pourquoi nous ne sauterions pas directement à cette conclusion : quel que soit celui qui a cambriolé la chambre, il aura aussi tué la fille, et ce n'était pas Emanuel.

– Il a pu engager quelqu'un pour le faire, rétorquera la police.

– Mais nous savons pertinemment qu'il n'en est rien, et nous en apporterons la preuve. Je n'ai pas pu vérifier pour les autres, mais je suis allé faire un tour dans les parages de la maison d'Emanuel, pour faire encore ami-ami avec les employés – les Tigers ont vraiment de fortes chances de remporter le fanion cette année – et découvrir que le liftier est de congé le vendredi. Le Dr. Michael Barrister ne donne pas non plus de consultations le vendredi, et si vous pouvez me fournir les noms des patients de dix heures et de midi, nous saurons très rapidement à quoi ils occupent leurs vendredis. Je veux bien vous parier mon salaire, et même faire quitte ou double, que celui qui a cambriolé la chambre a également tué la fille. Et je ne pense pas que celui qui a fait ça a consenti à déléguer sa tâche à un autre. Ma principale raison d'en arriver à cette conclusion, c'est que si il, ou elle, l'avait fait, ç'aurait été fichtrement malcommode. En parlant des suspects féminins, Mrs. Bauer – puis-je me permettre de la désigner par son prénom ? – était probablement présente à son heure d'analyse, avec un alibi. Mais, bien sûr, c'est un homme qui a volé cet uniforme, alors ça ne nous mène pas bien loin.

– Jerry, tu es fantastique.

– J'ai l'intention de rallier le FBI une fois mon droit terminé. Est-ce qu'ils recherchent aussi les assassins, ou seulement les communistes et les trafiquants de drogue ? Ça commence à bien me plaire.

– Nous allons devoir dresser un plan, fit Kate, d'un ton légèrement compassé, pour tempérer son exubérance naissante.

– Il est tout dressé. Demain matin, vous retournez à votre Thomas Carlyle – si tel est bien le nom de l'homme avec lequel vous aviez un rendez-vous galant dans les réserves – et, de mon côté, je suis la piste du patient de dix heures, à travers les méandres tarabiscotés du business publicitaire. Vous avez devant vous un jeune homme brûlant du désir d'entrer dans la publicité. Vous n'auriez pas une cigarette pour un penseur de génie ?

8

Le lendemain matin, Jerry débarqua chez Kate à neuf heures moins le quart. Ils avaient décidé qu'il passerait ainsi tous les matins, pour une conférence au sommet. Kate, sans toutefois lui avoir posé la question, présumait que ses mère, fiancée et amis le croyaient encore occupé à conduire un camion.

– Une chose ne cesse de me tracasser, fit Kate. Pourquoi cet homme, quel qu'il puisse être, n'a-t-il pas remis cet uniforme à sa place ? S'il avait fait ça avant midi, le concierge ne se serait jamais rendu compte de sa disparition. Et pourquoi, au fait, le concierge n'a-t-il pas prévenu la police de ce vol ?

– Pour répondre d'abord à votre dernière question, le concierge n'a pas averti la police parce qu'il n'aime pas les flics, et qu'ils auraient pu le garder ou s'imaginer qu'il était impliqué dans l'affaire. Il valait mieux pour lui que le vol de l'uniforme passe pour un délit interne.

– Avec quelle aisance tu passes au jargon professionnel !

– Pour répondre à la première question, poursuivit Jerry, en faisant mine d'ignorer cette dernière remarque, il n'a pas rendu l'uniforme à son propriétaire parce qu'en le lui subtilisant, il avait déjà pris un assez gros risque. Pourquoi prendre en plus celui d'aller le reporter, en multipliant ainsi par deux ses chances de se faire prendre ? En outre, j'imagine qu'ainsi déguisé il avait une meilleure chance de passer inaperçu en sortant. On ne lève pas les yeux sur un homme vêtu d'une livrée de concierge, tandis qu'un type sortant d'un dortoir de femmes en costume trois-pièces pourrait attirer l'attention. Il était plus simple pour lui de garder l'uniforme sur le dos pour filer à l'anglaise, et de le balancer ensuite à l'incinérateur, très loin d'ici.

– Qu'a-t-il fait de ses vêtements, quand il a endossé l'uniforme ?

– Vraiment, Kate, vous me semblez manquer totalement de flair pour ce genre de choses, si vous voulez bien m'excuser d'insister. Il l'a enfilé par-dessus ses propres vêtements, bien entendu ; le concierge, fort malencontreusement, a tendance à porter ample, si bien que pour un minuscule assassin, c'était fort peu seyant. Naturellement ces uniformes repassent de main en main, et on ne s'attend pas vraiment à ce qu'ils tombent impeccablement.

– Bien, fit Kate. J'ai, pour l'instant du moins, décidé de faire faux bond à Thomas Carlyle. Homme charmant, au demeurant, à sa façon bien personnelle, mais pas exactement de tout repos, et terriblement envahissant. Je ferais mieux de me charger moi-même de Frederick Sparks. Il est tout compte fait dans ma partie – je connais plusieurs personnes appartenant à son département d'anglais, et s'il y a un mobile à pêcher dans ces eaux, je devrais être en mesure de le flairer mieux que toi. Ce qui fait que tu restes avec la section publicitaire sur les bras. Il se peut qu'avant ce soir nous ayons, l'un ou l'autre, un suspect regorgeant de mobiles sous la main. Évidemment, on risque également de découvrir que notre enquête exigera plusieurs jours. Nous devrions peut-être garder des notes et, à la fin de cette affaire, pondre un manuel pratique du genre *Comment devenir enquêteur au pied levé*. Comptes-tu réellement te présenter pour un emploi, dans l'immédiat ?

– Je n'en sais trop rien. J'ai l'intention, vous comprenez, d'essayer de travailler un peu au corps l'infirmière du Dr. Michael Barrister. Je l'ai aperçue hier – très jeune, ravissante et, je le parierais, très désireuse de bavarder si quelqu'un, immédiatement après son travail, alors qu'elle vient de passer des heures à écouter de vieilles dames se plaindre à elle de leurs petites misères, l'y encourageait. Il ne serait pas mal venu d'en apprendre le plus possible sur le macabre praticien du cabinet d'en face.

– Tu ne l'as pas encore vu. Lorsque tu pourras le contempler en face, tu te rendras compte par toi-même que, pour notre plus grand dam, il est tout sauf macabre. Malgré tout, nous devons absolument explorer toutes les voies qui s'offrent à nous, si c'est bien comme ça qu'on dit. Au fait, tâche surtout de ne pas nouer, avec la jeune et séduisante infirmière, une relation si prenante qu'elle te ferait perdre de vue mon enquête et ta fiancée.

– Je n'ai accepté de travailler sur cette affaire que pour la trépidante vie érotique que mènent tous les détectives. Vous avez lu Raymond Chandler ?

– J'ai lu Raymond Chandler, et son détective n'était pas fiancé.

– Pas plus qu'il n'exerçait l'agréable et très saine profession qui consiste à sillonner les routes du pays au volant d'un camion bourré de surgelés. Ni qu'il n'ait non plus, que je sache, et maintenant que j'y repense, passé six mois sous les drapeaux en tant que cuisinier.

– Cuisinier ! Mais pourquoi, grand Dieu ?

– Parce que je n'avais jamais, de ma vie, préparé

un plat cuisiné, et que j'avais, par contre, une grande expérience de la conduite des camions. Mais ils n'avaient besoin de personne aux transports, toutes leurs places de chauffeurs étant occupées par des cuistots. N'allez surtout pas vous faire de bile pour ma moralité, laquelle, dans la mesure où elle n'est pas déjà corrompue, est proprement incorruptible. J'ai connu un type qui avait convolé avec une rouquine après avoir été fiancé à une adorable brune. Il avait rencontré la rouquine dans le night-club d'un petit bled où il cachetonnait provisoirement, en jouant de la contrebasse. Les deux femmes, en unissant leurs efforts, ont réussi à le mettre dans un état tel qu'il a fini par rallier l'orchestre d'un paquebot, alors qu'il avait pourtant été victime du mal de mer pendant la traversée en ferry jusqu'à la statue de la Liberté ; et, la dernière fois qu'on a entendu parler de lui, il jouait du violon, en haillons, sous un balcon de Rome, en attendant que Tennessee Williams s'inspire de lui pour un des personnages de sa prochaine pièce de théâtre.

Jerry tira sa révérence, après avoir soutiré à Kate une copie de la photo qui avait été retrouvée dans le sac de Janet Harrison, de l'argent, et une clé de chez elle, au cas où il devrait se replier sur la base pendant son absence.

Sur la personne de Frederick Sparks, dont le rendez-vous intervenait immédiatement après celui de Janet Harrison, et qui était encore sur place lorsque son corps avait été découvert, Kate était toute disposée à nourrir complaisamment les plus noirs soupçons. Pendant les quelques minutes qui suivirent le départ de Jerry, elle envisagea de téléphoner à Emanuel, pour le supplier de lui accorder quelques petites minutes, le temps d'aborder le cas de Mr. Sparks. La vie professionnelle d'Emanuel

– sa vie tout court, en fait – était peut-être menacée, n'empêche qu'aux yeux de Kate sa stature professionnelle n'avait pas perdu un pouce, et elle ne manquait pas d'y voir un formidable encouragement, même si cela devait nécessairement impliquer qu'elle doive, au lieu d'exiger de lui qu'il lui accorde un peu de son temps, l'en supplier. Kate tenait pour acquis que les patients d'Emanuel partageraient la même opinion sur lui. Elle attendrait donc, avant d'essayer d'extorquer quelque renseignement que ce soit à Emanuel, d'avoir rencontré Frederick Sparks ou, du moins, d'avoir de sa personne une impression un peu plus précise.

Elle fut interrompue dans ses ruminations par un coup de fil de Reed, dont la voix avait exactement la même tonalité que celle de Jerry la veille au soir.

– Nous avons enfin découvert quelque chose qui, j'en ai l'intuition, fit Reed, va d'une façon ou d'une autre nous permettre de percer l'abcès dans cette affaire.

– S'il s'agit de l'uniforme, je suis au courant, lança Kate.

– Quel uniforme ?

– Désolée, je dois m'embrouiller avec une autre de mes affaires. Qu'avez-vous découvert ?

– Janet Harrison a laissé un testament.

– Non, vraiment ? J'espère alors qu'elle a été tuée pour son argent ; un mobile nous fait cruellement défaut, dans cette histoire.

– Elle était à la tête d'une somme de vingt-cinq mille dollars, investis dans une affaire familiale qui lui rapportait six pour cent (en actions privilégiées) ou, si tu préfères, pour t'épargner des calculs compliqués, mille cinq cents dollars par an.

– Quelqu'un de sa famille l'a peut-être assassinée pour son portefeuille d'actions.

– Difficilement envisageable. Je viens de te dire qu'elle avait laissé un testament. Elle ne léguait pas son portefeuille à sa famille. À qui tu crois qu'elle l'a laissé ? Crois-tu, plutôt, pardon.

– Si c'est à Emanuel, je me colle une balle dans la tête.

– Pas très ragoûtant. Et les gens qui n'ont pas l'habitude des armes à feu se ratent généralement, bousillent leurs murs et effrayent leurs voisins. Elle l'a légué à un certain Daniel Messenger, docteur en médecine.

– Qui est-ce, Reed ? Se pourrait-il qu'il s'agisse du jeune homme de la photo ?

– Deux grands esprits se rencontrent ! Disons vingt grands esprits, pour faire bon poids. Nous disposons déjà d'un signalement du Dr. Daniel Messenger, lequel pratique la recherche médicale – peut-on dire qu'on *pratique* la recherche médicale ?... ça m'étonnerait fort – à Chicago. Il est visiblement beaucoup plus âgé que notre gaillard, et ne pourrait pas s'éloigner plus de lui physiquement s'il l'avait fait exprès, l'immonde scélérat.

– Peut-être est-il déguisé – ses cheveux teints, ou le recours à la chirurgie esthétique.

– Kate, mon petit, à chaque nouvelle conversation que nous avons, je m'inquiète un peu plus pour toi. Nous allons recevoir très bientôt une photo du bonhomme, et je pense qu'elle réussira à te convaincre, même toi. J'ai cru comprendre qu'il était totalement impossible de le confondre avec Cary Grant jeune ; un jeune Lon Chaney, avec tout son maquillage de scène, serait plus approchant. Il a les cheveux plantés très bas sur le front, le nez long et passablement charnu, et les oreilles décollées. À coup sûr il aura, en contrepartie, de très hautes qualités morales ; et c'est probablement quelqu'un d'un fort tempérament, pour avoir choisi la recherche, avec tout le pognon qu'on refile aux docteurs ces temps-ci.

– Qu'était-il, pour Janet Harrison, et où avez-vous retrouvé son testament ?

– Ce qu'il était pour Janet Harrison, c'est précisément la grande question du jour. Il a été interrogé par un inspecteur de Chicago, qui jure ses grands dieux que le bon docteur n'a jamais entendu parler d'elle et n'a, en tout cas, formellement pas reconnu sa photo. Il y a chez cette fille un petit quelque chose qui commence à me fasciner singulièrement. Maintenant, si tu veux savoir comment nous avons retrouvé son testament, c'est là l'éclatante illustration des bienfaits de la publicité. L'avoué à qui elle l'avait confié nous a téléphoné et nous a adressé le testament. Non, pas la peine de poser la question : l'avoué ne la connaissait pas. Apparemment, elle aurait choisi son nom au hasard dans l'annuaire. Il a rédigé l'acte, en l'occurrence un testament d'une extrême simplicité, et lui a demandé cinquante dollars pour ses services. Il était en déplacement, parti pour quelque infect voyage d'affaires, et le nom n'a fait tilt dans sa tête que lorsque sa femme a fait allusion devant lui à notre affaire, à son retour. Il m'a l'air parfaitement sincère. Mais il doit pourtant bien y avoir un rapport avec ce Daniel Messenger, même si tout ce que nous avons réussi à prouver jusqu'à maintenant, c'est qu'ils ne se sont jamais trouvés au même endroit au même moment.

– *Veuillez insérer dix* cents *pour une nouvelle unité de cinq minutes, s'il vous plaît.*

– Reed, tu es dans une cabine ?

– Avec un peu d'entraînement, ma chère, tu finiras par devenir un grand détective. J'aurais difficilement pu divulguer tous ces renseignements confidentiels sur ma propre ligne, du bureau du District Attorney. Kate, ton histoire commence à me plaire. Ça ne prouve assurément qu'une chose, c'est que la folie est contagieuse. Je n'ai pas la moindre pièce de dix *cents* sur moi.

Il raccrocha.

Daniel Messenger. Pendant quelques fiévreuses secondes, Kate caressa l'idée de sauter immédiatement dans un avion pour Chicago. Mais, si abrupt qu'on puisse se montrer envers Thomas Carlyle, George Eliot exigeait néanmoins qu'on s'occupe d'elle, et pas plus tard que demain. En outre, bien entendu, on ne « saute » pas comme ça dans un avion. Il faut d'abord endurer le long et lent trajet jusqu'à l'aéroport, puis palabrer des heures durant avec les employés de la compagnie chargés de vous délivrer les billets, et qui semblent toujours avoir été embauchés cinq minutes plus tôt, pour effectuer un travail qui n'avait rien à voir, apparemment, avec celui auquel ils s'attendaient ; et, si l'on survivait à l'aventure, on n'arrivait à Chicago que pour tomber là-bas sur un « encombrement des pistes » et pour, soit mourir d'ennui, soit entrer en collision avec un autre avion qui croyait, lui, tourner en rond au-dessus des pistes encombrées de Newark. Kate dut se forcer à reporter sur Frederick Sparks son esprit légèrement enclin au vagabondage. Le coup de fil de Reed, toutefois, mis à part le fait qu'il avait constitué une petite distraction et n'avait contribué qu'à épaissir encore le mystère, avait eu au moins l'avantage de lui rappeler à quoi servait un téléphone. Elle composa le numéro d'un professeur de littérature du XVIe siècle avec laquelle elle avait révisé ses oraux, hélas, le temps passe.

– Lillian. Kate Fansler à l'appareil.

– Kate ! Et comment va le monde, là-haut, à l'université sur la colline ?

– Atroce, comme toujours à l'arrivée du printemps.

Avril est le plus cruel des mois. C'était par ça que tout avait commencé. Elles bavardèrent pendant quelques instants à bâtons rompus.

– J'appelle, se lança-t-elle, pour me renseigner sur un de tes collègues, Frederick Sparks.

– Si c'est dans l'idée de le débaucher, n'y pense plus. En premier lieu, il vient d'être titularisé et n'envisage pas une seconde de nous quitter et, d'autre part, c'est un fervent admirateur des huis-clos, qui préfère *Les Cenci* à *Macbeth*.

– Loin de moi l'idée de l'engager. Je te raconterai une autre fois de quoi il retourne exactement. Comment est-il ?

– Plutôt rasoir. Assez érudit. Il vit seul, n'ayant que tout récemment brisé le cordon ombilical, du moins sur ce plan. Il a un caniche français, du nom de Gustave.

– Gustave ?

– Pour Flaubert. Encore que Proust soit son auteur français de prédilection. C'est bien ça, Gustave.

– Je présume qu'il ne se préoccupe guère des femmes. Sparks, je veux dire.

– C'est ce que présument la plupart des gens. Pour ma part, j'ai renoncé aux étiquettes. On m'en a tant épinglées qui étaient erronées que j'y ai définitivement renoncé. En outre, il suit une analyse.

C'était là piste que Kate n'avait pas la moindre envie d'emprunter pour le moment :

– Lillian, penses-tu qu'il y ait un quelconque moyen de me faire rencontrer Sparks, en me le présentant, peut-être, ou bien par hasard ? Assez vite, je veux dire.

– Alors là, tu me laisses pantoise. Personne n'a jamais fait montre d'une aussi folle envie de connaître

Sparks depuis que la commission P & B a décidé de le titulariser.

– C'est quoi, la commission P & B ?

– Ah, malheureux ingénus que vous êtes, vous qui ne travaillez pas pour les universités de la ville. Personne n'a la moindre idée de ce que représentent ces initiales, mais elle est toute-puissante. En fait, je dois me rendre ce soir même à une soirée organisée pour un collègue qui vient de décrocher un Fullbright pour les Indes et, à coup sûr, Sparks y sera. J'ai déjà un cavalier, mais je peux éventuellement te faire entrer en te présentant comme une cousine à lui qu'on ne pouvait absolument pas laisser choir. Une cousine de mon cavalier, je veux dire. Ça te va ?

– À merveille. Mais, moins on accumule de mensonges, mieux ça vaut, comme je dis toujours. Disons simplement que je te suis tombée dessus par hasard.

– Très bien, ô créature voilée de mystère. Tombe-moi dessus vers vingt heures, alors. Apporte une bouteille pour les festivités, et tu seras reçue à bras triplement ouverts. À tout à l'heure.

Ce qui laissait Kate sans autre chose à faire que de retourner à son travail, en se demandant ce que pouvait bien fabriquer Jerry. Richard Horan, le publicitaire, devait à l'heure actuelle gésir sur le divan d'Emanuel. La sémillante infirmière du Dr. Barrister, quant à elle, devait s'occuper de ses patientes. Jerry, en dépit de toutes ses prétentions à jouer les grands détectives, devait être au cinéma, en train de s'envoyer un programme double. Kate chassa fermement Daniel Messenger de son esprit, et concentra ce dernier sur *Daniel Deronda* [1].

---

1. *Daniel Deronda* : dernier roman de George Eliot. (*N.d.T.*)

9

Jerry n'assistait pas à un programme double. Il aurait été très ulcéré d'apprendre que Kate puisse se l'imaginer mais son agacement n'aurait fait ni chaud ni froid à Kate, eût-elle su ce à quoi il se dédiait effectivement. En fait, il était à l'affût, guettant Emanuel.

Pas précisément qu'il doutât des assertions de Kate, touchant à l'innocence d'Emanuel. Ils avaient été amis, tous les deux, il le savait, et peut-être même plus que ça, subodorait-il – encore qu'à ce propos, Kate se soit montrée plutôt floue – et ce simple fait en disait long sur l'innocence d'Emanuel, dans la mesure où les femmes, croyait savoir Jerry, ne professaient pas automatiquement une opinion très élevée des hommes qu'elles avaient jadis aimés ou épousés. Néanmoins, à l'esprit délié de Jerry, esprit masculin, en conséquence objectif, Emanuel n'en demeurait pas moins le suspect n°1 et les certitudes que Kate pouvait nourrir sur son innocence pesaient beaucoup moins lourd à ses yeux qu'il ne l'avait laissé entendre. Bien que tout à fait disposé à se plier aux instructions de Kate – c'était elle, après tout, qui le payait – il pourrait les exécuter en plus grande connaissance de cause s'il avait tout d'abord rencontré Emanuel, et eu l'occasion de s'entretenir avec lui. Jerry, à vingt-deux ans, se flattait de savoir jauger les gens, et se fiait énormément à son flair.

Il était exclu, bien entendu, d'entrer et de se présenter à Emanuel en tant qu'assistant et futur neveu de Kate. En premier lieu, Kate n'avait pas fait part à Emanuel du rôle que Jerry jouerait dans son enquête ; et, en second lieu, il était capital de prendre Emanuel la garde basse. Pour une raison bien simple : Jerry voulait savoir si Emanuel, à présent qu'il disposait d'une heure de liberté entre onze heures et midi, n'en profitait que pour aller flâner, comme Kate et Nicola en étaient convaincues.

Jerry, en conséquence, était allé faire l'emplette d'une peau de chamois dans une boutique de Madison Avenue – emplette qu'il se garda vertueusement de faire figurer sur sa note de frais – et alla se camper sur le trottoir, face à l'immeuble d'Emanuel, pour astiquer une automobile. Il disposait ainsi d'un excellent point de vue sur tous ceux qui pouvaient entrer et sortir, en même temps que d'une bonne excuse pour traîner dans une rue chic, où l'on n'encourage guère, d'ordinaire, les gens à traîner tellement. Évidemment, la situation risquait de devenir singulièrement embarrassante si le propriétaire de la voiture faisait son apparition, mais Jerry était prêt à le recevoir.

À onze heures cinq, un jeune homme sortit de l'immeuble. Richard Horan, selon toute probabilité. Jerry, plongeant derrière la voiture pour en épousseter le capot, le dévisagea longuement. Il lui faudrait rencontrer Mr. Horan un plus tard, dans le courant de cette même journée. Légèrement étonné, Jerry constata que Mr. Horan ressemblait fortement à l'idée qu'on pouvait se faire d'un « jeune décideur de Madison Avenue en pleine ascension sociale » ; Jerry réalisa que, dans la mesure où l'autre suivait une analyse, il s'était vaguement imaginé un homme bien plus délabré, beaucoup moins sûr de lui, et le complet de chez *Brooks Brothers* légèrement de travers. Il sentit poindre en lui une manière de soulagement, dont il ne chercha pas à situer l'origine ; il était, en réalité, ravi de n'avoir pas à s'apitoyer sur Mr. Horan.

L'objet de son inspection disparu, de façon tout à fait appropriée, en direction de Madison Avenue, Jerry continua de faire briller la voiture, en y mettant peut-être un peu moins d'acharnement, et en s'interrompant pour fumer une cigarette. Il vit une femme entrer, puis une autre sortir pour, à coup sûr, se rendre l'une à la consultation du Dr. Barrister, et l'autre en repartir. À sa grande surprise, aucune de ces deux femmes ne répondait à la description d'une femme « âgée ». L'une d'entre elles, en fait, était même considérablement plus jeune que Kate, que Jerry se dépeignait – encore qu'il eût préféré vivre mille morts plutôt que de le lui avouer – comme une femme mûre. (Kate, naturellement, avait par trop l'expérience des étudiants de l'âge de Jerry pour ignorer que c'était exactement comme ça qu'il se la représentait.) Il s'obligea à astiquer consciencieusement un flanc entier de la voiture, et à fumer sa cigarette en affectant une pose d'une nonchalance exagérée, avant d'aborder de façon frontale la question de ce qu'il allait faire ensuite. Il avait quasiment décidé qu'il valait mieux entrer et raconter un quelconque boniment à Emanuel, lorsque ce dernier, en personne, apparut sur le pas de la porte, fumant une cigarette, et tourna ses pas vers le parc.

Jerry, bien entendu, ne pouvait avoir l'absolue certitude qu'il s'agissait bien d'Emanuel, mais l'homme avait l'âge qui convenait et portait, en outre, des vêtements extrêmement dépenaillés, tels qu'on ne pouvait s'attendre à voir l'un quelconque des locataires d'un immeuble aussi sélect en arborer, à l'exception de ce seul excentrique qui s'affublait de vieilles loques dans le seul but d'aller courir autour du réservoir. Jerry replia bien proprement son chamois et le déposa sur le capot de la voiture, en guise de dédommagement partiel à son propriétaire, pour l'abus qu'il en avait fait, et suivit l'homme à l'intérieur du parc.

Jerry n'avait pas la première idée de ce qu'il allait faire ensuite. Cavaler derrière le type autour du réservoir, le faire trébucher, peut-être, et profiter des excuses qu'il lui ferait pour entamer la conversation? Emanuel n'était sûrement pas le premier imbécile venu; Jerry avait-il une chance de s'en tirer de cette façon? Une occasion se présenterait peut-être à la hauteur du réservoir. Une chose, en tout cas, était limpide: l'homme marchait avec précipitation, en y mettant toute l'énergique véhémence de celui qui est resté trop longtemps assis et ressent tout bêtement le besoin de s'activer. Ce qui pouvait, à la rigueur, expliquer pourquoi il prenait la peine de se changer pour un jogging qui durait à peine une demi-heure.

Mais il était écrit qu'il ne jouirait pas de ce jogging. Il ralentit le pas le long d'un des sentiers, tant et si bien que Jerry s'en rapprocha dangereusement. Ce qui l'arrêtait ainsi dans son élan, c'était une femme – qui aurait pu dire l'âge qu'elle pouvait avoir? – outrageusement maquillée et faisant l'effet, de façon assez repoussante, d'être à deux doigts de verser dans la démence. Elle pleurait, et son mascara coulait, dégoulinant sur son visage vieillissant en longues traînées noirâtres, pour venir se mélanger à son rouge à lèvres. D'autres personnes l'avaient vue qui, soit fronçaient le nez, soit se détournaient d'elle tout simplement et sortaient du sentier pour l'éviter. L'instinct de Jerry le poussait à les imiter. Mais Emanuel s'arrêta :

– Je peux vous aider ? lui demanda-t-il.

Jerry se laissa choir, hors de vue, sur un banc auquel Emanuel tournait le dos. La femme jeta sur son interlocuteur un regard suspicieux.

– Je l'ai perdu, gémit-elle. Je me suis assoupie, et il n'était plus là. Je passe de très mauvaises nuits.

– Votre petit garçon ? s'enquit Emanuel.

Elle hocha la tête :

– Je l'avais attaché au banc par sa laisse, mais il a dû se libérer. Cyril chéri, viens voir maman, se mit-elle à appeler. Ne lui faites pas de mal, dit-elle à Emanuel.

– Il est grand comment ? demanda Emanuel. De quelle couleur ?

Toute la scène paraissait grotesque à Jerry. Mais Emanuel posa sa main sur le bras de la femme :

– De quelle couleur est-il ? redemanda-t-il.

Le geste sembla la rasséréner.

– Marron, dit-elle. Grand comme ça.

Et elle fit un geste, comme pour prendre un petit chien sous son bras. Elle considérait avec amour le cercle que formait son bras vide.

– Il n'a pas pu aller bien loin, dit Emanuel.

Entre-temps, une petite foule de curieux s'était amassée autour d'eux. Emanuel entreprit de fouiller les buissons les plus proches et quelques autres hommes, avec un haussement d'épaules, comme pour indiquer que toute cette histoire leur semblait parfaitement incongrue, se joignirent à lui. Jerry se força à rester assis. Ce fut l'un de ces autres hommes qui, cinq minutes plus tard à peu près, trouva le chien, pas très loin, en train de se rouler dans une gadoue indescriptible mais que lui semblait trouver délectable. Sûr que ça doit agréablement te changer de cette bonne femme, se dit Jerry.

Ladite bonne femme récupéra son chien, le gronda, en le traitant de vilain, vilain, vilain garçon, et s'éloigna d'Emanuel comme s'il s'agissait d'un clochard qui l'aurait accostée. L'homme qui avait retrouvé le chien se frappa la tempe du doigt d'une manière lourde de sens. Emanuel opina, et regarda sa montre. Plus le temps, maintenant, même pour le plus rapide des sprints. Son patient suivant arrive à midi, songea Jerry, et il va de surcroît devoir se changer. Emanuel reprit à pas lents le chemin de l'avenue. Jerry ne le suivit pas ; il resta assis sur son banc, à méditer sur Richard Horan. Son besoin urgent de parler à Emanuel s'était comme évaporé, quelque part dans la nature.

Après avoir passé, assis sur son banc, une autre demi-heure, Jerry se prit à considérer la profession de détective avec beaucoup moins de légèreté qu'il ne l'avait fait le matin même. En fait, il alla jusqu'à se traiter lui-même d'imbécile. C'était certes une grande et belle chose, que d'être allé dire à Kate, de son air le plus bonasse, qu'il allait postuler pour un emploi à l'agence publicitaire pour qui travaillait Richard Horan mais l'inspiration était loin d'être brillante, à des années-lumière, même, d'être brillante. Bon, bien sûr, il n'était pas tenu de se présenter pour un emploi, mais il crevait les yeux que la chose à faire, c'était d'aller faire un tour vers ladite agence, pour prendre un peu le vent dans ses bureaux. D'un autre côté, le bon plan, le plus intelligent, c'était peut-être de filer Mr. Horan jusque chez lui – Jerry ne s'appesantit pas trop sur la question de savoir où ça pourrait le mener si, effectivement, ça devait le mener quelque part – mais, telles que les choses se présentaient, il pouvait tout aussi bien, dès à présent, se pencher de plus près sur le cas Horan.

Tandis qu'il redescendait vers le centre-ville par le bus de Madison Avenue, Jerry sortit de sa poche la photo du jeune homme et entreprit de l'étudier. Se pouvait-il qu'il s'agisse là d'une photo de Horan ? En apercevant sa proie, tout à l'heure, de derrière le capot de la voiture, Jerry n'avait eu de sa personne, tout au plus, qu'une vague impression générale ; il n'avait pas conservé en mémoire le signalement détaillé de ses traits. Un détective privé, lui, aurait à coup sûr mémorisé à jamais ce visage, au bout d'un seul et unique coup d'œil ; Jerry, loin de l'avoir oublié, n'avait tout bonnement rien eu à se mettre en mémoire. Malgré tout, pressentait-il en ravalant son humiliation, il était plus que probable que Horan n'avait jamais ressemblé à ça. D'accord, mais on ne peut jamais savoir, hein ?

L'une des ironies du sort, peut-être la plus tordue de toutes, n'est-elle pas justement qu'au moment même où nous admettons nous être conduits en imbéciles, le destin nous livre, sur un plateau d'argent, un coup de chance inespéré. Les Grecs, bien entendu, avaient de toute cette affaire la compréhension la plus lucide, mais Jerry avait encore beaucoup à apprendre dans ce domaine. Bien des années plus tard, Jerry considérerait cette époque comme celle qui lui avait enseigné que si chacun, certes, doit toujours faire de son mieux, ce n'est pas pour autant que le succès est la résultante directe de nos efforts. Pour le moment, toutefois, en descendant de son bus, il n'était conscient que de sa seule et lamentable inaptitude.

Toutes les agences publicitaires, pour Jerry, étaient logées à la même enseigne : TBBOC (Tchatche, Baratin, Boniment, Oubli & Compagnie). Cette TBB, etc., là avait ses bureaux au dix-huitième étage. Jerry sortit de l'ascenseur avec la vague impression d'avoir été mis sur orbite. Il y aurait sûrement quelqu'un à la réception. Mais Jerry ne devait jamais s'en assurer. Une main se posa sur son épaule ; c'est à cet instant précis, Jerry en aurait mis sa main au feu, que ses cheveux commencèrent à grisonner.

– Qu'est-ce que tu fabriques ici ? Ne viens surtout pas me dire que c'est Sally qui t'a persuadé d'entrer dans le racket publicitaire. Suis mon conseil, va. Termine ton droit.

C'était Horan. Jerry le fixait, bouche bée, les yeux écarquillés, comme s'il s'agissait d'un alligator apparu sans crier gare dans une baignoire banlieusarde.

– Tu es bien le Jerry qui est fiancé à Sally Fansler, n'est-ce pas ? On s'est vus à une soirée... Quelque chose qui ne tourne pas rond ?

Jerry, en fait, avait l'air sur le point de s'évanouir.

– Le monde est petit, parvint-il à déclarer. Pour utiliser une phrase toute faite, ajouta-t-il, en essayant de rattraper la monstrueuse ineptie de son premier lieu commun.

– C'est bien mon avis, au pied de la lettre. À mon sens, il n'est peuplé que d'une cinquantaine de personnes, qui n'arrêtent pas de vadrouiller dans tous les sens. Tu as déjà déjeuné ?

Chère, douce, merveilleuse, adorable Sally, qui connaissait vraiment tout le monde. Jerry avait déjà réalisé, assez confusément, que ça pourrait éventuellement avoir son utilité – il n'envisageait alors que les lointaines années qui suivraient son droit – mais il commençait à présent à parer les relations de Sally d'oripeaux plus éblouissants encore. Il avait fréquemment fait remarquer à Sally, sur le mode badin, qu'ils devaient probablement lire, tous les matins, une édition différente du *Times*. Elle ne jetait jamais un regard sur les pages sportives ; l'Afrique, le Proche-Orient, la Russie, les décisions du Congrès, tout ça tournoyait quelque part dans sa tête, à la limite extérieure du champ de sa conscience ; si, pour garder la vie sauve, elle avait dû désigner par leur nom les neuf juges de la Cour suprême, elle aurait peut-être cité Warren, puis aurait rendu l'âme. Mais, pour elle, le *Times* était bourré de mille petits entrefilets, à propos de gens qui changeaient d'emploi, se mariaient, divorçaient, soutenaient telle ou telle cause, et aucun desdits entrefilets ne tombait jamais dans l'oubli. Non seulement elle connaissait « tout le monde », par l'entremise du vaste réseau de relations de sa famille, de l'école, de l'université, des garçons avec qui elle était sortie – les gens de son monde, en règle générale – mais elle savait encore, sur eux, tout ce qu'il y avait à savoir.

– Mon frère Tom sortait autrefois avec Sally, était en train de dire Horan, tandis que, comme dans un rêve, ils remontaient tous deux dans l'ascenseur. Que fabriques-tu, ces temps-ci ?

Au déjeuner, Jerry autorisa Horan à lui offrir un Gibson. Il n'avait pas l'habitude de boire en plein milieu de journée mais ce verre, après tout, tenait plus du cognac qu'on fait ingurgiter de force à un blessé. Même au travers des brumes de l'alcool, il lui apparaissait à présent, avec une lumineuse limpidité, que Horan ne ressemblait en rien à l'homme dont la photo nichait, en ce moment même, dans la poche intérieure de son blouson. De surcroît, est-ce qu'un personnage issu du monde que fréquentait Sally irait poignarder une fille sur un divan ? Non pas dans un accès de folle passion, mais dans le cours d'un meurtre froidement calculé ?

– Tu suis une analyse ? s'enquit Jerry.

C'est avec une horreur sans mélange qu'il s'entendit prononcer ces mots. Il avait eu l'intention de n'aborder le sujet qu'en usant des plus tortueuses précautions oratoires. Il n'aurait jamais dû accepter ce Gibson. Quel lamentable détective privé il faisait ! Jerry se bourra la bouche de pain, dans l'espoir, guère scientifique, qu'il s'imbiberait de tout cet alcool.

Ce fut au tour de Horan de paraître médusé :

– Seigneur ! dit-il. Où as-tu entendu dire ça ?

– Oh ! je ne l'ai pas entendu dire, répliqua Jerry, en balayant l'argument d'un geste vague de la main. C'est juste une de ces chose qu'on dit, de nos jours, comme on jette sa ligne pour voir si ça va mordre.

Il eut un sourire d'encouragement.

Horan avait l'air d'un homme qui, s'étant courbé en deux pour flatter l'échine d'un chien, réalise subitement qu'il va caresser une hyène. L'arrivée de leurs plats fournit une bienheureuse diversion. Jerry se mit à dévorer à bouchées doubles :

– Désolé, finit-il par marmotter.

Horan eut un geste apaisant.

– Je suis effectivement en analyse, c'est vrai. Ce n'est pas vraiment le secret des dieux. Pour tout te dire, mon analyste est cet homme sur le divan duquel on vient de trouver une fille morte.

– Et tu continues avec lui, malgré tout, s'enquit candidement Jerry.

– Pourquoi pas ? Ce n'est pas lui le coupable, naturellement ; je ne le pense pas, en tout cas. Ma famille croit que je devrais le laisser tomber mais, bon sang, les rats ne peuvent tout de même pas quitter le navire chaque fois qu'il est en perdition. Pour utiliser une phrase toute faite, ajouta-t-il.

– Tu connaissais la fille ?

Maintenant que je lui ai posé quelques questions directes, autant persévérer, se disait Jerry.

– Non, pas du tout, et c'est d'autant plus dommage. Je la croisais souvent dans la salle d'attente en ressortant, mais j'ignorais jusqu'à son nom. Fichtrement belle. Je lui ai dit une fois que je disposais justement de deux billets de spectacle, pour le soir même, et que si elle avait envie de venir... – en réalité, je les avais achetés le matin même au marché noir – mais elle n'a pas donné dans le panneau. Le genre banquise. Tout de même, je trouve plutôt bizarre que quelqu'un ait pu avoir envie de l'assassiner.

Cette dernière phrase avait l'accent hideux de la vérité. Mais les meurtriers font probablement de très bons menteurs.

– C'est un bon, ton psychanalyste ? s'enquit Jerry.

– Très chaudement recommandé. Il est tout à fait capable de rester assis pendant vingt minutes, à attendre que j'aie quelque chose à dire. N'empêche que j'ai une dent contre lui, à ce qu'on dirait. J'en ai rêvé. (Jerry dressa soudain l'oreille.) On est censé leur raconter nos rêves, naturellement ; je n'aurais jamais cru que je rêvais tant que ça, mais c'est pourtant bel et bien le cas, quand tu fais l'effort de chercher à t'en souvenir. Bon, dans ce rêve, j'étais chez *Brooks Brothers*, en train d'acheter un costume. Le costume avait l'air de coûter très cher, mais je l'achetais malgré tout et, en l'essayant, une fois rentré chez moi, il ne m'allait plus du tout. Je le ramenais au magasin, et j'avais une violente dispute avec le vendeur, comme quoi il m'avait escroqué, que ce costume m'avait coûté une fortune alors qu'il ne valait pas un clou. Je me suis réveillé fou de rage, et j'ai foncé raconter ça au Dr. Bauer. Eh bien, c'était a priori un rêve évident de simplicité. Je lui en voulais à lui, au Dr. Bauer, et je m'étais monté la tête, imaginant qu'il m'escroquait, qu'il me faisait débourser des honoraires extravagants, tout ça pour rester assis à m'écouter, mais je n'osais pas affronter cette idée en face, si bien que je la revivais en rêve, ainsi travestie. Pour le moins brillant, non ?

C'était indubitablement, en matière de technique analytique, une leçon magistrale, mais qui, appliquée aux objectifs propres de Jerry, ne valait pas un coup de cidre. À moins de considérer comme plausible qu'on puisse en venir à haïr suffisamment son analyste pour essayer de lui coller un meurtre sur le dos ? Une idée qui exigeait d'être approfondie. Jerry se demanda si les psychanalystes avaient jamais envisagé la chose comme l'un des risques professionnels qu'ils encouraient. C'était même un mobile moins incongru qu'il n'en avait l'air, à présent que Jerry y repensait. Il se demanda vaguement où en était Kate avec Frederick Sparks.

– Ne le prends pas mal, surtout, fit-il, mais as-tu jamais eu envie de tuer le Dr. Bauer ?

– Le *tuer*, non, répondit Horan, que la question n'avait pas l'air d'offusquer outre mesure, Dieu sait, pourtant, tout ce qui peut vous passer par ce cloaque qu'est l'inconscient. Il arrive bien sûr de fantasmer sur son analyste, mais ça consiste, le plus souvent, à se raconter qu'on rencontre quelqu'un de sa connaissance, qui vous divulgue alors tous les répugnants secrets de son existence, ou bien qu'ayant réussi à lui arracher son masque d'impassibilité professionnelle, il se mette à genoux pour implorer votre aide. Le plus rageant, avec les analystes, c'est que quand tu leur racontes une bonne blague, serait-elle la plus désopilante au monde, elle tombe toujours complètement à plat, et tu n'obtiens que le silence pour toute réponse. Je me suis toujours demandé si, le même soir, il allait dire à sa femme – je présume qu'il est marié : "Un de mes patients m'en a raconté une sacrément poilante, aujourd'hui."

– Est-ce qu'il t'aide à régler le problème pour lequel tu t'es adressé à lui, quel qu'il puisse être ?

– Eh bien, non, pas encore, bien sûr, mais il est encore bien trop tôt. Nous avons déjà déterré un matériau très intéressant. Par exemple, même si je ne m'en souviens absolument pas, il s'est avéré que j'avais été conscient tout du long du fait que ma mère était enceinte de mon frère. Mais mon analyse m'a déjà beaucoup aidé dans mon travail.

– Tu avais un blocage, quelque chose comme ça ?

– Pas exactement. L'un de nos clients fabrique des meubles très élégants, et j'ai imaginé une pub dans laquelle on voyait juste deux meubles, le divan, et un fauteuil installé juste derrière. Deux parfaits échantillons de mobilier, bien sûr. Ça m'a valu une petite tape affectueuse sur la tête.

Horan se lança ensuite dans des digressions sur des sujets extra-psychanalytiques et le ramener – ne serait-ce qu'essayer – à celui qui était la raison même de leur entretien était une tâche qui dépassait les forces de Jerry. Il faisait apparemment, dans tous les cas, un coupable peu vraisemblable. Peut-être avait-il engagé quelqu'un pour faire le sale boulot ; mais, en dehors du monde du crime organisé, une telle chose était-elle vraiment faisable ? Et Horan avait-il la moindre lumière sur la complexe organisation domestique d'Emanuel ? Son apparente incertitude, quant à l'éventuelle existence d'une Mrs. Bauer, pouvait très bien n'être qu'une feinte particulièrement retorse. Malgré tout, quelqu'un pouvait-il vraiment, comme Horan, avoir l'air, si exactement, de ce qu'il était, et ne pas l'être ?

C'est un Jerry au moral très abattu, et souffrant d'une migraine carabinée, qui quitta Horan – lequel avait payé l'addition. Que pouvait-il bien faire, entre le moment présent et l'heure où la jolie infirmière du Dr. Barrister sortirait de son travail ? Au bout de quelques minutes de stériles considérations, il opta pour un programme double.

10

Jerry, telle une marmotte, émergea en plein soleil de son trou d'hibernation. Il avait vu la moitié de chacun des deux films et n'avait pas la moindre bribe d'idée de ce dont ils parlaient, mais soupçonnait fortement que, mises bout à bout, les deux moitiés qu'il avait visionnées devaient faire un film bien plus passionnant que ne l'étaient, séparément, chacun des films en son entier. Quoi qu'il en soit, il avait eu la tête à tout autre chose. Comment par exemple avait-il pu omettre de poser à Richard Horan la question des coups de téléphone au bureau d'Emanuel ? Si Horan s'était effectivement arrangé pour passer ces coups de fil décommandant les deux rendez-vous, il se serait certainement trahi par quelque signe, troublé par la question de Jerry. D'un autre côté, s'il avait effectivement payé quelqu'un pour les passer, l'éventuelle allusion de Jerry n'aurait pas manqué de mettre Horan – qui, en tout cas, ne semblait nourrir aucune suspicion vis-à-vis de lui – sur la défensive. Il apparut soudain à Jerry que la profession de détective impliquait, plus que toute autre, la sempiternelle fréquentation d'obligatoires culs-de-sac. Et personne, bien évidemment, ne prenait la peine de dresser le long des routes des poteaux indicateurs annonçant VOIE SANS ISSUE.

Jerry, craignant de rater l'infirmière du Dr. Barrister, prit un taxi après le cinéma pour se faire déposer devant le cabinet où, encore totalement ignorante de la chose, elle attendait (espérait-il) son arrivée. Il n'avait pas encore touché à l'argent de Kate et était encore à la tête d'un petit pécule personnel, d'une épaisseur malencontreusement peu substantielle. Il ne pouvait décemment pas imputer la peau de chamois à Kate, non plus que la séance de cinéma, pas plus que la course en taxi, conséquence directe de ladite séance. Bon, mettons qu'il puisse effectivement porter la peau de chamois en frais – après tout, s'il n'avait pas au préalable entraperçu Horan, il n'aurait jamais pu le reconnaître dans sa boîte de pub – ce qui, au demeurant, n'aurait pas changé grand-chose. À l'intérieur du cinéma, cependant – et Jerry, visiblement, y puisait une grande consolation – il avait mis au point un plan pour aborder l'infirmière. Que ledit plan, si d'aventure il était parvenu jusqu'aux oreilles de Kate, aurait eu le don de lui faire pousser les hauts cris, c'était là détail, dans cette minute d'abattement, trop insignifiant pour en détourner Jerry.

La plaque de la porte du cabinet du Dr. Barrister disait : Sonnez et entrez. Jerry s'exécuta. L'infirmière était là, toute seule, en train de taper à la machine.

– Oui ? fit-elle, s'adressant à Jerry, visiblement interloquée, tant par sa présence que par son sexe, et la raison de sa présence.

Vue de près, elle n'était ni aussi jeune ni aussi jolie que Jerry l'avait cru.

– Il s'agit de ma femme, dit Jerry.

Sa propre voix lui parut singulièrement manquer de conviction, mais il espéra que l'infirmière mettrait ça sur le compte de l'anxiété maritale. L'infirmière semblait partagée entre le désir d'éclater de rire et l'envie d'appeler la police.

– Elle, enfin, nous, plutôt... nous voudrions avoir un bébé. Est-ce que je peux m'asseoir? ajouta-t-il, en joignant le geste à la parole.

– Le docteur n'est pas dans les murs, dit l'infirmière, en regrettant immédiatement, c'était visible à sa seule expression, d'avoir divulgué une telle information à ce cinglé.

Elle se barricada derrière une contenance purement professionnelle.

– Si elle le souhaite, votre épouse pourra téléphoner pour prendre rendez-vous, à moins que vous n'en preniez un sur-le-champ...

Elle prit un carnet de rendez-vous sur son bureau et le compulsa, un stylo à la main.

– Qui vous a recommandé au Dr. Barrister? s'enquit-elle. Atroce question.

C'est le moment que choisit Jerry pour faire appel à ses réserves de séduction, lesquelles n'étaient nullement négligeables. Il ne doutait pas que son expérience de l'après-midi l'avait furieusement ravagé. S'interdisant sciemment de remettre ses cheveux en place du geste habituel, il autorisa sa mèche à venir retomber négligemment sur son front. Il lui décocha un sourire, ce sourire auquel nulle femelle, depuis qu'il avait quatre ans, n'avait pu résister. Le dolent affaissement de toute sa personne, la souffrance qu'on lisait dans ses yeux, son sourire, tout en lui criait qu'il y avait ici, contre toute attente, une femme qui pouvait le comprendre. Chaque fibre de son être se moula dans un déchirant appel, poussé du plus profond de la vulnérabilité masculine vers les cimes des si réconfortantes compétence et compassion féminines. L'infirmière, sans même s'en rendre compte, jeta les armes et se retira de la lice, défaite et heureuse de l'être. Elle était loin d'être insensible aux attentions masculines, et sa compétence professionnelle ne s'exerçait que lorsqu'elle avait affaire à des femmes dans l'embarras, qu'elle intimidait. Pour la première fois de la journée, Jerry contrôlait la situation.

– Alice, ma femme, était très angoissée à l'idée de venir ici elle-même. Mais, naturellement, il faut absolument qu'elle vienne consulter. J'ai donc dû lui faire la promesse (son regard incluait l'infirmière dans une sorte de compatissante compréhension de toute la gent féminine) de passer d'abord voir moi-même le docteur, afin de vérifier s'il était quelqu'un d'aimable et de sympathique. Alice est très timide. Mais je suis persuadé qu'en lui expliquant à quel point vous êtes adorable, en lui jurant que vous la traiterez avec douceur, j'arriverai à la convaincre de se présenter en personne. Je suis sûr que vous recevez ici des tas de femmes qui ont exactement le même problème. C'est bien ce que vous faites principalement, je me trompe ?

– Eh bien, nous nous occupons aussi de ça, effectivement. Et nous soignons aussi un certain nombre de dames plus mûres pour divers… euh… problèmes… (L'infirmière paraissait se creuser la tête pour trouver une tournure, la plus convenable possible.) Des problèmes de… eh bien… de changement radical de leur mode de vie, et ainsi de suite.

– Bien entendu, dit Jerry, en affectant une profonde compréhension, encore que, dans ce domaine, l'ampleur de son ignorance sans mélange pouvait difficilement être plus insondable. Est-ce que vous pouvez faire quelque chose, dans ce cas-là ?

La question était parfaitement déplacée, de la part d'un jeune époux avide de remédier à sa carence en paternité, mais Jerry espéra qu'elle passerait comme une lettre à la poste. L'infirmière, dont l'actuel échange n'était pas le souci le plus immédiat, la goba sans hésitation :

– Oh ! nous pouvons faire beaucoup, en fait, fit-elle en triturant son stylo de ravissante façon. Injections d'hormones, comprimés et, bien entendu, tout ceci sous le contrôle attentif d'un praticien expérimenté.

Elle sourit :

– Et puis les femmes souffrent d'encore bien d'autres stupides complications, spécifiques à leur sexe.

Jerry mit cette information en magasin, la réservant à un usage ultérieur :

– Mais est-ce que vous soignez, demanda-t-il le plus candidement, du monde, les femmes qui veulent avoir un enfant ?

– Oh ! oui, bien entendu. Il existe de nombreux traitements assez efficaces. Et le Dr. Barrister est très compréhensif.

– Je suis bien content de l'apprendre, dit Jerry. Parce qu'il faudra à Alice quelqu'un d'infiniment compréhensif. Pourrait-on dire du Dr. Barrister qu'il est un homme "paternel" ?

Le terme parut désarçonner l'infirmière :

– Eh bien, "paternel" n'est pas exactement le mot que j'emploierais. Mais il est très compétent, très calme et très efficace. Je suis certaine que votre épouse l'appréciera beaucoup. Mais, voyez-vous, ajouta-t-elle non sans malice, vous allez devoir, vous aussi, vous faire examiner quelque part. La responsabilité n'en incombe pas toujours à la femme, je veux dire.

Jerry décida de réagir par l'embarras à cette assertion. Il baissa les yeux, laissa retomber sa mèche sur ces derniers, et toussa d'un air gêné :

– Alice pourrait peut-être passer vendredi, alors ? demanda-t-il avec anxiété.

– Le docteur n'est pas là le vendredi, dit l'infirmière. Un autre jour ?

Pour Jerry, qui songeait à la livrée volée du concierge, cette confirmation était à elle seule amplement satisfaisante, mais sensiblement moins qu'elle n'aurait pu l'être si elle ne lui avait, dans le même temps, rappelé qu'il avait omis de demander à Horan où lui se trouvait vendredi dernier.

– Je ferais peut-être mieux de dire à Alice de vous appeler elle-même, fit-il, en se relevant. Vous avez été très aimable. Est-ce que.... euh... je me demandais... est-ce que le Dr. Barrister est très cher ?

– Oui, j'en ai peur, fit l'infirmière. Mais vous ne pouvez pas être mariés depuis très longtemps, ajouta-t-elle gentiment. Il n'y a peut-être pas encore lieu de trop vous inquiéter.

– Vous connaissez les femmes, dit Jerry. Encore merci.

– De rien, dit l'infirmière, tandis qu'il refermait la porte.

Jerry se précipita dans la 5e Avenue et attrapa un taxi au vol, qu'il se ferait, celui-ci, rembourser par Kate. Sally l'attendait. Il avait le sentiment que son entretien avec l'infirmière s'était excellemment déroulé mais, au nom de tous les mystères de la gynécologie, qu'avait-il, tout bien considéré, réellement découvert ?

Tandis que Jerry, dans son taxi, mettait le cap droit sur Sally, Kate, ayant assisté à la déconfiture du rêve sioniste de Daniel Deronda, était elle aussi montée dans un taxi, taxi qui se dirigeait vers l'immeuble que Jerry venait à l'instant de quitter. Elle avait appelé

Emanuel et Nicola et appris que le patient de dix-huit heures avait annulé son rendez-vous, soit parce qu'il se retirait définitivement du ring, soit parce qu'il souffrait des habituelles réticences liées à la psychanalyse, la chose, au demeurant, n'était pas très claire. «Tu ferais mieux de passer maintenant», lui avait dit Nicola au téléphone, «et on ira tous s'asseoir sur le divan d'Emanuel pour être bien sûr que plus personne n'y laissera de cadavre.» Nicola avait également consenti, au bout d'un certain nombre d'insinuations réitérées de Kate, à étendre son invitation au dîner.

Kate les trouva dans le salon d'où, avaient-ils décidé, ils pouvaient surveiller l'entrée du cabinet et parer ainsi à toute intempestive invasion de cadavres. Kate déposa son paquet – manifestement une bouteille – sur la table :

– Pas pour vous, dit-elle à Nicola. Mais pour une soirée à laquelle je me rends plus tard, pour y rencontrer Frederick Sparks. (Elle chercha les yeux d'Emanuel.) Est-ce que Janet Harrison, au cours de toutes ces heures qu'elle a passées avec toi, a jamais fait allusion à un certain Daniel Messenger ? demanda-t-elle.

– La police m'a déjà posé la question, répliqua Emanuel.

– Oh ! je n'arrête pas d'oublier l'existence de la police, mon cher. Se montre-t-elle un peu moins zélée ?

– Eh bien, fit Nicola, il faut reconnaître que ce Daniel Messenger, quel qu'il puisse être, y a beaucoup contribué. J'ai réussi à arracher à l'un des inspecteurs qu'il s'agissait d'un généticien, c'est du moins ce qu'en a déduit Emanuel, à l'énoncé de ma description singulièrement emberlificotée ; mais, apparemment, il se consacrerait à l'étude d'une mystérieuse affection qui ne frappe que les Juifs, ou n'épargne que les Juifs, à certains endroits en Italie (il me semble) et, visiblement, s'ils parviennent à percer le mystère de cette tolérance, ou intolérance, fluctuante à la maladie en question, ils auront accompli un grand pas dans l'intelligence de l'hérédité. Quant à savoir s'ils – la police, je veux dire – croient ou ne croient pas qu'Emanuel et moi n'avons jamais entendu parler de lui, qui pourrait bien le dire, même dans la police ?

Kate regarda Emanuel :

– Elle n'a jamais fait allusion à lui, si je comprends bien, ni non plus à de quelconques théories génétiques ?

Emanuel secoua négativement la tête. Kate se rendit compte qu'il commençait à déprimer, et toute son affection se porta au-devant de lui mais, à part prêter main forte aux babillages de Nicola, il n'y avait pas grand-chose qu'elle puisse faire pour lui. La mère de Nicola, apprit Kate, avait emmené les enfants dans sa maison de campagne. Ils en avaient déjà beaucoup trop entendu et, en les laissant partir une semaine après le meurtre, on ne donnait pas réellement l'impression de capituler devant l'infortune.

– Le Dr. Barrister ne donne pas de consultations le vendredi, c'est bien ça ? demanda Kate à Nicola.

– En effet, répliqua Nicola. Pourquoi ?

– Je suis là pour poser des questions, rétorqua sentencieusement Kate. Pas pour y répondre.

– Reste-t-il encore tant de questions sans réponse ? s'enquit Emanuel.

– Un très grand nombre, affirma Kate. Mais vous n'êtes pas censés les répéter à la police ; aucune d'entre elles. Ni d'ailleurs à personne, ajouta-t-elle fermement, en regardant dans la direction de Nicola. En voici quelques-unes : Qui a volé la livrée du concierge, le matin même du jour où la chambre de Janet Harrison a été cambriolée ? (Emanuel et Nicola lui décochèrent l'un et l'autre un coup d'œil sidéré, mais elle s'empressa de poursuivre.) Pourquoi cette chambre a-t-elle été cambriolée ? Simplement, comme l'a suggéré une sombre crétine, parce qu'un pauvre type frustré souhaitait piquer certains de ses sous-vêtements ?

– Serais-tu ivre ? demanda Emanuel.

– Ne m'interromps pas. Et même si c'était effectivement le cas, qui est-ce ? Pourquoi Janet Harrison a-t-elle laissé un testament ? C'est, de la part d'une jeune célibataire, une chose pour le moins inhabituelle, non ? Qu'était ce Daniel Messenger pour elle, pour qu'elle lui ait ainsi légué tous ses biens, ou qu'était-elle pour lui ? Encore que ta défunte patiente, Emanuel, ait mené une existence passablement réservée, c'est le moins qu'on puisse dire, on l'a tout de même aperçue en compagnie d'un homme. Qui était cet homme ? Qui l'a vu avec elle ?

– Si tu ignores qui l'a vu, comment peux-tu savoir qu'elle a été vue ? demanda Nicola.

– Cesse de me couper. Vous pouvez prendre des notes, ou m'écouter les bras croisés, si vous voulez, mais laissez-moi terminer. Je m'efforce de remettre un peu d'ordre dans mes idées. Pourquoi Janet Harrison a-t-elle soudain jeté son dévolu sur les lettres anglaises, alors qu'elle avait commencé par étudier l'histoire, avec un léger crochet par une formation d'infirmière ? Pourquoi infirmière ? Et pourquoi est-elle montée jusqu'à New York pour y étudier la littérature anglaise ?

– Simple, fit Emanuel. Elle savait qu'une adorable cinglée du nom de Kate Fansler y professait.

Kate l'ignora :

– Qu'est-ce qui tracassait si fort Janet Harrison, dans le présent ? Et qu'est-ce qui la tracassait tant, dans son passé ? Qui peut bien être le jeune homme dont elle chérissait tant la photo et la personne ? La police vous l'a-t-elle montrée ? Vous ne l'avez pas reconnu. Et personne d'autre non plus. Pourquoi ? Ou, plutôt, pourquoi pas ? Qu'en est-il de Richard Horan ? De Frederick Sparks ? Et du laveur de carreaux ?

– Du laveur de carreaux ?

– Eh ! ça vient tout juste de me frapper : il se pourrait qu'un laveur de carreaux qui ferait une sorte de fixation sur les dames allongées sur un divan et l'aurait remarquée pour avoir déjà fait les carreaux pendant qu'elle était là, ou bien ceux de la fenêtre de la salle d'attente pendant qu'elle patientait, aurait pu être suffisamment au courant des habitudes de la maison pour la poignarder, un jour où il aurait jeté un coup d'œil dans cette direction alors qu'il aurait été en train de faire les carreaux d'un autre appartement, et aurait à présent complètement oublié toute l'affaire. Qui est-ce qui fait vos carreaux ?

Si son objectif avait été de distraire un peu Emanuel, elle l'avait pleinement atteint. Il éclata de rire, puis alla leur chercher un verre.

– Les carreaux ne sont jamais nettoyés en présence des patients, expliqua Nicola. Et, de toute manière, nous ne faisons pas appel à un laveur de carreaux. C'est Pandora qui les fait. Il n'y a pas le moindre danger de tomber, tu comprends et, de toute façon, l'extérieur est à la charge de l'immeuble, parce qu'il s'agit d'un travail un peu particulier, en raison de leurs barreaux transversaux. Mais fais-moi le plaisir de t'étendre un peu plus sur tes fascinantes questions. D'où connais-tu Frederick Sparks ?

– Je ne le connais pas.

– Alors pourquoi te rends-tu à une soirée avec lui ?

– Parce que je suis Kate Fansler, la grande détective privée, fit-elle.

Et, subitement, elle songea: tout ça est très bien, des tas de questions se posent, et toutes s'emboîtent à la perfection, mais en connaîtrons-nous jamais les réponses? Et pourquoi le patient de dix-huit heures d'Emanuel s'est-il décommandé? Et c'était là, peut-être, la plus importante de toutes. Alors qu'elle venait à peine d'arracher Emanuel à son puits de désespérance insondable, elle menaçait d'y tomber à son tour, lorsque le téléphone sonna:

– C'est pour toi, Kate, l'appela Emanuel, de la cuisine.

– Mais personne ne me sait ici, protesta Kate en s'emparant du combiné.

– Je m'en suis douté, fit la voix de Reed au bout du fil, dans la mesure où ça ne répondait pas chez toi. Tu veux qu'on dîne ensemble?

– Je dîne déjà ici. Et, ensuite, je me rends à une soirée pour y rencontrer Frederick Sparks.

– Pourquoi ne pas m'amener avec toi? On le retournera comme un gant, à nous deux.

– Grotesque. Je me débrouillerai bien mieux toute seule. Si tu viens, et que quiconque découvre que tu es adjoint du District Attorney, on passera la soirée à discuter des raisons pour lesquelles tant de gens graissent la patte aux flics. Je suis déjà allée dans des soirées avec toi, l'aurais-tu oublié?

– D'accord, ingrate mégère, mais tu m'obliges alors à te livrer ma grande nouvelle par téléphone. J'espère ne pas me tromper en déduisant que personne, à part toi, ne peut m'entendre?

– Oh! tu peux, tout à fait.

– Parfait. Le Dr. Michael Barrister a été poursuivi à une certaine occasion pour faute professionnelle. Si l'on se fie aux apparences, c'était une affaire assez moche, mais elle est à présent réglée. Bien entendu, les médecins sont assurés contre les risques de fautes professionnelles.

– Qu'avait-il fait ?

– Apparemment, l'une de ses patientes aurait eu des poils qui commençaient à lui pousser sur la poitrine. Ça fait des années de ça, bien entendu.

– Tu essayes de faire de l'humour ?

– Même en me forçant, j'aurais du mal à inventer ça. Ne perds surtout pas de vue, Kate, que ça n'a peut-être aucune répercussion. La patiente, dans cette affaire, n'était en aucun cas liée à Janet Harrison. Mais je me suis dit que ça pourrait te ragaillardir d'apprendre qu'une personne au moins, dans cette ténébreuse affaire, s'en sortait avec son blason légèrement terni.

– Reed ! Est-ce que ça signifierait qu'ils se mettent pour de bon à enquêter dans d'autres directions ?

– Disons que je les y encourage. Mais ne va pas nourrir de faux espoirs. Il y a un fameux pas à franchir, des hormones au coup de poignard à domicile.

– Merci, Reed. Navrée, pour ce soir.

– J'espère bien, fit Reed, en raccrochant.

Lorsqu'ils s'assirent autour de la table pour dîner, Kate pria Emanuel de l'éclairer un peu sur la question des hormones. Il avança tout d'abord qu'il ne connaissait pas grand-chose à la question, pour n'avoir pas suivi de près les plus récents développements de cette discipline, en tout cas depuis l'époque de ses études de médecine, puis il entreprit, comme seul Emanuel savait le faire, de discourir sur le sujet. Au tout début, Kate ne comprenait qu'un mot sur trois, elle n'en comprit bientôt plus qu'un sur six et elle finit par n'en plus saisir par-ci, par-là, tous les douze mots environ, qu'une conjonction familière, puis elle décrocha complètement. Si cette affaire doit m'obliger à suivre une formation complète d'endocrinologue, se dit-elle, je ferais aussi bien de laisser tomber tout de suite. Et pourtant, à cet instant précis, le téléphone sonnait chez elle, toute une sérénade de sonneries insistantes laissées sans réponse, avec pour tout résultat la légère frustration du porteur d'un message dont le contenu, tant pour le trio qu'ils faisaient, attablés devant leur dîner, que pour une quatrième personne, marquerait le commencement de la fin.

11

Dès l'instant où Kate, sa bouteille à la main, arriva à la soirée, elle se sentit un peu comme le visiteur d'un parc d'attraction qu'on baladerait sans répit, d'un manège étourdissant à l'autre. Elle n'aperçut son hôte que le temps d'un éclair, le temps qu'il lui prenne la bouteille des mains, l'en remercie et la présente, dans un soliloque inaudible, aux cinq ou six personnes debout alentour. Ces dernières jetèrent un coup d'œil à Kate, décidèrent qu'elle était un spécimen dont elles possédaient déjà un nombre plus que suffisant d'échantillons dans leur collection, et se lancèrent dans une grande discussion portant sur quelque querelle interne à leur université, dont Kate ne parvint même pas à saisir l'enjeu, si enjeu il y avait. Lillian l'avait prévenue que lorsque les membres de ce département se réunissaient, ils ne discutaient que boutique, politique d'orientation de l'établissement, astreintes de l'emploi du temps professoral, lacunes et insuffisances de la gestion et excentricités spécifiques – au plan moral, physique, psychologique et sexuel – de leurs collègues absents. Ce à quoi Kate n'était nullement préparée, en revanche, c'est à la véhémence de ces discussions, à la vigueur et à la ferveur avec lesquelles on assénait des arguments qui, plus que probablement, avaient déjà été soulevés maintes et maintes fois.

Certaines facettes de cette réunion ne surprirent pas du tout Kate. L'une d'elles, entre autres, était la prodigieuse quantité de stimulants alcoolisés que pouvaient absorber les membres distingués de l'académie. Certes, ils n'étaient nullement des alcooliques invétérés mais, dans la mesure où ils appartenaient à une profession sous-payée, ils buvaient toutes les fois que l'occasion s'en présentait. Les éditeurs de manuels scolaires, qui avaient pris l'habitude, lors de toute convention universitaire officielle, de louer une pièce et d'y libéralement distribuer des boissons à l'œil, s'en étaient rendu compte depuis belle lurette. Kate ne fut pas non plus particulièrement éberluée qu'on ne discute nulle part de littérature. Ces gens, dont la profession était précisément l'étude de ladite littérature, n'en discutaient jamais lorsqu'ils se retrouvaient, à moins que la question n'ait une quelconque incidence sur le contenu de leurs cours ou sur leur répartition. Les raisons en étaient à la fois obscures et complexes, et Kate n'avait jamais sérieusement essayé de les analyser. Elle avait assisté à suffisamment de congrès de médecins, d'avocats, d'économistes et de sociologues pour savoir qu'il fallait déployer le talent d'un Svengali pour les amener à parler d'autre chose que de leur discipline d'élection.

Néanmoins, ici, les gens semblaient souffrir du fait qu'ils étaient les employés, non pas d'une institution pédagogique, mais d'un système bureaucratique. Tous ici étaient, dans une large mesure, de simples sous-fifres, pieds et poings liés et joliment enguirlandés de ruban rouge et, comme tous les employés du monde, ils se donnaient l'illusion de la liberté en discutant des instruments de contention qui les ficelaient, et en les ridiculisant. Kate eut une secrète bouffée d'affection pour sa propre université, où l'on combattait, Dieu sait avec quelle énergie, les antiques vices du favoritisme, de la flagornerie et de la simonie, mais où, au moins, les modernes horreurs de la bureaucratie n'avaient encore étouffé ni ses collègues ni elle-même.

– Mon dernier examen en 3.5, disait un jeune homme, avait été programmé pour le dernier jour de la période d'examens, et ils voulaient les notes dans un délai de vingt-quatre heures. J'ai fait valoir qu'il m'était humainement impossible de corriger trente-cinq copies dans ce délai sans gravement manquer à la plus simple équité, sinon nuire à leur pure et simple compréhension, et demandé pourquoi diable je ne pouvais pas rendre mes corrections trois jours plus tard? Savez-vous ce que m'a répondu le doyen de l'*Ultime Confusion* – vraiment répondu – assis, là, dans son immense bureau, pendant que le corps enseignant, bien loin naturellement de disposer d'un humble bureau, n'a même pas sous la main un tiroir où ses membres pourraient ranger leurs effets personnels? Il m'a dit: "Mais les machines IBM doivent commencer à opérer vingt-quatre heures après la date prévue pour la clôture de la période d'examens." Les machines IBM. Texto. Pourquoi, je vous demande un peu, pourquoi? Mais, au moins, j'ai découvert à qui profitait l'organisation de l'université. On savait déjà, au moins, qu'elle ne fonctionnait pas au bénéfice des étudiants ou du corps professoral; après tout, ce n'était ni Oxford ni Cambridge. J'aurais cru pour ma part qu'elle ne fonctionnait que pour engraisser l'administration, ou la Commission des bâtiments et du domaine. Mais pas du tout! Elle fonctionne pour le seul bénéfice des machines IBM. Et vous savez quoi? Alors que je remplissais toutes ces atroces petites cartes vertes pour la machine IBM, avec l'ignoble petit crayon réservé à cet effet, j'ai bien eu envie d'écrire : *Va te faire f...* en travers de ces saletés, juste pour voir ce que cette petite salope cybernétique de machine IBM allait bien pouvoir en déduire !

– C'est rien, ça. L'autre jour, j'ai reçu les résultats d'un de leurs tests d'aptitude, tous mis au point par des machines et ce taré d'orienteur scolaire...

Kate se déplaça en direction de Frederick Sparks, à pas mesurés, car elle ne voulait pas avoir l'air de se jeter à sa tête. Lillian le lui avait indiqué. Il était assis, rejeté en arrière dans le fond de son fauteuil, un verre à la main, et toisait l'assistance en affichant la douce autosatisfaction de l'homme qui est sorti grand vainqueur de son combat pour la titularisation, et n'est pas encore tombé, néanmoins, dans ce puits de ténèbres qu'est la course à l'avancement.

Kate s'assit sur une chaise voisine, car la plupart des gens, pour mieux faire valoir leurs arguments, restaient debout ; elle lui demanda, en faisant preuve d'un lamentable manque d'originalité, s'il avait du feu. Il exhiba un élégant briquet et alluma sa cigarette avec un moulinet du bras.

– Êtes-vous une amie de Harold ? s'enquit-il.

Mais, visiblement, il s'était déjà fait à l'idée que tel était bien le cas, car il poursuivit en lui demandant si elle enseignait, et où, le cas échéant. Kate le lui apprit. Il exprima très clairement son envie. Kate, non sans une certaine duplicité, lui demanda en quoi elle était à ce point enviable.

– Je vais vous donner un exemple, fit-il en faisant pivoter sa chaise pour lui faire face. Combien de circulaires ronéotypées avez-vous reçues jusqu'ici, dans le courant de ce seul semestre ?

– De circulaires ronéotypées ? Oh ! je n'en sais strictement rien. Quatre ou cinq, je présume, peut-être plus. Convocations à des réunions du service, ce genre de choses. Pourquoi cette question ?

– Parce que, moi, j'en ai reçu des centaines, oui, des centaines, voire des milliers, peut-être, à ce jour, comme d'ailleurs tout un chacun. Non seulement les annonces de réunions de la commission, se proposant de débattre de tous les sujets possibles et imaginables, mais les communiqués de l'administration : tous les étudiants portant des shorts ou des jeans trouveront portes closes ; nous rappelons au corps enseignant qu'il n'est pas permis de fumer dans l'escalier (celle-ci, bien sûr, est du dernier commode, dans la mesure où un homme et une femme du corps enseignant, si d'aventure ils sont fumeurs et désireux d'avoir cinq petites minutes d'entretien, devront soit se retirer dans le foyer, lequel est un nid d'intrigues politicardes, soit s'adonner l'un ou l'autre au travestissement et s'isoler dans les toilettes des messieurs ou celles des dames, puisqu'on a le droit d'y fumer, soit, tout simplement, fumer dans les escaliers, chose à laquelle ils se résignent d'ordinaire). Ou bien encore, vous pouvez recevoir une note de service vous annonçant que le taille-crayon a été déménagé dans la salle 804 (lorsqu'on ne l'a pas tout simplement installé dans un bâtiment extérieur). Ou encore, on vous apprendra peut-être que les ordures seront dorénavant ramassées dans la cour, et devront être déposées juste devant les fenêtres des salles de classe tous les après-midi entre treize et dix-sept heures. L'administration réalise parfaitement qu'une telle mesure rend techniquement impraticable toute forme d'enseignement (vous avez déjà entendu le vacarme que fait une benne à ordures, lorsqu'on se trouve à proximité ?) mais le corps enseignant doit impérativement comprendre que certains problèmes, dans la gestion d'une université, priment sur tous les autres. J'ai même reçu une fois une pure et simple horreur sous forme de stencil, me priant de venir débattre des moyens d'impartir plus de temps libre au corps enseignant, pour lui permettre de fournir un travail qui sortirait un peu des ornières habituelles. J'ai répondu en disant qu'à mon humble avis, la meilleure façon de gagner du temps, c'était encore de ne pas le perdre en colloques chargés d'en débattre. Comme je vous le disais, je vous envie donc.

– J'ai entendu dire qu'il fallait vous complimenter pour votre titularisation.

– Où avez-vous entendu dire ça? Les félicitations ne sont pas à l'ordre du jour. C'est de commisération, plutôt, dont j'ai besoin. Gustave est tout content, lui, parce que nous avons maintenant la garantie de manger régulièrement à notre faim, et d'avoir notre retraite assurée; mais, si j'en avais un tout petit peu dans le ventre, je leur dirais: "Bande d'imbéciles, gardez-vous bien de me titulariser; je suis déjà terriblement enclin à l'indolence, à la lassitude, à l'autosatisfaction et à la procrastination. Vous avez déjà bien assez de parasites dans cette ténébreuse institution, bien assez de cerveaux qu'aucune idée nouvelle n'a traversés depuis que la possibilité de la fission nucléaire y a fait son chemin; mais, non, vous êtes une institution gouvernementale: accordez-moi ce qui fait tant baver les masses: la sécurité de l'emploi." Bien entendu, il n'est pas interdit que je réussisse un jour. Que je parvienne à sortir des limites de l'enseignement.

– En écrivant un grand roman?

– Non. En devenant à mon tour un employé de l'administration. Alors, là, on m'offrira une moquette, un grand bureau rien que pour moi, un salaire un peu plus consistant et le droit de pleurer nostalgiquement le bon temps où j'enseignais. Voulez-vous autre chose à boire ?

– Cela, au moins, a son pendant exact dans mon propre établissement, fit Kate, en déclinant le verre d'un hochement de tête. Comme l'a si bien dit quelqu'un, la seule récompense au bon enseignement qu'on dispense, c'est le droit d'arrêter un jour d'enseigner.

Kate n'était pas vraiment dupe de son attitude. Sous ce brouillon amoncellement d'exagérations, et derrière l'allusion minaudière à son chien (elle aurait très bien pu demander : « Mais qui donc est Gustave ? »), elle soupçonnait l'existence d'un cerveau hors du commun et d'une personnalité inflexible. Elle ne doutait pas une seconde qu'il avait tout à la fois les tripes, les méninges et l'égoïsme nécessaires à l'accomplissement d'un meurtre au poignard, mais l'avait-il réellement perpétré ? Les plus fervents amis des chiens sont bien souvent ceux qui ne tolèrent d'autre amour que le muet, celui qui ne se pose jamais de questions. Il aurait certainement eu le culot de passer les coups de téléphone. Se pouvait-il qu'il ait été attiré par Janet Harrison, principalement parce qu'elle était renfermée et peu communicative et que, lui ayant offert son amour, il ait essuyé une rebuffade ?

– Combien de jours par semaine consacrez-vous à l'enseignement ? demanda-t-elle.

– Quatre, Dieu me vienne en aide. Et il se pourrait bien que ça passe à cinq au prochain semestre. J'ai la chance, au moins pour ce semestre-ci, d'avoir mon lundi libre.

– Et vous enseignez également le matin, les autres jours ?

Kate espéra que sa question lui semblerait moins dirigée qu'elle ne lui en faisait l'impression.

– Que je vous fasse admirer mon emploi du temps, fit-il, en fouillant dans sa poche intérieure. On pourrait croire qu'à ce point de l'année scolaire, je le connaîtrais enfin par cœur. Mais, de fait, nos emplois du temps sont tellement compliqués que si je ne devais me fier qu'à ma mémoire pour le retenir, il occuperait une telle place dans ma petite cervelle que j'en oublierais tout le restant, comme par exemple l'anglo-saxon.

Il lui tendit l'emploi du temps.

Ce dernier était effectivement peu banal. Il donnait un cours, désigné par le code 9.1 le mardi à neuf heures, le mercredi à quinze heures, le jeudi à dix heures et le vendredi également à dix (!) heures. Kate lui demanda la raison de cette bizarrerie, tout en réfléchissant. Voilà au moins ce qu'on appelle un alibi, limpide et sans rémission.

– Oh ! mais elle est en vérité très simple, à condition de jouir de la même tournure d'esprit, particulièrement tortueuse et chaotique, dont est affligé celui qui est chargé d'établir ces machins. Certains étudiants sont soumis à un emploi du temps de type P, ou Q, ou S, ou encore W. Ce qui implique qu'ils doivent nager certains jours à une certaine heure, manger à une certaine heure un autre jour et, sous aucun prétexte, ne se trouver dans les escaliers à la même heure le troisième. On mélange tout ça et on secoue bien, et on arrive au résultat que voilà. Ça débouchera parfois sur ce petit prodige qu'un même cours se déroulera à treize heures, puis à quinze heures, le même après-midi. Voilà au moins un réel défi pédagogique, s'il en est.

– Vous arrive-t-il de sauter des cours ?

– Jamais, à moins que quelqu'un ne soit à l'article de la mort. S'il vous est tout simplement impossible de donner cours, il vous suffira d'aller au-devant de vos petits chérubins et de leur dire de s'égailler dans la nature, Daddy ne se sent pas très bien aujourd'hui. Bien entendu, dans la mesure où c'est l'État qui paye, et non eux-mêmes ou leurs parents, ils décampent illico avec enthousiasme, persuadés d'y avoir gagné au change. Mais jamais vous ne devrez demander à un ami de vous remplacer. S'il se faisait voir (et les espions sont légion) la chose serait aussitôt rapportée à Big Brother, et vous auriez tous les deux à en répondre au moment de passer devant P. & B. Vous m'avez l'air, à mon plus grand ravissement, absolument horrifiée. Mais le fait est que, si le corps enseignant est bien le seul élément dont ne puisse se priver un établissement de haut niveau, c'est également le dernier qu'on prendra en considération. Lorsque, il y a plusieurs années de ça, le vaccin anti-polio est devenu obligatoire, on l'a d'abord administré aux membres de l'administration, puis au personnel des cuisines, puis aux gens des services d'entretien, puis enfin aux élèves et ensuite, ensuite seulement (en espérant qu'il restait encore un peu de sérum) aux membres du corps enseignant. Si quelqu'un avait su où leur faire la piqûre, il est probable qu'on aurait fait passer les machines IBM avant nous.

Impulsivement, Kate sortit de son sac à main ce qu'elle en était venue à considérer comme *la* photo et la tendit à Sparks.

– Auriez-vous déjà vu ce garçon? demanda-t-elle. J'ai pensé qu'il pouvait avoir fait partie de vos élèves, mentit-elle effrontément.

Sparks prit la photo et l'examina soigneusement:

– Je n'oublie jamais un visage, fit-il. Ce n'est pas pour me vanter, c'est la pure et simple réalité. Mais je ne me souviens jamais ni des noms ni des voix, ce qui, m'a-t-on dit, n'est pas totalement dépourvu de signification. Je n'ai pas l'impression, voyez-vous, d'avoir déjà vu ce type, mais j'ai pu le croiser dans les escaliers ou bien prendre l'ascenseur avec lui dans un immeuble de bureaux. Ça ne tient pas, pourtant, à la totalité de son visage ; les yeux ne collent pas. Mais la forme du visage... bah, ça ne sert à rien, mais si jamais je retrouve qui il m'évoque, je ne manquerai pas de vous le faire savoir. L'auriez-vous perdu de vue, d'une façon ou d'une autre ?

– Oui, pour tout vous dire. Je me suis dit qu'il était peut-être lié à l'une de mes étudiantes, Janet Harrison.

– Quoi ? Cette jeune femme qui a été poignardée sur un divan ? J'étais là quand ils ont découvert le corps, vous savez. C'était une de vos élèves ?

– Vous étiez là ?

– Mais oui. Il se trouve que Bauer est également mon analyste. En parlant de visage, justement, celui de cette femme était vraiment extraordinaire. Je venais parfois en avance, quand ce foutu métro ne me retardait pas, rien que pour le regarder.

– Vous ne lui avez jamais adressé la parole ?

– Sûrement pas. Comme je vous ai dit, je ne suis pas très branché sur les voix, à l'exception peut-être de la mienne, que j'adore positivement écouter. En outre, supposez que derrière ce visage, il y ait eu une horrible voix de nez, aiguë et nasillarde ? Je n'aurais plus jamais pris plaisir à le contempler. Dites-moi, au fait ? Est-ce que... ?

– Est-ce qu'elle avait une voix de nez ? Non. C'était une voix très calme, peut-être un peu anxieuse. Bauer est-il un bon analyste ?

– Oh ! que oui ! De tout premier plan. Il a le don d'écouter, d'entendre le non-dit, chose qui, dans mon cas, est de première importance.

Et, subitement, comme pour offrir à Kate une occasion d'écouter ce non-dit, il se rejeta en arrière et s'évanouit littéralement derrière un rideau plombé de silence. Kate, qui abhorrait les soirées et était fatiguée, se sentit soudain très déprimée. Reed avait raison. On ne jouait pas au détective comme ça, parce qu'on admirait Peter Wimsey et qu'un ami à vous était dans une effroyable panade. Elle avait débarqué dans une soirée, acculé ce type dans ses retranchements, abasourdi Lillian, et tout ça pour quoi ? Est-ce qu'on pouvait en déduire qu'il enseignait encore après dix heures, le jour du vol de l'uniforme ? Il avait maintenu son rendez-vous avec Emanuel. Pouvait-il être entré dans le dortoir des femmes pour cambrioler la chambre de Janet Harrison ? Ça paraissait bien invraisemblable. Se pouvait-il qu'il ait liquidé cette fille tranquille parce qu'il se méprisait lui-même d'avoir succombé aux appas d'une institution pour laquelle il n'avait que mépris ? Tu fais apparemment preuve d'un très réel talent pour poser des questions, se dit Kate, mais tu n'as pas encore apporté la moindre bribe de réponse.

Kate dit bonsoir et merci à son hôte qui, visiblement, ne se rappelait plus qui elle était, adressa un signe d'adieu à Lillian et se trouva un taxi. Et après ça, quoi ? On pouvait toujours espérer que Jerry avait déniché quelque chose du côté de Horan, mais il était prévisible qu'il n'obtiendrait pas plus de lui qu'elle-même n'avait obtenu de Sparks. Promis, aidez-moi à résoudre cette affaire, se jura Kate, et, si j'en viens à bout, jamais plus je ne poserai de questions, jusqu'à ma mort, sauf dans le domaine littéraire !

Fermement ancrée dans sa résolution, Kate paya sa course et pénétra dans le hall de son immeuble, pour y trouver Reed endormi sur une chaise. Elle le réveilla sans trop de délicatesse.

– Je voulais te voir, dit-il. Il me semble que si tu tiens absolument à jouer les détectives, tu ferais mieux de rester chez toi et de passer des coups de téléphone plutôt que d'aller t'enivrer dans des soirées, en t'imposant aux gens et en leur posant des questions idiotes.

– Tout à fait de ton avis, dit Kate, en l'introduisant dans son appartement.

– Je vais te préparer du café, dit Reed.

– On peut savoir la raison de tant de sollicitude ? C'est moi qui vais te préparer du café.

– Assois-toi. Je m'occupe du café et, après, je reviens te parler. Deux nouvelles choses se sont produites – l'une d'entre elles est proprement ahurissante et je vois mal, nom d'un chien, ce que je vais bien pouvoir en tirer, et l'autre est un peu effrayante. Je vais commencer par la plus effrayante.

De manière passablement horripilante, il disparut dans la cuisine, où Kate le suivit.

– Qu'est-ce qu'il y a ? J'ai passé la soirée assise sur une chaise. Emanuel aurait-il encore des problèmes ?

– Non. Toi !

– Ai-je des problèmes ?

– Quelle pure merveille que d'être professeur d'anglais. Tout autre que toi aurait dit : “Moi, des problèmes ?” La police a reçu une lettre, Kate. Anonyme, bien entendu, et dont on ne retrouvera jamais l'auteur, mais ils accordent beaucoup moins d'importance à ce genre de détails qu'ils ne voudraient le faire croire. Elle est rédigée de façon très cohérente, et t'accuse du meurtre de Janet Harrison.

– Moi ?

– Elle prétend, d'une part, que l'article que tu as publié il y a un mois, dans je ne sais quelle revue érudite, sur l'usage dont faisait James de l'héroïne américaine, aurait été écrit par Janet Harrison, à qui il aurait été volé. Tu n'aurais pas suffisamment publié jusque-là, et tu t'inquiétais pour ta carrière. Elle prétend, d'autre part, qu'Emanuel et toi avez été amants, que tu serais toujours amoureuse de lui, que tu lui en voulais d'avoir épousé Nicola, et que tu avais prémédité de te débarrasser de la fille, qui était devenue une menace pour toi, en même temps que tu détruisais la vie d'Emanuel et, par contrecoup, celle de Nicola, que tu détestes. Elle met plus loin l'accent sur le fait que tu n'as pas d'alibi, que tu connaissais intimement la maisonnée des Bauer, et suffisamment bien la fille pour avoir obtenu d'elle qu'elle te fasse des confidences, et pour aller t'installer derrière elle. Elle se livre, en outre, à quelques autres accusations, mais je t'ai cité là les principales. Oh ! et elle fait également allusion au fait que tu as cambriolé la chambre pour faire place nette et détruire toutes les notes qu'elle aurait pu laisser, relativement audit article. Bon, maintenant, apaise-toi et écoute-moi une petite minute. Elle n'explique nullement pourquoi tu aurais publié cet article, pour ne commencer à t'affoler qu'après sa parution. Mais, dans l'ensemble, elle tient pas mal la route et la police la prend très au sérieux. Ils ont également noté que tu passais beaucoup de ton temps chez les Bauer, dans le but peut-être d'éliminer les éventuels indices, et que tu as cherché à rencontrer Frederick Sparks ce soir, parce qu'il aurait peut-être été témoin de quelque chose, et que tu souhaitais découvrir de quoi il retournait exactement.

– Comment ont-ils appris où j'étais ce soir ? C'est toi qui le leur a dit ?

– Non, très chère, je n'ai pas fait ça. Ils ont extorqué l'information avec beaucoup de doigté aux Bauer eux-mêmes.

– Et c'est pour cette raison que tu voulais venir le voir avec moi ?

– Non. Je n'ai eu vent de tout ceci qu'après coup. Étant donné que je fourre mon nez dans quelque chose qui ne me regarde pas, j'ai du mal à obtenir mes informations au moment où elles sortent toutes chaudes du four. Prenons donc un peu de café.

Kate lui toucha le bras :

– Reed… ajoutes-tu foi à tout cela ?

Mais il avait déjà installé tasses, soucoupes, petites cuillers, sucre, lait et cafetière sur un plateau, et les emportait dans le salon.

12

– Est-ce que tu y crois, Reed. Non, ne me sers pas de café, je serais incapable d'en avaler une goutte.

Reed lui servit néanmoins du café et installa sa tasse devant elle.

– J'ai dit que j'avais des nouvelles effrayantes ; mais je n'ai pas dit effroyables. Et si tu me demandes encore une fois si j'y crois, je te frappe. Toute autre considération mise à part, me crois-tu vraiment capable d'aider une personne, même si j'éprouve pour elle affection et reconnaissance, à dissimuler un meurtre ? La vérité, c'est que je te connais, toi, alors que je ne connais pas Emanuel et que, par ce biais, je commence à mieux comprendre ce que tu pouvais ressentir en voulant lui porter secours. C'est déjà quelque chose, pas vrai ? À présent, s'il te plaît, bois ton café. Non, Kate, je t'en prie, Kate, pas ça. Comme j'en apporterai la preuve dans une seconde, il s'agit de la plus belle embellie qui se soit présentée à toi dans ta croisade pour sauver Emanuel. Tu ne t'attendais tout de même pas, en allant combattre les dragons, à t'en tirer sans une seule égratignure au petit doigt, n'est-ce pas ? Tiens, prends le mien. Je n'ai jamais compris comment il se faisait que les femmes n'avaient jamais de mouchoirs, sauf dans leur sac à main, qui est la plupart du temps dans une autre pièce. Et je ne t'ai pas encore révélé ma nouvelle fascinante.

– Ça ira mieux dans une seconde. Et, tu sais, on ne m'a pas retrouvée à côté de cette fille, après tout. Comme Emanuel doit se sentir mal... totalement victime des circonstances ! Et sais-tu quelle est la première chose qui me soit venue à l'esprit – la première horrible petite idée sournoise, mesquine, qui m'a traversé la tête – comment vont-ils réagir à l'université ? Comment pourraient-ils accepter encore dans leurs rangs un professeur qui a été accusé de meurtre ? Pourtant, c'est bien loin de me toucher d'aussi près qu'Emanuel. Qui a bien pu envoyer cette lettre, Reed, à ton avis ?

– Ah ! je constate que les rouages se sont remis à fonctionner, Dieu merci ! C'est justement le problème. Tu as fichu la trouille à certaines personnes, ma chère, et dans les grandes largeurs, encore. Certes, ce serait peut-être sauter un peu hâtivement aux conclusions que déduire que tu es bien celle qui les a effrayés du seul fait que cette lettre anonyme t'accuse. Peut-être n'es-tu, tout simplement, que la seule victime qu'ils avaient sous la main, la seule qui offrait toutes les qualifications requises pour que leur lettre soit prise en considération, ne serait-ce que pour un court laps de temps. Mais ils – j'entends par là, bien sûr, il ou elle – mais l'anglais manque par trop, hélas, de pronom personnel singulier unisexe. (Te souviens-tu de ton instituteur, disant : "Tout le monde, fille ou garçon, prend son ouvrage – dessin ou couture – et l'apporte dans l'autre pièce" ?) Où en étais-je, ah oui, ils-il-elle a donc craint que tous ces fils que tu avais si proprement réunis dans ta main ne finissent par former une corde. Pour le moment présent, la question de confiance, c'est : Quels fils exactement avons-nous entre les mains, et pouvons-nous parvenir à les démêler avant de tresser ne serait-ce qu'un petit bout de ficelle ?

– Reed, tu es adorable. Tu es vraiment très gentil, tu sais, même si je ne te l'avais encore jamais dit. Il y a une chose que je dois t'avouer.

– Oh ! oh ! ça me semble bien terrible. Tu ne vas tout de même pas me confesser à présent quelque épouvantable ânerie, après m'avoir dit que j'étais la crème des hommes ? Qu'as-tu donc fait ?

– Eh bien, en fait, j'ai engagé Jerry.

– Jerry ! Kate, ne viens pas me dire que tu as embauché un détective privé ! Ça ne manquerait pas d'aggraver encore plus terriblement la confusion qui règne déjà bien assez.

– Non, Jerry serait plutôt une espèce d'irrégulier de Baker Street, et il va bientôt devenir mon neveu.

– Tu n'aurais pas recouru aux services d'un petit garçon, tout de même ? Vraiment, Kate…

– Ne sois pas stupide. Comment un petit garçon pourrait-il devenir mon neveu ?

– Je n'en ai pas la moindre idée. Ta sœur envisage peut-être de l'adopter.

– Reed, écoute-moi, plutôt. Bien sûr qu'il ne s'agit pas d'un petit garçon, et je n'ai pas non plus de sœur. Mais, en revanche, j'ai une nièce, et elle est fiancée à Jerry, lequel se trouve en ce moment entre deux emplois, et peut donc consacrer son temps à parler à des gens que je n'ai pas la possibilité de voir en personne.

– Tu n'es pas assez vieille pour avoir une nièce en âge de se marier, ou bien se pourrait-il qu'on se fiance maintenant à quatorze ans, au jour d'aujourd'hui ? Et, s'il te fallait absolument quelqu'un, pourquoi m'avoir écarté, moi ? Le fait d'être fiancé à ta nièce lui conférerait-il une meilleure qualification professionnelle pour cet emploi ?

– Essaye un peu de comprendre, Reed. Tu as ton travail, tout comme moi, et tu n'as pas le temps d'aller fouiner dans les coins toute la journée durant, même si tu le voulais, chose qui, au demeurant, étant donnée la nature de ton job, te serait interdite. Quoi qu'il en soit, tu refuserais de prendre tes ordres de moi ; tu te contenterais de rester assis, à ergoter interminablement.

– J'espère bien. Kate, on ne peut vraiment pas te laisser la bride sur le cou.

– Je commence à le croire. Malgré tout, si tu voulais bien avoir l'amabilité de te taire, le temps au moins de siroter une autre tasse de café, par exemple, je pourrais t'exposer les résultats auxquels Jerry et moi sommes parvenus jusqu'ici. Ce que je peux en savoir, tout du moins. Jerry ne me rendra compte que demain dans la matinée de ses activités d'aujourd'hui. Nous pourrons alors, peut-être, voir grosso modo où nous en sommes, et tu m'apprendras ensuite ta fascinante nouvelle.

Et, après lui avoir décrit Jerry, elle lui narra l'affaire de la livrée du concierge, ce qui lui remit en mémoire sa conversation avec Jackie Miller, de sorte qu'elle la lui raconta également, comme elle lui exposa les enquêtes qu'elle avait menées aux archives de l'université, et le projet qu'avait Jerry de faire la connaissance de Horan et de l'infirmière.

Reed prit les choses plutôt bien, tout bien pesé. Il retourna les faits dans sa tête – si faits il y avait réellement, souligna-t-il.

– Tu réalises probablement, fit-il, que cette inénarrable Jackie Miller détient peut-être la clef de toute l'énigme, toujours à supposer que quelqu'un ait bien aperçu Janet Harrison en compagnie d'un homme, et que cet homme ait un quelconque rapport avec cette affaire, même si ça fait beaucoup de suppositions d'un seul coup. En attendant, permets-moi d'ajouter mon information aux tiennes. Et ne va surtout pas t'exciter en l'entendant. Ça pourra peut-être te sembler mirifique mais, plus j'y repense, moins ça fait sens. Je pourrais même dire que plus j'y repense, plus ça me paraît incongru. Et, ma jeune et jolie dame, nous allons devoir revenir très sérieusement sur toute cette histoire de Jerry. Comment as-tu pu une seconde envisager d'embaucher – je présume que ça sous-entend que tu lui verses de l'argent, pour aller au-devant des ennuis et remuer la vase – mais comment as-tu pu envisager...

– C'est quoi, ta fascinante nouvelle, Reed ? Allons, écoutons ça, discutons-en et, quand on sera arrivé à la conclusion que c'était purement et simplement une bouffonnerie, on pourra toujours se chamailler à propos de Jerry en prenant le petit déjeuner – je suppose qu'il sera largement l'heure du petit déjeuner, quand on en sera là.

– Très bien. Je t'ai déjà parlé de Daniel Messenger.

– Je sais, oui. Il s'occupe de quelque chose ayant trait aux gènes des Juifs.

– Kate, ça suffit comme ça. Je m'en vais. Tu vas passer une bonne nuit de sommeil et demain, – à un moment donné, quand tu te sentiras bien reposée...

– Pardon. Tu me parlais de Daniel Messenger, et de...

– Je t'ai dit, bien que tu n'aies pas encore été prête, autant qu'il m'en souvienne, à admettre cette évidence, que le Dr. Messenger ne ressemblait en rien à l'homme de notre photo. Que nous avions dépêché un jeune inspecteur pour interroger ce bon docteur et que, visiblement, nous avions gaspillé en vain son temps et son énergie, en même temps que l'argent des contribuables. Messenger n'avait jamais entendu parler de Janet Harrison, jamais entendu parler d'Emanuel Bauer, ne professait pas d'opinions particulières sur la psychiatrie en général, et n'était en tout cas jamais sorti de Chicago au cours des semaines qui avaient précédé et suivi le meurtre. En outre, s'il n'avait pas la moindre idée des raisons qui avaient pu pousser Janet Harrison à lui léguer son argent, il a lui-même émis la suggestion qu'il pouvait très bien s'agir d'un autre Daniel Messenger. Ce qui, bien entendu, était tout simplement grotesque. Elle l'avait très clairement désigné lui, en personne – savait, par exemple, où et quand il exerçait ses fonctions, connaissait la nature de son travail, et ainsi de suite. L'avoué lui avait conseillé d'inclure l'adresse de l'homme, son âge, et tutti quanti, ce qu'elle avait dûment fait. Il s'agissait bel et bien de lui, sans l'ombre d'un doute. Comme tu peux voir, Kate, un petit problème pas piqué des vers, encore que bien typique de cette très éprouvante affaire – et notre jeune détective était sur le point de jeter l'éponge lorsqu'il a subitement songé à une chose tellement évidente qu'il s'avérera probablement un génie par la suite, un petit gars qui ira loin dans ce monde – le propre des idées de génie étant de sembler tomber sous le sens une fois que le génie les a découvertes. Le détective possédait naturellement une copie de la photo retrouvée dans le portefeuille de Janet Harrison, dans le seul but de s'assurer qu'il ne lui ressemblait pas, même avec beaucoup d'imagination. Et, juste avant de quitter le docteur, sur une impulsion, alors que personne n'avait songé à lui demander de le faire, il a montré ladite photo à Messenger. Comme ça, sans plus, à ce qu'il semble, au cas où, sans rien en attendre de bien précis. “Je suppose que vous ne connaissez pas cet homme”, lui a-t-il dit, ou quelque chose de ce genre. À ce qu'il paraît, Messenger aurait fixé la photo pendant un bon bout de temps, à tel point que l'inspecteur s'est même fait la réflexion qu'il devait être plongé dans une sorte de transe – tu sais combien les secondes semblent interminables à celui qui attend une réponse – puis Messenger a regardé l'inspecteur et lui a dit : “C'est Mike.”

– Mike ? s'enquit Kate.

– Exactement ce qu'a dit l'inspecteur : “Mike ? Mike qui ?” Et, à ton avis, que lui a répondu le bon docteur ?

– Oh ! Seigneur, pas de devinettes, s'il te plaît. J'en suis folle, c'est bien simple. J'ai droit à combien de coups, papa ? Au nom du ciel, qu'a-t-il répondu ?

– “Mike qui ?” a-t-il dit ; “Mais Mike Barrister ; on partageait la même chambre, il y a des années de ça.”

– Mike Barrister ? fit Kate. Le Dr. Michael Barrister. Reed ! C'est le lien que nous espérons depuis le début. Je savais que, tôt ou tard, certains de nos petits faits isolés finiraient par s'emboîter. Janet lègue son argent à Messenger, Messenger a connu Michael Barrister autrefois, et Michael Barrister a installé son cabinet en face de celui d'Emanuel. C'est sublime, Reed !

– Je sais que c'est sublime. L'espace, du moins, d'une brève, fulgurante, éblouissante seconde. Mais, une fois que tes oreilles ont cessé de bourdonner, et que tu commences à réfléchir un tant soit peu, ça reste certes toujours aussi sublime, mais ça ne signifie strictement rien.

– Grotesque ! Elle a été assassinée pour son argent.

– Même en supposant qu'il y ait eu assez d'argent en jeu pour que ça vaille la peine de tuer quelqu'un

– ce que je ne crois pas une seconde – qui l'aurait tuée ? Pas Messenger, en tout cas. Il n'a pas quitté Chicago. Et même si nous acceptions de retomber sur l'hypothèse du tueur à gages, dont tu admettras toi-même qu'elle est ridicule, il n'y a pas une enquête au monde qui n'aboutira à la démonstration que Messenger est la dernière personne qui aurait pu faire une chose pareille. Il n'a pas un besoin frénétique d'argent, ça, au moins, nous le savons, grâce à la coopération de sa banque. Sa femme travaille comme secrétaire et, même s'ils ne roulent pas sur l'or, ils sont loin d'être acculés. Très loin de là, même, semble-t-il, parce qu'ils ont tranquillement économisé pour envoyer leurs filles au lycée. Ils n'ont pas de goûts dispendieux – leur conception des vacances de rêve étant d'aller camper dans les recoins les plus septentrionaux du Michigan. Ils ne sont pas endettés, à moins d'appeler dette l'hypothèque qui pèse sur leur maison ; mais si tel était le cas, les États-Unis auraient plusieurs millions d'assassins sur les bras. Je sais, Kate, ton esprit, en ce moment même, se tourne vers ton candidat d'élection, le Dr. Michael Barrister. Nous savons donc aussi de lui qu'il a été poursuivi pour faute professionnelle, encore qu'il m'ait été donné d'apprendre par la suite que, dans leur grande majorité, ces poursuites n'étaient pas fondées, et que tout praticien, en exerçant, se met plus ou moins en position d'être ou non attaqué par un quelconque cinglé, qui lui en veut de n'avoir pas trouvé le traitement miracle pour son cas particulier, ou qui a entendu dire par ailleurs que tel traitement eût été préférable à tel autre. Mais, même en partant du principe que lesdites poursuites étaient justifiées, le seul fait d'avoir été attaqué pour faute professionnelle ne fait pas automatiquement de vous un meurtrier. Et, le cas échéant, pourquoi Barrister s'en serait-il pris à une fille qu'il n'a jamais vue, et ce pour le seul plaisir de laisser à un type qu'il n'a plus revu depuis la nuit des temps une somme d'argent finalement pas très conséquente ?

– Peut-être Barrister voulait-il uniquement créer des ennuis à Emanuel ; peut-être hait-il Emanuel, pour je ne sais quelle raison insensée ?

– C'est possible, mais on voit mal quelle pourrait être cette raison. Tout ce que nous en savons, c'est qu'Emanuel, lui, ne semblait pas l'apprécier outre mesure. Mais que vient faire Messenger là-dedans ? En quoi ce fait sur lequel nous nous excitons tant – que Messenger et Barrister se connaissent – a-t-il une quelconque incidence sur les sentiments que Barrister peut porter à Emanuel ? Emanuel et Messenger ne se connaissent pas, pas plus qu'Emanuel et Barrister, mis à part qu'ils partagent fortuitement le même immeuble. C'est assurément un fait sublime, Kate, mais qui ne débouche sur rien. Strictement sur rien.

– Une minute, Reed, tu es en train de m'embrouiller. J'admets volontiers que Messenger, aussi utile soit-il, n'a pas beaucoup contribué à clarifier la situation. Mais, au moins, nous connaissons à présent l'identité du jeune homme de la photo. Comment se fait-il, au fait, que nous ne l'ayons pas reconnu nous-mêmes ?

– En ce qui me concerne, je ne l'avais jamais vu. Et toi, tu ne l'avais entraperçu que très brièvement. Tu m'as bien dit que cette photo te rappelait quelqu'un, non ? Un homme peut énormément changer entre le moment où il n'a pas encore trente ans et celui où il devient un homme fait, un quadragénaire. Souviens-toi, Messenger n'avait jamais revu Barrister depuis, à notre connaissance en tout cas. Il n'a vu que l'homme encore jeune avec qui il partageait autrefois sa chambre. Si je te montrais la photo d'une fille avec qui tu allais au lycée, tu me dirais probablement: "Oh! mais bien sûr, c'est Sally Jones. Elle portait toujours des pulls moulants, et elle zozotait." Mais si je te montrais une photo de Sally Jones telle qu'elle est actuellement, tu pourrais parfaitement me répondre que tu ne vois pas du tout qui ça peut bien être.

– D'accord, continue de jouer l'avocat du diable. Il n'en reste pas moins que le Dr. Michael Barrister occupait le cabinet d'en face, qu'il est celui qui a déclaré que la fille était morte – à Nicola, tout du moins – et que, tout ce temps, sa photo était dans le portefeuille de la victime.

– Et qu'elle y avait été déposée par le meurtrier.

– Que le meurtrier a ratée, tu veux dire; elle était pliée à l'intérieur de son permis.

– À moins qu'elle n'ait été placée là délibérément, pour nous mener tout droit dans l'impasse où nous en sommes actuellement.

– Zut. Zut, zut et rezut.

– Entièrement de ton avis. Mais il me vient une idée. Sparks t'a dit que ce visage lui paraissait familier, si tu m'as bien répété ses termes exacts. Aurait-il pu avoir connaissance de l'identité de la personne apparaissant sur cette photo, et la placer lui-même? Il me fait l'effet d'un individu à manipuler avec le plus grand ménagement.

– Nous devrions peut-être montrer une photo de Sparks à Messenger. On aurait peut-être la surprise d'apprendre qu'ils ont joué jadis au base-ball dans la même équipe, aux jours bénis de leur tendre, tendre enfance. Je ne me souviens pas avoir demandé à Sparks d'où il était. Quoi qu'il en soit, ils ont peut-être participé au même camp scout, à l'époque où Sparks séjournait chez sa vieille tante, dans la ville natale de Messenger.

– Je vois mal pourquoi Messenger reconnaîtrait tout le monde dans cette affaire, mais je conviens que ce ne serait peut-être pas une mauvaise idée que de lui montrer les photos de tous les protagonistes, à condition qu'on puisse toutes les obtenir.

– Au moins, nous nous éloignons de plus en plus d'Emanuel, Reed. Même si, ajouta-t-elle, se remémorant soudain la première des nouvelles que Reed lui avait annoncées, c'est pour, à ce qu'il semble, se rapprocher de plus en plus de moi, ou friser le chaos le plus total. N'empêche que nous bougeons. Qu'allons-nous faire, maintenant ? Nous avons bien entendu complètement oublié l'existence de Horan ; si ça se trouve, c'est lui qui l'aura tuée, dans le cadre de quelque campagne publicitaire. Et le lien Barrister-Messenger n'est que pur hasard. Au fond, la vie est pleine de coïncidences, comme le savait déjà Hardy, même si personne n'ose se l'avouer. Ah ! mon cher, je commence réellement à tourner en rond. Reed, une dernière question, avant que je ne sombre dans le bienheureux coma du sommeil : où Barrister était-il, le matin du meurtre ? La police a-t-elle réussi à l'établir ?

– Dans son cabinet, lequel grouillait de patientes, dont certaines dans la salle d'attente et d'autres dans les salles de consultation. Je présume qu'on va devoir à présent revenir là-dessus de façon plus approfondie, encore que la police n'ait pas paru trop se poser la question de son alibi, dans la mesure, je veux dire, où il était ailleurs, absolument et indiscutablement. Je commence moi-même à me sentir passablement vaseux.

– Eh bien, j'aurai dans la matinée des nouvelles de Jerry à propos de Horan. Et de l'infirmière. Peut-être que Jerry…

– Oh ! c'est vrai, nous devons absolument parler de Jerry. Kate, je veux que tu me promettes…

– Inutile, Reed, je ne me souviendrais même pas de ce que je t'ai promis. Et, demain, il y a encore *Daniel Deronda*. Sans parler de mes autres cours. J'espère que cette lettre ne paraîtra pas dans la presse.

– Je crois que je peux au moins te promettre ça.

– Qui peut bien l'avoir envoyée, à ton avis ?

Mais Reed était déjà à la porte. Elle lui fit un geste d'adieu ensommeillé, ignora délibérément les reliefs de leur café et laissa retomber ses vêtements en un petit tas sur le sol. Elle était persuadée qu'elle n'arriverait jamais à trouver le sommeil, tant que Messenger, Barrister, Emanuel, Sparks et Horan continueraient de tourbillonner dans sa tête à la manière d'un kaléidoscope et elle en était toujours aussi convaincue au matin, quand Jerry (car elle avait omis de régler le réveil) la réveilla.

13

– Heureusement que vous m'aviez laissé une clef, dit Jerry, parce que j'aurais pu sonner longtemps, en déduire que vous aviez été assassinée et prévenir la police. Vous avez la gueule de bois, ce n'est que ça ?

– Je n'ai pas la gueule de bois, du moins pas à la suite d'une beuverie. Sors d'ici, que je puisse me lever. Va plutôt préparer du café. Tu sauras ?

Pour toute réponse, Jerry gloussa jovialement, et sortit de la chambre. Kate se souvint, un peu tard, qu'il avait été cuistot à l'armée, et que son café…

– Laisse tomber, cria-t-elle, je m'en occupe.

Mais Jerry qui, déjà, faisait couler de l'eau, ne l'entendit pas.

Il s'avéra que Jerry, qui se glorifiait d'ignorer goutte à goutte, filtres et percolateurs, avait sans plus de façons versé du café moulu dans une casserole d'eau en ébullition ; le résultat était, de façon plutôt surprenante, assez exquis, à condition de verser avec précaution. Kate, quelque peu régénérée par sa douche et trois tasses de ladite décoction, nettoya un peu les décombres de la nuit précédente et s'efforça de suffisamment se clarifier les idées pour décider de la suite. Le compte rendu que lui avait fait Jerry de ses activités de la veille (passablement censuré, et ne faisant aucunement allusion à sa filature d'Emanuel) n'aidait guère, semblait-il, à dissiper le brouillard qui pesait sur le cours que prendraient leurs entreprises. Il était patent qu'il n'aurait jamais dû aller trouver l'infirmière de Barrister avec cette histoire idiote ; mais Kate n'arrivait pas à s'en inquiéter autant qu'elle aurait normalement dû le faire. L'idée n'avait pas tardé à poindre en elle que cette matinée était l'occasion d'un nouveau départ. Reed, à n'en pas douter, aurait avant tout insisté pour qu'elle commence par remercier et révoquer Jerry. Mais Kate savait d'instinct que Jerry aurait son rôle à jouer dans les plans encore nébuleux qui prenaient forme dans sa tête, dès qu'ils se seraient cristallisés. Elle n'avait personne d'autre à sa disposition.

Huit jours s'étaient maintenant écoulés depuis le crime et, d'ores et déjà, des enchaînements d'événements plus horripilants les uns que les autres semblaient former la matière dont étaient pétries les journées de Kate. Elle se rassit à la table, face à Jerry, et réalisa qu'elle était en train de prendre son café du matin avec un jeune homme dont, si les événements avaient suivi leur cours normal, elle n'aurait strictement su que faire. Les gens qui, deux semaines plus tôt, avaient occupé dans sa vie le devant de la scène, s'étaient à présent fondus dans le clair-obscur de l'arrière-plan, perdus de vue. Les diverses activités, littéraires ou autres, qui naguère encore mobilisaient tout son intérêt, surnageaient à présent dans un flou artistique, à la périphérie de sa conscience. Ce qu'elle recherchait au premier chef, bien entendu, c'était à réintégrer cet univers, moins chaotique, plus ordonné, d'il y a une quinzaine à peine. Carlyle (auquel elle n'avait pas accordé la moindre considération depuis huit jours) était censé avoir dit, ayant appris qu'une jeune demoiselle avait décidé d'accepter le monde tel qu'il est : « Morbleu ! Elle aurait intérêt ! » Kate ne demandait que ça, songeait-elle : accepter cet univers, le restaurer. Il avait volé en éclats, mais elle avait peine à se départir de la certitude qu'avec un effort un peu soutenu et une prière, on pouvait encore le réparer.

– Aucune bonne idée ? demanda Jerry.

– Ce ne sont pas les idées qui manquent, répliqua Kate, mais l'aptitude à leur donner un sens. Je commence à penser qu'Alice n'était absolument pas au pays des merveilles ; mais qu'elle essayait de résoudre un meurtre. Nos suspects les plus juteux ne cessent de disparaître l'un après l'autre, en ne laissant que leur sourire derrière eux ; et d'autres se transforment en cochons. On nous tend un grand flamand rose disgracieux, et on nous prie de jouer au croquet avec. Et, tout en courant à perdre haleine, nous ne faisons pas seulement du sur place, nous reculons, carrément. Il y a quelques jours encore, nous disposions d'un certain nombre de suspects parfaitement présentables ; aujourd'hui, il ne nous reste plus que l'héritier de la victime, et il n'a pas le moindre lien avec l'affaire. Au fait, je ferais peut-être aussi bien de t'en parler.

Elle lui rapporta l'histoire du testament de Janet Harrison, et lui apprit que Messenger avait reconnu la photo. (Sans rien lui dire de la lettre anonyme qui l'accusait.) Jerry, naturellement, fut ravi d'apprendre qu'il s'agissait de la photo de Barrister et Kate dut le prendre par la main pour le conduire péniblement jusqu'au point où on l'avait elle-même conduite la veille au soir, c'est-à-dire à réaliser qu'aussi excitante que cette nouvelle puisse paraître, on ne pouvait rien en tirer de positif.

– La réponse, c'est sûrement Messenger. Probablement un type des plus sinistres, avec un toupet d'enfer.

Après tout, poursuivit Jerry, nous ignorons tout de ses réels rapports avec Janet Harrison. Nous n'avons que sa parole.

– Mais il nie avoir jamais entendu parler d'elle avant d'avoir appris son meurtre.

– Après l'avoir tuée, voulez-vous dire.

– Alors pourquoi identifier la photo, si ça devait l'impliquer davantage.

– Ce n'est pas lui qu'il a impliqué ; mais Barrister. De toute évidence, il ne s'attendait absolument pas à ce qu'on le rattache à toute cette affaire. Il ignorait qu'elle avait fait un testament.

– Pourquoi la tuer, alors, s'il ignorait l'existence du testament ? L'argent est censé être le mobile.

– Peut-être que ce n'était pas pour l'argent ; et peut-être aussi que oui, mais en espérant alors qu'on ne retrouverait pas le testament.

– Jerry, ton cerveau se ramollit. Si on ne retrouve pas le testament, l'argent lui échappe. Mais, quel que puisse être son mobile, il n'a pas quitté Chicago à cette période. Et ne viens pas insinuer qu'il aurait pu embaucher un tueur – je n'ai tout bonnement plus la moindre envie de revenir là-dessus.

– Je n'ai pas l'impression que cette affaire améliore votre humeur – vous recommencez à monter sur vos grands chevaux. Vous avez surtout besoin de vacances.

– Ce dont j'ai besoin, surtout, c'est d'une solution. Essaye de rester tranquille une minute et laisse-moi réfléchir. Ce n'est peut-être pas une activité dont j'attends des résultats spectaculaires, mais c'est la seule qui me vienne à l'esprit pour le moment. Au fait, en partant du principe qu'on peut réussir à faire un si bon café juste en balançant les grains moulus dans une casserole, comment se fait-il qu'on trouve sur le marché tant de marques différentes, et hors de prix, de cafés du torréfacteur ?

– Seriez-vous en train d'essayer de m'extorquer mon speech favori sur la publicité et la distorsion des valeurs en Amérique ? Je fais ça très bien, et je suis même célèbre pour avoir convaincu mes futurs beaux-parents, à qui une pub bien tournée avait mis en tête qu'il leur en fallait une séance tenante, de s'économiser l'achat d'un broyeur de glace pilée. Peut-être que si je me lançais maintenant dans mon discours, ça stimulerait vos fonctions cérébrales. Prête ? Il y a bien des années, les objets de la convoitise d'un homme se répartissaient en deux groupes très clairement distincts : les objets qu'il désirait posséder parce qu'il en avait besoin, et les choses qu'il désirait posséder parce qu'elles avaient tout bêtement éveillé son désir. Il n'arrivait jamais à notre homme de les confondre, ni non plus de se persuader qu'il avait besoin de ce dont il n'avait qu'envie. Les puritains...

– Comment la police peut-elle savoir avec certitude qu'il n'a pas quitté Chicago ?

– Je me le suis demandé moi-même, dit Jerry. Ses collègues disent que, mais oui, bien sûr, le petit gars Danny a travaillé toute la journée dans son laboratoire ; nous l'avons entendu parler, nous avons entendu cliqueter ses éprouvettes, ou sa machine à écrire mais, bien entendu, il n'existe ni enregistrement ni traces écrites. Vous avez vu *Laura* ? En parlant de traces, est-ce qu'on n'en conserve pas la trace quelque part, quand quelqu'un prend l'avion de New York à Chicago ?

– Je présume que oui. Une liste des passagers est établie pour chaque vol.

– Alors, c'est qu'il aura sans doute voyagé sous un faux nom, ou bien pris le train. Il me semble à moi que la prochaine chose à faire, c'est d'aller interroger le Dr. Daniel Messenger. Même s'il se révèle blanc comme neige au bout du compte, il nous apprendra peut-être quelque chose sur Barrister, ou sur la vie en général, ou du moins sur les gènes. Qu'avons-nous à perdre, à part un aller-retour pour Chicago et quelques jours ?

– Je ne dispose pas de ces quelques jours.

– Je sais ; et je n'ai pas de quoi me payer le voyage à Chicago. Je suggère d'allier mon temps à votre argent pour m'envoyer là-bas. Je vous promets de ne pas me laisser aller, cette fois-ci, à la moindre ineptie ; permettez-moi de me faire une petite idée de lui.

Kate avait déjà plus ou moins envisagé cette solution. Elle aurait adoré pouvoir s'entretenir elle-même avec Daniel Messenger. Mais s'il était au monde une chose qui ne souffrait pas la discussion, c'est qu'elle allait devoir persévérer dans son train-train quotidien – c'était une chose que d'être accusée de meurtre ; mais c'en était une autre, et bien différente, que d'abandonner son poste. Jerry se fiait beaucoup plus aveuglément que Kate à la validité de son flair. Ça n'avait rien de vraiment personnel : Jerry faisait montre du maximum de sens commun qu'on pouvait espérer d'un garçon de son âge. Le fait demeurait pourtant que les jeunes n'ont pas de discernement : elle avait trop souvent vu des profs à la mie de pain s'assurer la faveur enthousiaste des élèves et, trop souvent aussi, de brillants enseignants, érudits mais légèrement barbants, se faire chahuter. Pour un lycéen, il faisait peut-être preuve d'un jugement assez sain. Mais, dans le cas qui les occupait, Kate n'était nullement disposée à miser son va-tout sur l'avis d'un jeunot de vingt et un ans, qui compensait par le culot la sagesse qui lui faisait défaut. Admettons que Jerry s'en revienne avec une opinion bien ancrée en tête, qu'elle soit positive ou négative ? Aurait-elle, cette opinion, la moindre valeur ?

Peut-être bien que non. Mais quelle alternative avait-elle ? Kate avait le souvenir très précis d'une discussion qu'elle avait eue avec Emanuel, à propos de la valeur curative de la psychanalyse. Elle avait souligné la très longue durée du traitement, son coût élevé, le peu de contrôle effectif que les protagonistes – patient ou analyste – avaient sur le processus des libres associations, et Emanuel n'avait rien nié de tout cela. « C'est un outil très grossier, avait-il dit. Mais c'est le meilleur dont nous disposions. » L'analogie n'était certes pas très flatteuse pour Jerry – n'empêche qu'elle vint à l'esprit de Kate, et qu'elle la garda pour elle. Un outil très grossier : Jerry était très exactement cela et, assurément, Kate ne disposait d'aucun autre. Quoi qu'il en soit, à l'exception du temps de Jerry et de son argent à elle, elle ne voyait pas, en effet, ce qu'ils avaient à perdre – Jerry, avec ses manières directes et la virilité de la jeunesse, avait de grandes chances de moins braquer Messenger qu'elle-même ne le ferait.

– La meilleure façon d'aborder les choses, fit Kate, serait à mon avis de lui parler de Barrister, plutôt que de lui-même. Si, ostensiblement, tu essayais de l'entraîner par la ruse sur une pente dangereuse, tu le rebuterais instantanément. Il me cernerait très vite, j'en suis sûre. Mais si tu lui expliques franchement que nous avons des ennuis et besoin de son assistance, tu pourras peut-être tirer de lui des enseignements très précieux. S'il est l'assassin, ce que tu apprendras n'aura peut-être aucune valeur, mais ni plus ni moins que si vous essayiez tous les deux de jouer au plus fin. Ce que j'essaye en gros de te dire, Jerry, c'est que s'il est assez malin pour avoir fait ça et convaincu la police de son innocence, tu n'as aucune chance, toi, de le prendre en défaut. D'un autre côté, s'il est aussi charmant que tout le monde le prétend, il t'aidera peut-être d'une manière que nous n'avons même pas envisagée. Bref, il n'entre nullement dans mes intentions de t'envoyer là-bas en tant qu'Œil-de-Faucon, le grand détective, mais je n'attends pas non plus de toi que tu fasses semblant de suivre mes conseils, pour en faire ensuite à ta guise.

Elle lui jeta un coup d'œil aigu, qui eut pour conséquence immédiate de rappeler à Jerry le parc et Emanuel. Était-il possible qu'elle sache ? En fait, Kate ne faisait que tirer au jugé : elle avait ses petits soupçons.

– Jerry, si tu commets la moindre boulette cette fois-ci, c'est la fin de tout. Tu retournes à ton camion, et tu fais ceinture pour le bonus.

– Qu'est-ce que je dis à Messenger ? Je me présente comment ?

– Nous pourrions par exemple essayer de dire la vérité, pour une fois. Non pas que j'y attache spécialement une valeur intrinsèque, Dieu me pardonne ; mais elle aura au moins le mérite, entre toutes nos techniques d'approche, de la nouveauté. Est-ce que tu as besoin de rentrer chez toi faire ta valise ?

– Eh bien, pour tout dire…

Kate suivit le regard de Jerry, en direction de la cheminée : une valise se faisait toute petite derrière la table.

– Parfait, je crois que je ferais mieux de téléphoner pour connaître l'heure du prochain vol pour Chicago.

Kate souleva le récepteur.

– Onze heures vingt et des poussières. J'ai juste le temps d'arriver à l'aéroport.

Kate reposa le récepteur d'un air résigné, et alla chercher de l'argent pour Jerry. Il avait presque passé la porte lorsqu'elle réalisa qu'elle ne lui avait parlé de Daniel Messenger qu'un instant auparavant. Comment diable... ? Elle se leva pour lui poser la question.

– Le problème, avec vous, c'est que vous ne lisez pas les journaux, dit Jerry. La police est bien obligée de donner quelque chose en pâture aux journalistes et le contenu du sac à main de la morte faisait tout à fait son affaire. Je n'étais pas au courant, bien entendu, ajouta-t-il avec une modestie des plus touchantes, pour la photo. On se revoit dans quelques jours.

Il disparut, en prenant soin de refermer doucement la porte derrière lui, laissant Kate, pour la énième fois, à la légère affliction qu'elle éprouvait pour sa nièce.

Kate, à son tour, se prépara à partir pour l'université. Reed allait très probablement faire une crise en apprenant le départ de Jerry ; mais le souci d'épargner la susceptibilité d'autrui était précisément l'une de ces denrées que le nouvel état des choses avait frappées de dépérissement. À l'heure de poindre, le désastre annoncé s'accompagnait nécessairement de son lot de regrettables brutalités... les guerres en avaient maintes fois apporté la preuve. Elle se souvint vaguement des scrupules qu'elle avait éprouvés, au début, pour faire appel à Reed. Mais chaque nouvelle infamie non seulement fait le lit de la suivante, mais encore la rend inévitable. C'est peut-être en suivant cette voie qu'on finit par en venir au meurtre.

Mais quel enchaînement de circonstances, en l'occurrence, avait bien pu conduire à ce meurtre précis ? Janet Harrison avait possédé, dans son portefeuille, la photo de Michael Barrister jeune, soigneusement dissimulée. Cela semblait signifier – à condition, pour le moment, de disqualifier l'hypothèse que ladite photo avait pu être disposée à cet endroit par le meurtrier – qu'il existait un lien quelconque entre Barrister et Janet Harrison. Barrister, bien entendu, avait nié le fait. S'il l'avait tuée, en effaçant ensuite de son mieux toute trace d'un lien qui aurait pu les unir (peut-être avait-il justement fouillé sa chambre pour vérifier qu'il n'y subsistait plus la moindre preuve de l'existence de ce lien), quel avait bien pu être son mobile ?

Kate sortit de chez elle et descendit attendre son bus. Mettons qu'il ait connu Janet Harrison quand il était jeune ou même tout simplement qu'il l'ait connue, et que la seule photo de lui sur laquelle, dans sa folle passion, elle avait pu mettre la main, ait été celle du jeune homme qu'il avait été. Quoi qu'il en soit, elle l'avait exaspéré et il l'avait tuée. Peut-être le suppliait-elle de l'épouser, chose dont il n'avait pas la moindre envie. Mais, à coup sûr, cette situation n'avait rien que de très banal. Et il existe mille méthodes pour se débarrasser des fâcheuses un peu trop collantes, sans pour autant recourir au meurtre, aussi tentante que cette dernière solution puisse vous paraître. Kate avait, en son jeune temps, connu des jeunes femmes qui, s'étant ardemment amourachées d'un homme, suivaient l'homme de leur vie partout où il allait, passaient des heures dans la rue à le guetter, le nez en l'air, sous la fenêtre de sa chambre à coucher et lui téléphonaient aux heures les plus indues de la nuit. Toutes avaient paru prêtes à tout, même lorsqu'ils étaient déjà mariés à une autre et heureux en ménage, du moins pouvait-on le présumer. Et si Barrister était bien l'homme qu'avait idolâtré Janet Harrison, pourquoi avait-elle légué tout son argent à Messenger, qu'apparemment elle n'avait jamais rencontré, et que de toute évidence elle n'idolâtrait pas ? Ou encore, s'il devait par la suite s'avérer qu'elle idolâtrait bel et bien Messenger, pourquoi diable avait-elle sur elle une photo de Barrister ? Jerry avait suggéré que Messenger pouvait l'avoir glissée dans son portefeuille, mais pour quelle raison aurait-il fait une chose pareille ? Plutôt qu'une photo de la mauvaise personne, pas de photo du tout eût bien davantage embrouillé les choses.

Kate arriva à l'université dans cet état d'étourdissement vertigineux auquel elle avait fini par s'habituer. Elle s'assit pendant un moment dans son bureau, pour ouvrir distraitement son courrier, en fixant le vide. Son regard finit inévitablement par se poser sur la chaise sur laquelle Janet Harrison s'était assise : *"Professeur Fansler, est-ce que vous connaîtriez un bon psychiatre ?"* Pourquoi, bon sang, cette fille lui avait-elle posé cette question à *elle* ? Kate était-elle donc la seule personne d'âge mûr et estimable à laquelle Janet pouvait s'adresser ? C'était difficilement imaginable. Pourtant, Kate ne pouvait s'interdire de penser que la lettre anonyme qui l'accusait du meurtre pouvait fort bien ne pas être aussi hautement invraisemblable qu'elle l'avait d'abord cru, dans sa détresse initiale. Kate, d'une certaine façon, était au cœur même de l'énigme. C'était elle qui avait adressé Janet Harrison à Emanuel ; et c'était chez Emanuel qu'avait été assassinée Janet Harrison. Janet Harrison eût-elle, par exemple, posé cette question à n'importe quel autre professeur, c'est probablement sur le divan d'un autre psychiatre qu'elle aurait terminé. Mais y aurait-elle également terminé sa vie ? La question était là. Eh bien – Kate dut s'obliger à regarder les choses en face – pas, en tout cas, si son meurtrier était Emanuel ou Nicola. Sinon ? Eh bien, Barrister avait son cabinet juste en face de celui d'Emanuel, et Messenger avait reconnu sa photo. Messenger avait hérité de l'argent. Le fermier prend femme, la femme prend un enfant, l'enfant prend une nurse… et le fromage reste tout seul. Mais qui, dans l'histoire, était le fromage ?

Elle fut tirée de sa méditation, alors qu'elle planchait encore sur cette fascinante question, par un coup de téléphone :

– Professeur Fansler ?

Kate le reconnut volontiers.

– Ici Miss Lindsay. Navrée de vous déranger, mais l'information semblait vous tenir tellement à cœur que je me suis dit que vous ne m'en voudriez pas. J'ai essayé de vous joindre chez vous hier au soir, mais ça ne répondait pas. Je me suis dit que vous préféreriez l'apprendre par moi plutôt que par Jackie Miller.

– Oui, absolument, fit Kate, c'est très aimable à vous d'avoir appelé. J'ai bien peur de n'avoir pas été très favorablement impressionnée par Jackie Miller dans son somptueux pyjama. Est-ce pour m'annoncer que j'ai dorénavant une dette envers elle, que vous m'appelez ?

– Je n'en sais rien. Mais vous sembliez très désireuse de connaître le nom de la personne qui avait vu Janet Harrison avec un homme et, l'autre soir, Jackie s'en est souvenu. Elle s'est tournée vers moi et a suggéré que… euh… je pourrais peut-être souhaiter vous en faire part moi-même.

Kate n'avait aucun mal à imaginer Jackie Miller en train de dire : "Toi qui es sa chouchou, pourquoi ne l'appellerais-tu pas pour le lui dire ?"

– En temps ordinaire, poursuivait Miss Lindsay, je n'aurais jamais osé vous déranger, mais, étant donné les circonstances… Mais naturellement, si j'ai bien compris, je ne vous dérange absolument pas.

– Je vous en suis très reconnaissante, au contraire. Comment s'appelle cette personne, alors ? Nous allons probablement tomber sur une impasse, mais autant vérifier.

– Dribble. Anne Dribble.

– Comment quelqu'un peut-il s'appeler Dribble ?

– Ça a l'air inventé, mais c'est pourtant bien son nom. Jackie s'en est justement souvenu parce que quelqu'un a parlé de "dribbler". Elle a habité pendant un petit moment au foyer, au dernier semestre, mais elle ne s'y plaisait pas, et elle n'a pas tardé à aller installer ses pénates ailleurs. Elle n'est pas dans l'annuaire. J'ai bien peur de ne vous avoir guère été utile.

– Bien au contraire, je vous remercie mille fois. Est-ce que vous connaissez Miss Dribble, vous aussi ? Assez bien, je veux dire, pour m'assurer qu'on peut se fier à elle.

– En fait, non, pas très bien. Pratiquement pas, pour tout dire. Mais elle n'est pas du tout… pas du tout du même genre que Jackie.

– Merci encore, Miss Lindsay. J'espère pouvoir retrouver sa trace par le fichier de l'université. Votre coup de fil m'a fait très plaisir.

Reed avait dit que la clef de toute l'affaire tenait peut-être là-dedans. Peut-être, néanmoins, n'allaient-ils remonter cette autre piste que pour qu'elle leur éclate encore entre les doigts, en débouchant sur une nouvelle impasse. Le cours de Kate débutait dans quinze minutes. Elle téléphona au fichier et s'enquit de l'adresse et du numéro de téléphone d'Anne Dribble, qui avait dû s'inscrire au dernier semestre, dans ces eaux-là. On lui demanda de patienter, ce qu'elle fit, pendant un assez court laps de temps. La voix revint au bout du fil, pour lui annoncer qu'Anne Dribble s'était effectivement inscrite au dernier semestre mais qu'elle avait abandonné pour cause de maladie (chose qui, Kate ne l'ignorait pas, pouvait aller de l'appendicite à la passade amoureuse). Elle habitait quelque part sur Waverly Place et son numéro de téléphone... Kate l'inscrivit, et raccrocha après avoir remercié.

Bon, eh bien, *carpe diem*. Elle appuya sur un bouton, obtint d'abord la ligne extérieure, puis composa le numéro. Le téléphone sonna au moins à six reprises avant d'être décroché, par une personne de sexe féminin qui sortait ostensiblement du sommeil.

– Puis-je parler à Miss Anne Dribble ? demanda Kate.

– C'est elle-même.

Kate avait su d'avance que les choses seraient moins simples que prévues. Elle allait être en retard à son cours.

– Miss Dribble, excusez-moi de vous déranger, mais je me suis dit que vous pourriez peut-être m'aider. Vous devez certainement être au courant du décès de Janet Harrison. Nous avons appris, tout à fait par hasard, que vous l'aviez aperçue en compagnie d'un homme dans un restaurant, il y a quelques mois. Je me demandais si, par extraordinaire, vous sauriez qui est cet homme ?

– Seigneur Dieu, j'ai complètement oublié. Comment voudriez-vous...

– Miss Dribble, le problème essentiel est le suivant : reconnaîtriez-vous cet homme si vous le revoyiez ?

– Oh ! oui, il me semble.

Le cœur de Kate rata un battement.

– C'était un petit restaurant tchèque. J'étais là parce que j'avais rendu visite à une amie qui habite à un pâté de maisons de là. Janet Harrison et cet homme étaient à l'autre bout du restaurant, et j'ai eu l'impression très nette qu'ils n'avaient pas du tout envie qu'on les aborde. Mais je l'ai regardé. Vous savez comme c'est, on est toujours plus ou moins curieuse des hommes avec qui sortent les filles qu'on connaît et Janet a toujours été tellement mystérieuse. Je crois que je pourrais le reconnaître.

Kate n'avait jamais vu Horan ; mais elle pensa à Sparks, à Emanuel, à Messenger (qui était laid)... cette fille saurait-elle lui décrire cet homme en substance, au téléphone ?

– Écoutez, Miss Dribble, disons les choses comme ça : entre cinq ou six hommes lui ressemblant superficiellement, et alignés côte à côte, sauriez-vous reconnaître le bon ?

Il y eut une minute de silence. Elle va maintenant me demander qui je suis pour lui poser toutes ces questions, se dit Kate. Mais la seule chose que dit Miss Dribble, ce fut :

– Je n'en suis pas vraiment certaine. Je *pense* pouvoir le reconnaître, mais je ne l'ai aperçu qu'une seule fois, de loin, et au restaurant. Qui... ?

– Miss Dribble, pourriez-vous me le décrire en quelques traits ? Grand, petit, gros, mince, brun, blond ? (Les cheveux blonds d'Emanuel étaient maintenant striés de gris, et paraissaient plus clairs.) Quel genre de personne était-ce ?

– Il était assis, naturellement. Ça risque d'être terriblement imprécis, mais si vous pouvez vous contenter d'une description d'ordre général, il me rappelait un peu Cary Grant. Beau garçon, si vous voyez ce que je veux dire, bellâtre, le visage avenant. Je me souviens avoir été plutôt surprise que cette Janet

Harrison… elle était séduisante, bien sûr, mais cet homme…

– Merci, merci, murmura Kate en raccrochant le téléphone.

Cary Grant !

Elle réussit, néanmoins, à arriver à l'heure pour son cours.

14

« Venez dans mon bureau », dit Messenger. Jerry l'y suivit, non sans éprouver une certaine impression de vertige. Ce matin encore, il parlait à Kate ; et à présent, alors qu'il ne s'était écoulé qu'un laps de temps ridiculement court (encore que le fait d'avoir retardé sa montre en rendit partiellement compte), il était sur le point de discuter avec Messenger, sans toutefois avoir la première idée de ce qu'il allait pouvoir lui dire. Jouer sa petite saynète à l'infirmière avait été une chose, sa gaucherie empruntée en présence de Horan en avait été une autre, mais la personnalité de Messenger frappait ces deux techniques de caducité. Jerry aurait été bien en peine de mettre un nom sur la qualité particulière qui émanait de sa personne, mais il savait au moins en reconnaître l'existence. La nature ne s'était guère mise en frais pour Messenger et, le moins qu'on puisse dire, c'est qu'elle n'avait pas dû se pencher sur son berceau pour déployer avec frivolité ses fastes coutumiers ; il n'avait ni belle apparence, ni aucune grâce physique que ce soit, ni non plus vivacité d'esprit, humour ou intelligence apparents. Il n'était que lui-même, brut de décoffrage. Jerry essaierait ultérieurement d'expliquer ce fait à Kate, sans réellement y parvenir. Le seule chose qui lui venait à l'esprit, c'était que Messenger se posait là. La plupart des gens ne sont qu'un échafaudage de tics, et ne donnent que rarement l'impression d'être là tels qu'en eux-mêmes. Quoi qu'il en soit, l'instinct de Kate ne l'avait pas trompée : en sa présence, seule la stricte vérité était envisageable.

En conséquence, Jerry fournit toutes les explications qu'on voulait, tant à propos de Kate et d'Emanuel que de son propre rôle dans l'affaire et du job qu'il avait accepté, des camions qu'il conduisait auparavant et de l'école de droit qu'il avait l'intention de fréquenter.

– Nous sommes venus vous demander votre aide, fit Jerry, parce que vous semblez être la seule personne en mesure de relier entre eux les lambeaux et débris disparates et dépareillés que nous avons réunis. Janet Harrison vous a légué son argent – ce qui crée, que vous le vouliez ou non, une relation entre vous deux, même si vous ne l'avez pas connue. Et vous connaissiez Barrister. Il n'y a pas eu moyen, jusqu'à maintenant, d'établir le moindre rapport entre deux quelconques des protagonistes de cet embrouillamini, à l'exception bien sûr de Kate et d'Emanuel, et ni l'un ni l'autre n'ont tué Janet Harrison. Peut-être que si vous consentiez à me parler un peu de Barrister...

– Je crains fort que les rares choses que je pourrais éventuellement vous apprendre à son sujet ne servent en rien votre propos qui, si j'ai bien compris, est de confier à Mike le rôle du meurtrier présumé. Bien entendu, il a certainement dû beaucoup changer ; c'est le lot de quasiment tout le monde. Jamais je n'aurais imaginé que Mike finirait par recruter sa clientèle chez les dames riches et souffrantes mais, maintenant que je le sais, je n'en suis guère surpris. C'est chose très facile, aujourd'hui, pour un médecin, que de gagner beaucoup d'argent, et la plupart ne s'en privent pas. Je ne veux pas dire par là que les médecins sont plus spécialement cupides que les autres gens – leur nombre est trop restreint, et il y a de multiples occasions de s'enrichir. Et dans leur grande majorité, sourit Messenger, ils finissent par ressentir ceci comme un dû, après une formation épouvantablement longue et coûteuse. L'une de mes petites filles souhaite actuellement devenir médecin quand elle sera grande, et j'ai calculé que la préparer à cette profession me reviendrait peu ou prou à trente-deux mille dollars. Tout ça pour vous expliquer que le Barrister sur lequel vous enquêtez n'est plus exactement le Mike que j'ai connu – et je ne l'ai jamais connu de façon particulièrement intime. C'était quelqu'un d'assez renfermé.

– Vous ne l'êtes pas, vous, riche.

C'était, Jerry s'en rendit compte, hors du sujet, mais il s'intéressait soudain à Messenger.

– Non, ni riche ni noble. Il se trouve simplement que je ne m'intéresse absolument pas à la plupart des choses de prix, et que j'ai épousé une femme qui voit dans le travail manuel un perpétuel et fascinant défi. Elle adore bâtir et fabriquer ses propres vêtements, bricoler, confectionner des choses – à l'ancienne mode. Et elle aime aussi beaucoup son travail. Je considère quant à moi, le travail que j'effectue comme l'un des plus palpitants qui soient et, pour ne rien vous cacher, j'éprouve même une certaine compassion apitoyée pour ceux qui ne l'exercent pas. Mais ce n'est pas pour son maigre rapport que je l'exerce. Je le ferais de toute manière, dût-il m'enrichir autant que Crésus.

– Mike vous ressemblait-il sur ce point, quand vous le fréquentiez ?

– Qui peut savoir ? J'ai remarqué que, si les jeunes gens ont leurs propres idées et théories sur le monde, on ne sait jamais vraiment qui on est avant de l'être devenu. Vous arrive-t-il de lire C. P. Snow ? (Jerry secoua la tête.) Intéressant auteur, à mon avis en tout cas ; je ne sais pas si votre professeur Fansler abonderait dans mon sens. Dans l'un de ses livres, il fait dire à son narrateur qu'il n'existe qu'un seul test permettant de savoir ce qu'on attend réellement de la vie : et il se résume, ce test, à ce qu'on a entre les mains. Mais Mike était trop jeune à l'époque pour passer ce test ; et vous êtes encore trop jeune, vous aussi, pour le moment. Je dirais ceci, poursuivit Messenger, tout en craignant très fort que ça ne vous aide guère – bien au contraire. Mike n'était pas une personne à tuer qui que ce soit. À mon avis, il en était incapable. Perpétrer un meurtre, je suis porté à le croire, est une entreprise qui requiert au moins deux traits de caractère bien marqués. Le premier est ce qu'on pourrait appeler, en l'absence d'un terme plus adéquat, un soupçon de sadisme et, le second, la capacité de se concentrer intégralement sur l'objet de son désir, à l'exclusion de tout autre. De voir les gens, non pas comme les êtres humains qu'ils sont, mais comme des obstacles à éliminer.

– Vous voulez dire par là qu'il aimait les gens, les bêtes, et qu'il ne pouvait souffrir qu'on leur fasse du mal ?

Messenger sourit :

– Dit comme ça, ça ressemble à de la sensiblerie. Quiconque envisage de se faire médecin sait d'avance que les gens peuvent être blessés et souffrir. Les gens qui ne font jamais souffrir personne ne font jamais rien d'autre non plus ; et Mike, à l'époque, voulait faire beaucoup. Je ne sais plus trop ce qu'il pouvait ressentir à l'égard des animaux – en tout cas, il n'en possédait pas quand je l'ai connu. Ce que j'essaie de dire pourra peut-être vous paraître légèrement emphatique, une fois traduit en langage articulé : il n'a jamais fait souffrir personne pour le seul plaisir de faire souffrir – vous savez, par un trait d'ironie, une vacherie ou une blague sarcastique. Et il n'endiguait jamais ses élans de bonté. Je ne lis pas de poésie, mais j'ai dû en écouter un peu à l'université ; et je me souviendrai toujours d'un vers qui me semble décrire à la perfection l'existence telle qu'elle est aujourd'hui, telle qu'elle a peut-être toujours été, à propos de "paroles de bienvenue dépourvues de toute bonté". Mike ne marchait pas dans ce genre de bienvenue. Mais vous devez avoir l'impression que je vous dresse là le portrait d'un saint. Mike était très beau et remportait un franc succès auprès des femmes. Il s'est donné du bon temps.

Jerry paraissait abattu. Que leur principal suspect se révèle au bout du compte incapable d'un meurtre, c'était ni plus ni moins horrible. Mais ce n'était, au fond, que l'opinion personnelle de Messenger, et Messenger, finalement, était-il vraiment si brillant ? Jerry lui-même (juste histoire de prendre un exemple) avait été complice d'une farce dont les protagonistes étaient un jeune homme assez gauche et plutôt efféminé, et une jeune femme particulièrement délurée et expérimentée. Il s'en souvenait encore aujourd'hui, éprouvant toujours à ce souvenir quelque chose qui ressemblait de très près à la pure délectation. Et la bonté, quoi qu'il en soit, n'était certainement pas la chose qui l'avait le plus turlupiné – comme non plus, au demeurant, toutes ces âneries à propos de paroles de bienvenue... N'empêche qu'il était lui-même totalement incapable de commettre un meurtre. Même pas si… bon, on ne peut jamais savoir ; c'est encore là qu'on en revenait. Si l'on avait pu savoir, autrement plus rares seraient les meurtres non élucidés.

Messenger semblait lire dans ses pensées :

– Je n'ai rien d'une autorité en la matière, voyez-vous. Ni d'un grand connaisseur de la nature humaine. Je n'ai fait que vous livrer mes impressions.

– Vous avez partagé une chambre pendant votre internat, Barrister et vous. Mais le connaissiez-vous auparavant ?

– Non. L'hôpital vous aidait à trouver une chambre, et quelqu'un avec qui la partager. Quand nous étions de garde, bien entendu, nous dormions à l'hôpital, si bien qu'en réalité, pour nous, notre chambre, c'était l'endroit où nous dormions, quand nous avions cette chance, et où nous pouvions entreposer quelques bières dans une glacière de seconde main.

– Vous avez rencontré ses parents ?

– Il n'en avait plus, pour ainsi dire. La police aura probablement découvert ça. En fait, l'inspecteur qui est venu m'interroger y a fait allusion. Mike était un orphelin, comme il se plaisait à dire lui-même, avec une espèce de rictus hilare. Il était le fils unique d'un enfant unique, et avait été élevé par ses grands-parents ; tous deux étaient morts quand je l'ai rencontré. Je présume qu'il a vécu une enfance assez heureuse. Je me souviens encore de quelque chose qu'il a dit une certaine fois à propos de Lawrence, l'écrivain, je veux dire. Mike lisait énormément.

– À croire que, dans cette affaire, la littérature soit vouée à m'accompagner tout du long.

– Bizarre, n'est-ce pas ? Je vous ai déjà cité de la poésie, et Snow, et on peut difficilement m'accuser d'avoir péché par excès de références littéraires au cours de ces dernières années. C'est peut-être dû à l'influence de votre professeur Fansler. Je ne sais vraiment pas pourquoi je persiste à songer à des livres quand je repense à Mike. Mais la seule chose un peu précise qu'il m'ait jamais livrée sur son enfance avait trait à D. H. Lawrence.

– *L'Amant de lady Chatterley* ? s'enquit Jerry.

– Ça, je ne sais pas ; il y a des enfants, dans celui-ci ?

– Non, dit Jerry. Pas arrivés à terme, en tout cas.

– Alors, il ne s'agit pas de celui-ci. Dans le livre dont je parle, il y avait une petite fille, terrorisée pour je ne sais plus quelle raison, et que son beau-père emmène avec lui lorsqu'il va faire paître les vaches. Je ne vois pas trop le rapport, parce que le grand-père de Mike, lui, n'avait pas de vaches. Mais ça tient probablement à la manière dont s'y prenait son grand-père pour le consoler, après que ses parents ont été tués – Lawrence avait très bien vu ça, disait Mike. Ça ne semble pas bien important. Je ne sais même pas pourquoi je vous en parle. Quoi qu'il en soit, Mike n'avait plus guère de famille, même s'il y avait bien, quelque part, une vieille dame à qui il écrivait.

– Vivait-il déjà avec une femme en particulier, à l'époque ?

– Personne que j'ai pu connaître. Vous devez vous dire, j'imagine, que Janet Harrison le fréquentait à l'époque, sans que j'en sache rien. Je présume que ça n'a rien d'impossible, en fait. Mike ne parlait jamais des femmes de sa vie, mais la police sait probablement où était Janet Harrison à cette époque.

– Il quittait souvent la ville ?

– Non. Quand nous avions de brèves vacances, il dormait.

– Combien de temps êtes-vous restés ensemble ?

– Un an, grosso modo. Pendant toute la durée de notre internat. Je suis parti pour Chicago. Mike pensait venir me rejoindre, mais il n'y est pas parvenu.

– Où est-il allé ?

– À New York. Vous devez savoir ça.

– Vous avez reçu de ses nouvelles, de New York ?

– Non. Je ne pense pas qu'il s'y soit rendu directement. Il est d'abord parti en vacances, camper. Nous aimons tous les deux camper. J'étais censé l'accompagner mais, à la dernière minute, j'ai eu un empêchement. Il est monté au Canada – j'ai reçu une carte de lui. J'ai tout expliqué à l'inspecteur. Et c'est la dernière fois que j'ai eu de ses nouvelles, à l'exception des cartes de Noël. Nous avons échangé nos vœux à cette occasion, pendant quelques années encore.

– Bizarre, que vous ne l'ayez jamais vu à New York.

– Je ne m'y suis rendu qu'à de très rares occasions, pour des congrès médicaux. J'emmenais ma famille et, dès que j'avais un moment de loisir, je le passais avec elle. J'ai aperçu Mike une fois, mais nous n'avons pas réellement eu le temps de passer un moment ensemble. De toute façon, il n'y avait rien qui nous y poussait vraiment.

– Tout me paraît assez limpide, à présent, à part le fait qu'elle vous a légué son argent. Vous ne lui auriez pas sauvé la vie à une certaine occasion, que vous auriez oubliée ?

– Je ne sauve pas de vie. Je ne peux pas, bien entendu, vous garantir n'avoir jamais, de toute mon existence, posé les yeux sur elle, mais ça m'étonnerait fort et, en tout cas, jamais pendant très longtemps. Ça me paraît totalement irrationnel. Vous ignorez, je suppose, si Mike l'a ou non connue ? De sorte que le fait que j'ai moi-même connu Mike est en conséquence non pertinent. J'aimerais beaucoup vous aider; mais je vois mal comment m'y prendre.

– Allez-vous accepter l'argent? Ça ne me regarde peut-être absolument pas, d'ailleurs.

– C'est une question bien naturelle. Je ne sais pas encore si on me le remettra. Cette fille a été assassinée, et elle avait peut-être de la famille, famille qui, j'imagine, pourrait envisager de contester le testament. Mais, si jamais on me le remet, je l'accepterai, à condition que personne d'autre n'y prétende légitimement. Cet argent sera le bienvenu – comme il le serait pour n'importe qui. D'autre part, il se passe toujours une chose très curieuse, avec les héritages imprévus – on ne s'y attend nullement mais, dès qu'on en a entendu parler, on n'a aucune difficulté à se convaincre qu'on les mérite amplement.

– Mike savait-il que vous vous destiniez à la recherche ?

– Oh ! oui, comme tout le monde. Mike disait souvent que si j'avais l'intention de passer le restant de mon existence avec un revenu annuel de quatre mille dollars – c'était ce qu'on touchait à l'époque – je ferais mieux d'épouser une riche héritière ou une fille qui adorerait travailler. J'ai suivi son conseil, comme vous voyez – la deuxième partie, tout du moins.

Jerry n'aurait eu aucun mal à dévider d'autres questions – elles étaient encore nombreuses à lui affluer à l'esprit, mais il pouvait d'ores et déjà deviner la plupart des réponses qu'il obtiendrait et, de toute façon, n'estimait pas qu'elles étaient tellement capitales. Messenger, bien entendu, pouvait parfaitement lui avoir menti. Il pouvait être en cheville avec Barrister depuis des années. Mais même s'ils avaient uni leurs efforts pour concocter ce meurtre, pour un modique rapport de vingt-cinq mille dollars par tête de pipe, Messenger n'en paraissait pas capable. Sa foncière honnêteté était si flagrante qu'il était, songea Jerry, parfaitement impensable, en sa présence, d'envisager ne serait-ce que l'éventualité de sa participation à un complot de cette sorte. Peut-être avait-il la ruse suffisante et nécessaire, mais il paraissait être, en même temps, l'une de ces rares personnes qui disent ce qu'elles pensent et qui pensent ce qu'elles disent – les moins enclines, à coup sûr, à préméditer quelque diabolique magouille. Jerry se leva.

– Il y a bien une dernière chose, fit-il, mais je ne sais trop si je dois vraiment vous embêter avec ça. Vous m'épargneriez tout au plus quelques recherches fastidieuses. En droit, vous êtes requis de passer l'examen du barreau de l'État dans lequel vous comptez exercer. C'est vrai du moins dans l'Est. Il existe bien sûr certaines équivalences mais, si vous exercez à New York, il vous faudra au préalable avoir passé l'examen du barreau de New York. Si vous n'avez passé que celui du barreau du New Jersey, ça ne suffit pas. Est-ce que la même obligation prévaut en matière de médecine ? Barrister était-il obligé de passer son examen à New York pour pouvoir y exercer ?

– Non. Il existe une instance qui se nomme le Bureau national des examinateurs médicaux – elle vous remet un certificat attestant que vous possédez les qualifications requises pour exercer la médecine dans pratiquement tous les États de l'Union. Il y a bien sûr des exceptions, je ne me souviens plus lesquelles, mais New York n'en fait pas partie. Certains États exigent une sorte d'examen oral ou écrit. Mais Mike, pour pouvoir exercer à New York, n'avait nullement besoin d'en passer un autre – il lui fallait probablement se faire enregistrer quelque part, une démarche de cet ordre.

– Merci, Dr. Messenger. Vous avez été très aimable.

– Mais de peu d'utilité, j'en ai peur. Faites-moi savoir si vous avez du nouveau. Je pense, voyez-vous que vous finirez par découvrir que Mike n'est pas coupable. Les gens vous laissent une sorte d'arrière-goût, vous savez ; celui que vous laissait Mike n'évoquait rien de ce genre.

Il s'inclina, signifiant son congé à Jerry. Jerry, en reprenant le chemin de l'hôtel pour passer un coup de fil longue distance à Kate, songea que si Messenger, pour sa part, laissait indubitablement un plaisant arrière-goût, leur affaire, dans son ensemble, laissait à présent un goût qu'on ne pouvait qualifier que de rance.

15

Kate se précipita hors de la salle de conférence, plantant là les étudiants qui étaient venus la trouver pour lui poser des questions, et ignora sur sa lancée ceux qui s'étaient amassés devant la porte de son bureau. Elle passa un coup de fil à Reed.

– J'ai trouvé une certaine Miss Dribble – tu sais, celle qui avait discuté avec l'autre Talkie-Jackie, là, à propos du savon dans la fontaine. Elle dit qu'il ressemble à Cary Grant. Est-ce que je peux parler, là ?

– Ma chère enfant, si jamais nous sommes sur écoutes, j'ose espérer que nos petits plombiers auront moins de peine que moi à te comprendre. Irons-nous jusqu'à prendre le risque d'un peu plus de clarté ? Qui dribble, exactement ?

– C'est comme ça qu'elle s'appelle, Dribble. Anne Dribble. Souviens-toi, tu disais toi-même qu'elle était peut-être la clef de toute l'affaire.

– Je n'ai pas souvenance d'avoir, de ma vie, fait allusion à une personne portant ce nom. S'agirait-il d'une personne qui aurait connu Janet Harrison ? Si c'est le cas, elle inscrira son nom dans l'histoire, bien qu'il soit fort regrettable de devoir immortaliser un pareil patronyme.

– Elle ne connaissait Janet que très superficiellement ; elle a habité un temps le foyer... je parle de

Dribble. Jackie Miller s'est rappelé qu'elle – toujours cette Dribble – était précisément la personne qui lui avait dit à elle, Jackie, qu'elle l'avait vue, elle, Janet, avec un homme. Apparemment, quelqu'un s'est mis à dribbler à l'heure du petit déjeuner, ce qui a rappelé à Jackie – d'où l'avantage qu'il y a, de temps en temps, à avoir un verbe pour patronyme – qui était la personne qui lui avait dit avoir vu Janet en compagnie d'un homme ; et elle, Jackie, donc, le lui a répété – à Miss Lindsay ; et Miss Lindsay, elle, m'a téléphoné, à moi, Kate. J'ai donc rappelé la Miss Dribble en question, et elle m'a dit qu'elle pensait pouvoir reconnaître cet homme, mais comme j'insistais pour qu'elle m'en donne un rapide signalement, elle m'a dit qu'il ressemblait à Cary Grant, joli garçon, plutôt bellâtre. Vous avez vingt minutes pour réécrire cette phrase dans un anglais convenable.

– Kate, je sais bien que nous avons follement besoin de suspects, mais penses-tu réellement que Cary Grant ait pu l'assassiner ? Évidemment, je pourrais toujours téléphoner à Hollywood et…

– Reed… quel est celui de nos suspects qui ressemblait à Cary Grant ?

– Tu oublies que je n'ai jamais vu un seul de tous nos suspects.

– Tu as toi-même dit que le jeune homme de la photo ressemblait à Cary Grant.

– J'ai dit ça ?

– Oui. Et Barrister lui ressemble encore vaguement. Il est plus vieux, bien sûr, mais Cary Grant aussi est plus vieux.

– Tout comme moi. Et je vieillis à vue d'œil. Que comptes-tu faire, exactement ? Proposer à Barrister de tourner dans un film ?

– Je l'ai déjà sur pellicule. Je veux des photos, c'est tout. Pour les montrer à Miss Dribble et, si jamais elle reconnaissait Barrister, nous aurions alors la preuve, tangible, que Barrister la connaissait. Bien sûr, ça peut *toujours* être Sparks, ou Horan. Emanuel ne ressemble absolument pas à Cary Grant.

– Crois-moi si tu veux, mais je commence plus ou moins à comprendre où tu veux en venir. Écoute, je vais suggérer aux gars de la criminelle que Barrister ressemble à Cary Grant. On va probablement me recommander de prendre d'urgence les vacances dont j'ai le plus grand besoin. Est-ce que tu as pris l'adresse de cette Miss Dribble ?

Kate la lui donna.

– Et, Kate, poursuivit Reed, sois mignonne, ne parle à personne de cette Miss Dribble, ni de son adresse.

– Reed ! Tu crois vraiment qu'on tient quelque chose, n'est-ce pas !

– Je te rappelle chez toi dans la soirée. Rentre chez toi et n'en bouge plus. Je suis très sérieux ; c'est un ordre. Ne te mets surtout pas en tête de foncer dehors à la recherche d'indices. Promis ?

– Est-ce que tu verrais un inconvénient, malgré tout, à ce que je fasse acte de présence à mon bureau, et à ce que je donne également mon cours de l'après-midi ?

– Rentre chez toi sitôt ton cours terminé, alors. Et restes-y. Ne te précipite pas sur le premier prétexte pour sortir. Reste tranquille. Tu auras de mes nouvelles, promis.

Et Kate dut se contenter de cette promesse.

Immédiatement après la fin de son cours de l'après-midi, elle repassa par son bureau, où le téléphone était en train de sonner. C'était Emanuel.

– Kate, puis-je te voir une seconde ? demanda-t-il.

– Il s'est passé quelque chose ?

– C'est justement de ça que je veux te parler. Où pourrions-nous aller prendre un café ?

– Que dirais-tu de chez *Shrafft* ? C'est l'endroit rêvé pour se convaincre que la vie continue.

– Très bien. Chez *Shrafft* dans vingt minutes, alors.

Mais tous deux étaient sur place quinze minutes plus tard. L'endroit était tranquille, à l'exception de quelques dames, consommant bruyamment au comptoir leur dose quotidienne de calories.

– Kate, dit Emanuel, je commence à sérieusement m'inquiéter.

– Tu t'y prends bien tard. S'ils avaient les preuves suffisantes, ils t'auraient déjà placé en garde en vue pour examen. Tout va bien se passer, si tu veux mon avis, à condition de pouvoir tenir encore un peu de temps.

– Où as-tu appris à t'exprimer comme ça ? Tu parles comme les flics de ces romans policiers basés sur des faits divers réels. Ce n'est pas à mon sujet que je m'inquiète ; mais au tien. J'ai dû retourner les voir, tout comme Nicola, d'ailleurs, mais c'est de toi qu'ils voulaient parler. Au bon vieux temps, ajouta-t-il, voyant arriver la serveuse, tu prenais des ice-creams avec des tonnes de chocolat bien sirupeux et des noisettes. Tu en veux un, aujourd'hui ?

– Un café, c'est tout.

Emanuel passa commande à la serveuse.

– Écoute, Emanuel, je vais te confier une chose, mais je ne suis pas censée être au courant, et tu n'es pas censé non plus l'avoir apprise, alors n'en dis rien ni à la police ni à Nicola. Ils sont en possession d'une lettre anonyme qui me dénonce comme étant la coupable. Je suis supposée l'avoir tuée par amour pour toi, et parce que je suis jalouse de Nicola. La police est bien obligée de suivre cette piste. Après tout, s'il devait s'avérer, au bout du compte, que je suis bel et bien la coupable, ils auraient l'air fin, non, d'avoir négligé un indice de cette taille. Et, à leur décharge, je ne fais pas vraiment mauvaise figure comme suspect, comme je crois l'avoir déjà souligné.

– Tout ça parce que tu as essayé de m'aider.

– Tout ça parce que je t'ai adressé la fille qui a été assassinée. Je me suis demandé, Emanuel, pourquoi c'était moi qu'elle était venue trouver pour se faire recommander un psychiatre ? J'ai l'irrépressible prémonition qu'il y a dans ce fait quelque chose d'essentiel.

– J'ai moi-même maintes fois retourné cette question dans ma tête. Mais il fallait bien qu'elle demande à quelqu'un, après tout. Tu serais sidérée de constater avec quelle légèreté les gens choisissent parfois leur psychiatre – sans même prendre la peine de vérifier qu'il est bien qualifié, s'il est médecin, ou quoi que ce soit. S'enquérir du nom d'un psychiatre auprès d'une personne à la fois intelligente et cultivée n'est certes pas la pire des méthodes pour le recruter.

– Mais tu n'en penses pas moins que rien de tout cela ne serait arrivé si tu n'avais pas fait marche arrière sur la Merritt Parkway.

– Absurde. S'il y a une chose au monde que les psychiatres savent bien, c'est que les choses n'arrivent pas *par hasard.*

– Oh ! c'est vrai, j'oubliais. Quand on se casse une jambe, c'est qu'on l'a inconsciemment désiré, en son for intérieur.

– Ce qui m'inquiète, Kate, c'est que les questions que m'a posées l'inspecteur à ton sujet m'ont perturbé, et que j'ai parlé beaucoup plus que je ne l'avais fait jusqu'à maintenant. S'agissant de mes patients, je me suis montré assez peu prolixe mais, à ton sujet, je n'avais plus la moindre réticence. J'ai tenté d'exposer ce qu'étaient nos rapports. Je leur ai dit que, si l'avis autorisé d'un psychiatre avait un quelconque intérêt à leurs yeux, tu étais incapable de commettre un meurtre, incapable de dérober à une autre son travail sur Henry James. Je me rends compte à présent, peut-être un peu trop tard, qu'ils ont probablement pris ma fougue pour de la passion amoureuse, et qu'ils vont maintenant en déduire que nous avons tout mijoté de concert.

– Et, si on nous aperçoit en ce moment même, on pensera à coup sûr que nous continuons à comploter de plus belle.

Emanuel eut l'air horrifié :

– Je n'avais pas envisagé cet aspect des choses. Je voulais juste...

– C'était une blague, Emanuel. Quand j'ai appris qu'ils me suspectaient, j'ai d'abord été terrifiée, paniquée comme une petite fille qui vient de perdre ses parents dans la cohue. Mais ça m'est vite passé. Je n'ai rien fait, et l'éventuelle preuve de ma culpabilité est tout bonnement grotesque. J'ai comme l'intuition que l'étau se resserre. Mais je ne peux pas t'en dire plus, au cas où nous ferions chou blanc.

– Ne va pas te créer d'ennuis, Kate.

– Si jamais ça m'arrivait, tu sauras au moins que mon psychisme y aspirait. C'est encore une blague. Essaye de sourire.

– Nicola commence à accuser le coup. Pendant quelque temps, sa nature exubérante l'a maintenue à flot, mais elle commence tout doucement à sombrer. Et mes patients à se poser des questions. Si ce n'est pas moi le coupable, alors il est pour le moins bizarre qu'on ne soit toujours pas parvenu à découvrir le véritable assassin. Je me sentais vraiment terrifié, au sens premier du terme, terrifié comme un petit garçon. Pourquoi ne se tournent-ils pas dans d'autres directions ? Comment se fait-il qu'ils persistent à nous tourner autour ?

– La police vous a sous la main, toi ou Nicola, ou toi et Nicola, si tu préfères, ou encore toi et moi, et ils essayent d'étayer leur dossier. À leurs yeux, le fait que ça se soit passé sur ton divan reste un fait concret, tangible, simple et irréfutable. Tu ne t'attends tout de même pas à ce qu'ils se mettent à chercher partout la preuve de leur bévue. Mais si nous la leur collons sous le nez, cette preuve, il faudra bien qu'ils la prennent en considération. Et c'est ce que j'essaye de faire, à ma façon un peu excentrique et vaseuse. Au lieu de t'inquiéter, pourquoi n'essaierais-tu pas, plutôt, de penser à quelque chose que Janet Harrison t'aurait dit ?

– Freud s'intéressait énormément aux jeux de mots.

– Vraiment ? J'ai toujours souscrit, pour ma part, à l'opinion selon laquelle ils seraient la plus vile et grossière de toutes les formes d'humour. Je me souviens avoir dit une fois, quand j'étais petite : “Je suis morte de soif”, et un odieux personnage, ami de mon père, a rétorqué : “Enchanté ; et moi, je suis Joe.” À moins qu'il ne s'agisse pas d'un jeu de mots, en l'occurrence ?

– Janet Harrison avait fait, à deux reprises, un rêve très déplaisant à propos d'un homme du barreau.

– D'un homme du barreau ? C'est la seule chose qui nous manque, dans cette affaire. Elle n'aurait pas fait d'autres rêves ? L'avoué qui aura rédigé son testament, sans doute...

– Le censeur en toi, vois-tu, opère même lorsque tu rêves. Il ne laissera point percer de pensées trop perturbantes, parce qu'elles risqueraient peut-être de te réveiller, ou bien parce que ton inconscient refusera de les laisser filtrer.

– Ah ! oui, je vois : *Brooks Brothers* et l'horrible costume. Désolée, poursuis.

– Nous faisons des jeux de mots en rêvant, exactement comme à l'état de veille. Et parfois même en plusieurs langues.

– Du Joyce tout craché.

– Très similaire à Joyce. Il avait tout compris, dans ce domaine. Je me demande si Janet Harrison, elle, ne faisait pas de jeux de mots, non pas dans une autre langue que la sienne, mais dans la même langue, telle qu'on la parle de l'autre côté de l'océan. Comment dit-on un avocat, en anglais ?

– Il y a deux termes... *solicitors* et... Emanuel ! *Barrister* [1], encore et toujours !

– Voilà. C'est la question que je me suis posée. Bien entendu, elle peut très bien avoir lu son nom sur la plaque de sa porte, juste en face de la mienne. La valeur de preuve, aux yeux d'un policier, est quasi nulle et, à ceux d'un psychiatre, infinitésimale, du moins ainsi isolée de son contexte. Il ressemble peut-être à son père mort ou à quelqu'un d'autre ; les rêves sont très tortueux et il est rare que se crée une relation biunivoque entre...

– Je pense, moi, qu'elle le connaissait, j'en suis même certaine, et j'en apporterai très bientôt la preuve. Emanuel, je t'aime. J'espère qu'aucun policier ne peut m'entendre.

– Tu réalises, j'espère, que le nom de Messenger [2] se prête, lui aussi, à nombre de...

---

1. *Barrister* : homme du barreau, en anglais. (*N.d.T.*)
2. *Messenger* : messager. (*N.d.T.*)

– Qu'éprouvait-elle, dans son rêve, pour cet “homme du barreau” ?

– Je consulterai mes notes : mais de la peur, principalement. De la terreur, et de la haine.

– Pas d'amour ?

– Il est très malaisé de distinguer l'amour de la haine, dans un rêve, et assez fréquemment, également, dans la vie. Mais, à propos des rêves de mes patients, je ferais mieux de retourner à ma séance suivante.

– Elle ne t'a jamais parlé de Cary Grant ?

– Non. Kate, tu seras bien prudente, n'est-ce pas ?

– Les psychiatres sont les êtres les plus illogiques qui soient. Ils viennent vous raconter que rien n'arrive jamais par hasard et, après ça, ils vous supplient d'être prudente. Non, ne me raccompagne pas en voiture. Ça te retarderait, et Dieu sait ce que pourrait s'imaginer un éventuel détective en sous-marin, si d'aventure il y en a un posté à t'attendre.

C'était décidément le jour, pour Kate. Dès qu'elle pénétrait quelque part, le téléphone se mettait à sonner. Celui de son appartement avait la tonalité exaspérée du téléphone qui s'égosille depuis un bon moment déjà.

– Miss Kate Fansler, s'il vous plaît ?

– C'est elle-même.

– Un appel de Chicago. Un instant, je vous prie. Allez-y. Votre correspondant est en ligne.

– Euh, alors, je l'ai vu, dit Jerry, et j'ai bien peur que nous ayons fichu notre argent par les fenêtres ; quant à mon temps, il n'a pas grande valeur. Mon opinion, pour ce qu'elle vaut, est qu'il n'y est pour rien. La sienne, qui vaut elle aussi ce qu'elle vaut, c'est que Barrister n'y est pour rien. Notre conversation fourmillait de citations littéraires – dues à votre influence, selon lui – peut-être qu'en définitive la perception extrasensorielle existe bel et bien. Qui a parlé de “paroles de bienvenue dépourvues de toute bonté” ?

– Wordsworth.

– Kate, vous devriez participer à l'un de ces quiz télévisés.

– Merci bien. Ils voulaient que je partage avec le directeur, et j'ai refusé.

– Vous ne voulez pas entendre ce qu'il m'a raconté ? C'est votre argent, après tout.

– Non, ne me dis rien. Couche-moi tout ça par écrit. Note bien tout ce dont tu pourras te souvenir. Quelque part, d'une façon ou d'une autre, on finira par repérer le petit défaut de la cuirasse qui nous permettra de résoudre cette affaire, et c'est peut-être dans cet entretien qu'il se trouve. D'accord, je reconnais que c'est peu vraisemblable ; mais, comme tu viens de le dire, c'est mon argent, et ton temps n'a pas grande valeur. Note-moi tout ça.

– Sur des petits bouts de papier à en-tête de l'hôtel ?

– Jerry, tu ne dois pas te laisser envahir par le découragement. À quoi t'attendais-tu ? À ce que Messenger verrouille sa porte et t'annonce, avec une lueur trouble dans le regard, qu'il a assassiné Janet Harrison à distance par le truchement d'un fusil à rayons ultra-secret qu'il venait tout juste de mettre au point ? Nous allons découvrir la vérité sur cette affaire, mais je pense que la réponse nous apparaîtra d'abord à l'horizon sous la forme d'un nuage pas plus gros qu'un poing d'homme. Mets-moi cette entrevue par écrit – loue une machine à écrire, trouve-toi une dactylo, griffonne-le sur le papier à lettres de l'hôtel et fais-le retranscrire ensuite – je m'en moque. Mais reviens ici par le premier vol en partance de Chicago. On se voit demain matin.

Barrister avait connu Janet Harrison – Kate en était à présent convaincue. Que son cabinet soit situé en face de celui d'Emanuel n'était peut-être que la plus troublante des coïncidences, mais qu'il ait connu l'homme auquel Janet Harrison avait légué son argent ne pouvait en être une, en aucun cas; pas plus que le fait qu'on l'avait aperçu dans un restaurant en compagnie de Janet Harrison (et Kate était persuadée qu'il s'agissait de lui) n'était une coïncidence; ni non plus les jeux de mots si transparents qui avaient hanté les rêves de Janet – même si la perspective d'avoir à convaincre Reed – sans rien dire d'un jury dans un procès – de la chose, lui semblait franchement peu réjouissante.

S'étaient-ils rencontrés à New York? Il n'en existait, bien entendu, aucune preuve, mais tout portait raisonnablement à parier là-dessus. Barrister lui avait certainement parlé de Messenger, sans se douter le moins du monde que Janet Harrison pourrait avoir plus tard l'ahurissante idée de faire un testament en faveur de ce dernier. Kate, présentement, avait oublié d'où provenait Barrister, mais elle était passablement convaincue qu'il ne s'agissait pas du Michigan – et, subitement, une idée se mit à lentement forer sa petite galerie à la base de son crâne. Quelque chose qui faisait un petit bruit discordant, comme celui que fait une souris derrière les lambris d'un mur.

Quoi que ça puisse être, ça lui échappa. Mais... minute... si Janet Harrison avait bien rencontré Barrister à New York, cette rencontre avait dû se produire très peu de temps après l'arrivée de ce dernier, puisque la photo qu'elle avait sur elle était celle d'un homme beaucoup plus jeune. Il s'agissait peut-être de la seule photo de lui dont disposait Barrister – et peut-être la lui avait-elle subtilisée. Mais pourquoi l'avoir si soigneusement cachée à l'intérieur de son permis de conduire ? Bon, admettons qu'elle l'ait bien volée. Je ne dois absolument pas, se dit Kate, commencer à tourner en rond. Tenons-nous en à la seule chose que j'ai véritablement établie – enfin, que j'ai, disons, établie d'une façon relativement satisfaisante pour mon esprit : Barrister connaissait Janet Harrison. Bien sûr, ils allaient devoir le confronter à la petite Dribble mais Kate, elle, ne nourrissait pas le moindre doute quant à l'issue de cette confrontation.

Kate entreprit de se préparer à dîner, tout en se demandant quand Reed appellerait exactement. À coup sûr, il allait faire la réflexion qu'en fait de détective, elle faisait surtout un excellent critique littéraire. Bien qu'il soit trop courtois pour l'avoir jamais exprimé, du moins de façon aussi explicite et articulée, Kate n'ignorait pas qu'il considérait que les critiques littéraires exerçaient leurs talents dans une atmosphère raréfiée, fort éloignée des faits réels de la vie. Des intellos fumeux, les critiques... dirait-il très certainement... de nouveau, Kate perçut la présence de la petite souris derrière les lambris. La même légère gêne mentale qu'elle venait à l'instant d'éprouver, lorsqu'elle réfléchissait à... à quoi, déjà ? Ah ! oui, à la ville natale de Barrister.

Qu'avait-il donc dit, ce jour-là, dans l'appartement de Nicola. « Vous n'êtes donc pas de New York ? » lui avait demandé Kate. Et il avait rétorqué que, comme l'avait dit l'un de nos chers critiques intellos, il était « ce jeune homme débarquant de sa province ». Un critique intello, à propos d'un certain genre de romans. Eh bien, ce critique avait un nom : Trilling. Mais Barrister le connaissait-il ? Lisait-il le *Partisan Review*, ou avait-il lu le recueil d'essais intitulé *The Opposing Self*? Ça n'avait rien d'impossible – encore que, dans le ton qu'il avait employé, avait percé le mépris dans lequel il tenait ces préoccupations. Où avait-il bien pu entendre cette phrase de Trilling s'appliquant à un certain genre littéraire ?

Il l'avait apprise d'elle-même, Kate Fansler, par la bouche de l'une de ses élèves, Janet Harrison. Sans l'ombre du moindre doute. Là encore, ce n'était pas le genre de preuve dont on pouvait espérer qu'un policier la prendrait officiellement en considération mais, aux yeux de Kate, c'en était une, et irréfutable. Janet Harrison avait entendu cette phrase prononcée par Kate, elle l'avait frappée et elle l'avait répétée à Barrister. Ce qui signifiait que non seulement Barrister connaissait Janet Harrison, mais qu'il la fréquentait à l'époque où (ça paraissait logique) elle était encore inscrite au cours de Kate. Ainsi donc, Barrister était un jeune homme qui montait de sa province ? Eh bien, l'un des traits marquants, précisément, du jeune homme qui monte de sa province, dans le domaine littéraire du moins, était qu'il – lui ou l'un de ses comparses – finissait toujours, irrémédiablement, par connaître ce que l'un des amis anglais de Kate appelait une « fin poisseuse ». Ah ! ouiche, un jeune homme de province, en vérité !

Lorsque Reed appela, Kate était prête à le recevoir.

– J'ai pas mal de choses à t'annoncer, dit-il. Je serai chez toi dans quelques heures. C'est trop tard pour toi ?

– Non. Mais, Reed, tu ferais bien de te préparer... je suis d'ores et déjà bien convaincue d'une bonne chose. Et ne commence pas à partir d'un fou rire intempestif. Barrister connaissait Janet Harrison.

– Je ne ris pas du tout, dit Reed. Ça fait partie des choses que je comptais t'annoncer. Il vient de l'admettre.

16

– Il y a quelque chose d'infiniment étrange dans le fonctionnement de l'inconscient, dit Kate à Reed, quelques heures plus tard. Barrister n'avait nul besoin d'utiliser cette phrase sur le jeune homme qui monte de sa province en s'adressant à moi – je suis même persuadée qu'il ne sait pas très bien lui-même pourquoi elle lui est venue à l'esprit. Mais il me rencontre, réalise qui je suis, connaît sur moi un certain nombre de choses que Janet Harrison lui a apprises, est conscient qu'il ne doit en aucun cas laisser transparaître qu'il me connaît, et voilà que son inconscient lui dicte « le jeune homme qui monte de sa province ».

– Un garçon observateur, ce Freud. Il a fait un certain nombre de suggestions relatives à des tests verbaux qu'on pourrait appliquer aux assassins présumés, tu savais ça ? Ça fonctionne plus ou moins sur le principe du détecteur de mensonges ou, plutôt, disons que c'était censé fonctionner sur ce principe : la tension, la pression artérielle du criminel monte lorsqu'on le met en présence d'une idée qui le perturbe. Dans le test de Freud, le même criminel présente un blocage devant les questions dérangeantes, ou bien se livre à une association d'idées qui le trahit. Quoi qu'il en soit, Barrister, tel un bon patient sur son divan, a inconsciemment décidé ce jour-là de parler vrai. Remarquable à quel point, même lorsqu'on n'a rien à se reprocher, on peut prendre peur à l'idée qu'on va enquêter sur vous.

– Peut-on dire d'un menteur qu'il est innocent ? D'une personne, je veux dire, qui dissimule des faits importants et qui, par cette omission, a contribué à engluer autrui dans les mailles du filet de l'inauthenticité ?

– La vérité est chose insaisissable. C'est peut-être la raison pour laquelle seuls les littéraires s'en approchent.

– Voilà bien ce qu'Emanuel appellerait une provocation.

– Et il aurait parfaitement raison. Je te présente mes excuses. Sauf, bien entendu, que mon observation est vraie. Tu avais compris bien avant nous que Barrister la connaissait. Et le fait que tu as retrouvé cette Miss Dribble m'a poussé à les pousser à mettre la pression plus tôt qu'ils ne l'auraient fait de leur propre chef. C'est cette Miss Dribble (puisque je n'étais pas encore au courant du jeune homme monté de sa province) qui m'a encouragé à poursuivre mon interrogatoire, alors que je n'avais pas officiellement qualité pour m'y livrer.

– Qu'a-t-il dit ? Père, je suis incapable de mentir, surtout si ça risque de me mettre dans un mauvais cas ?

– Il a exposé toute l'affaire avec beaucoup de franchise. Il ne pensait pas que quiconque puisse savoir qu'ils se connaissaient ; et, avec ce petit ennui qu'il avait déjà eu, à propos de ce procès pour faute professionnelle, il ne voulait pas prendre le risque d'avoir d'autres démêlés avec la police. Tu seras la première à reconnaître qu'il n'était pas dans une situation enviable, avec cette fille, assassinée en face de chez lui alors qu'il la connaissait. Il espérait simplement que nous ne découvririons jamais le lien qui les unissait ; et, de fait, sans la photo et le testament, nous n'aurions jamais rien découvert. Et Miss Dribble, naturellement.

– Naturellement. Quelqu'un devait fatalement les apercevoir, tôt ou tard. Si la police avait enquêté sur lui de manière un peu plus approfondie, et de façon un peu moins fouillée sur Emanuel, elle aurait peut-être, à l'heure qu'il est, découvert qu'une autre personne les avait vus. Et le fait que j'avais retrouvé Miss Dribble, moi, un autre suspect, ne les a jamais fait douter de l'authenticité de cette preuve ?

– Tu es plus ou moins radiée de la liste des suspects – de la liste actuellement en vigueur, tout du moins. Ils ont mené leur petite enquête sur toi, comme tu en auras probablement des échos par tes amis et collègues. Tes confrères ont eu l'air de considérer comme purement grotesque l'idée que tu aies pu plagier l'œuvre de l'une de tes élèves et ils ont entrepris de mettre en relief, avec une certaine chaleur, ai-je cru comprendre, les nombreuses difficultés inhérentes à la recherche et à la thèse universitaires. En outre – je t'en supplie, ne prends pas la mouche – l'hypothèse que tu puisses toujours être amoureuse d'Emanuel, si d'aventure tu l'as jamais été, a été battue en brèche par le fait que tu avais été, bien plus récemment, éprise d'un autre.

– Je vois. Et ils ont découvert le nom de cette autre personne ?

– Oh ! que oui ! Ils lui ont même parlé. Kate, il s'agit d'un homicide, d'un meurtre. Je suis navré de devoir te demander ça – mais je préfère que tu l'entendes d'abord de ma bouche, de façon à t'y préparer. Tu ne projettes pas, pour le moment, de te marier, n'est-ce pas ? Désolé… je n'aurais jamais dû te poser cette question. En tout cas, ils n'ont pas paru te trouver la moindre raison d'avoir fait une chose pareille et, bien entendu, en dehors de cette carence en matière de mobile, il y avait encore d'autres détails qui contribuaient à faire de toi une coupable peu vraisemblable. Tu n'es pas fâchée, au moins ?

– Non, ni fâchée ni disposée à me marier. À présent, essaye de te calmer un peu et arrête de tripoter cet attaché-case. J'apprécie énormément ta franchise, et j'aimerais en apprendre un peu plus sur Barrister. Qu'a-t-il dit, exactement ? Ont-ils vécu la grande passion, tous les deux ?

– Il l'a rencontrée à peu près à l'époque où la photo a été prise… Il en avait besoin pour je ne sais plus quelle raison officielle. Je crois qu'il aurait préféré rester dans le vague, s'agissant de la date de leur rencontre, mais nous avions un homme à nous qui enquêtait sur le passé de Janet Harrison – tu sousestimes légèrement les forces de l'ordre, ma chère – et il a découvert que Janet Harrison avait fait un séjour prolongé dans les territoires sauvages du Canada. Je présume que Barrister se doutait qu'on ne tarderait pas à apprendre – si ce n'était déjà fait – qu'il avait luimême séjourné dans les mêmes arpents sauvages, aussi nous a-t-il appris tout de go qu'ils s'y trouvaient ensemble. J'ai cru comprendre qu'il s'agissait d'une de ces foucades, comme il peut en arriver aux gens qui se rencontrent pendant une croisière ou des vacances en Italie, qui vous arrachent à votre train-train routinier, mais n'ont que bien peu de chances de survivre au retour audit train-train. Barrister s'est rendu à New York, aussitôt après et, en ce qui le concernait, c'était bel et bien fini, du moins sous sa forme première d'attachement sérieux. Mais Janet Harrison, elle, a décidé de devenir infirmière – apparemment ce qu'on pouvait espérer de mieux pour faire une femme de médecin, et elle a ensuite dû rentrer chez elle à la mort de sa mère. Après quelques péripéties, et les années s'écoulant, elle est remontée à New York, alors qu'elle n'avait plus jamais eu de ses nouvelles. Elle devait ressentir le besoin d'une sorte d'excuse, parce qu'elle a décidé d'étudier la littérature anglaise dans ton université. Nous ignorons pourquoi elle a choisi cette matière plutôt que l'histoire, qui avait été son point fort pendant ses études de deuxième cycle universitaire.

– Je ne vois qu'une bonne raison à ça, à moins qu'elle n'ait pensé qu'il serait plus commode pour elle de lire des romans que de retenir des dates. Le département d'histoire exige de ses postulants qu'ils passent un concours d'entrée, le *Graduate Record Exam* ; tandis que celui d'anglais s'en abstient. De sorte qu'il lui était plus facile d'intégrer le second – ses résultats de deuxième cycle suffisaient amplement pour ce faire.

– Tu es probablement dans le vrai. Quoi qu'il en soit, c'est là qu'elle s'est retrouvée. Elle était par tempérament peu encline aux confidences, dit-il – Dieu sait si, de notre côté, nous avons pu le vérifier – et il a réussi à garder leur liaison secrète, ne la voyant qu'à de rares occasions, et ce en dépit du fait qu'elle était, d'après lui, une véritable empoisonneuse. Il le reconnaît volontiers. Il semblerait qu'elle ait décidé d'avoir recours à un psychanalyste pour surmonter la passion éperdue qu'il lui inspirait, même si ce n'est pas précisément le mot dont Barrister a usé, et que le fait qu'elle soit justement tombée sur Emanuel ne relève que de la pure et simple coïncidence – encore que Barrister reconnaisse qu'elle t'admirait énormément, et que c'est probablement ce qui explique pourquoi c'est à toi qu'elle a demandé de lui recommander quelqu'un. Il espérait qu'elle s'en guérirait et lui aurait même proposé, nous a-t-il dit, de payer les honoraires pour elle. Il était très sincère, Kate et, j'en ai bien peur, parfaitement crédible. Il sous-estime la police, tout comme toi, et s'imaginait qu'avec un gentil petit mobile comme celui qu'il avait, ils allaient le coincer. Le choc qu'il a pu ressentir lorsque Nicola lui a demandé de venir voir le corps, a été, tu l'imagines bien, considérable... je n'ai aucun mal à le croire. Il faut dire aussi, à sa décharge, qu'il a immédiatement prévenu la police. Il aurait très bien pu, je te le rappelle, faire valoir qu'il devait l'ausculter, refermer la porte et fouiller dans son sac, auquel cas il aurait trouvé la photo. Il n'en a rien fait.

– Cette photo a dû lui flanquer une sacrée secousse.

– Indéniablement, la police a commis un impair, dans cette affaire. Mais, bien entendu, ils pensaient que c'était une photographie récente, de sorte qu'on peut peut-être, je présume, le leur pardonner. Comme je te l'ai déjà dit, il nous a rapporté tout ça très ouvertement, en se mettant quasiment à la merci de la police. Il a reconnu qu'il s'en ouvrait maintenant parce que la police était à deux doigts de tout découvrir. Il a également dit qu'aucun homme n'a jamais tué une femme parce qu'elle lui portait un amour intempestif, et qu'il osait espérer qu'on s'en rendait compte.

– Étaient-ils amants ?

– On lui a posé la question, encore que la police préfère employer le terme "rapports intimes". Il a eu une légère hésitation avant de répondre – ou, plutôt, il a tout d'abord dit non, puis il a reconnu qu'ils avaient effectivement été amants, dans les sauvages arpents canadiens. Il a souri et dit qu'il supposait qu'elle avait probablement tout raconté à Emanuel et qu'en conséquence, il ferait tout aussi bien de le reconnaître ; il était plus jeune, etc., etc., mais il a également mis l'accent sur le fait qu'ils n'avaient jamais eu de rapports "intimes" à l'époque de New York. Il a ouvertement avoué qu'il n'avait jamais eu la moindre intention de l'épouser et que lui faire l'amour, dans ces conditions, c'eût été faire de lui à la fois un mufle et un imbécile. Un imbécile, parce que la seule chose qu'il attendait d'elle, c'était qu'elle sorte de sa vie sans faire d'histoire.

– Et à propos de Messenger ?

– Il a reconnu que ça l'intriguait fortement. Il lui avait effectivement parlé de Messenger au Canada, dans des termes très admiratifs, semble-t-il, mais il voyait mal pourquoi, bien des années plus tard, elle aurait fait un testament léguant tout son argent à Messenger. Messenger va maintenant devoir supporter qu'on examine sa vie privée un peu plus dans le détail ; ça crève les yeux.

– Et Barrister n'a ni volé l'uniforme du concierge ni cambriolé sa chambre ?

– La police l'a interrogé à ce sujet, de façon plus ou moins détournée. Il a levé les bras au ciel et dit que s'il pouvait lui arriver de mentir à la police pour s'épargner un scandale, le médecin pour femmes qu'il était n'irait jamais prendre le risque de se faire surprendre en train de rôder autour d'un foyer pour dames. Il a admis avoir ressenti un soulagement monstrueux en apprenant qu'elle vivrait là désormais, dans la mesure où il n'aurait plus à se chercher d'excuses pour ne plus venir la retrouver dans sa chambre, et il fuyait bien entendu cet endroit comme la peste.

– Il n'en reste pas moins bien étrange que leur relation ait été tenue si secrète.

– Je sais bien, et il le sait également. C'est précisément l'un des points qui l'ont placé sur la sellette. Mais tu serais stupéfaite, Kate, des turpitudes étranges dont est faite la vie des gens, quand tu commences à fouiller un peu. Je pourrais te raconter plein d'histoires. Et lorsque la police commence à poser des questions à quelqu'un qui est compromis dans une affaire de meurtre, la personne en question, au moins une fois sur deux, aura dans sa vie un épisode dont elle n'a pas lieu d'être fier, ou qu'elle préférera garder secret, et elle mentira sur ce point, contribuant ainsi à brouiller les pistes. Par exemple, il s'est avéré que Nicola s'était à une occasion au moins lassée de son mari, suffisamment pour déserter le foyer conjugal et avoir une liaison avec un autre… tu étais au courant ?

– Non.

– Tant mieux et, surtout n'oublie pas, tu n'en sais toujours rien. Nicola ne nous l'a pas dit, non plus qu'à Emanuel. Nous l'avons découvert tout seuls. Bon, Barrister, lui aussi, a été démasqué. Mais ce n'est pas parce qu'il a essayé de garder le secret sur sa liaison, même après le meurtre, et que ça peut comme ça sembler irrationnel, qu'il a nécessairement – ni même éventuellement, d'ailleurs – conclu que ce secret serait mieux gardé encore s'il se résolvait à la tuer, du moins à mon idée. Et le mobile n'est pas suffisant. Si tu prends la peine d'y réfléchir calmement, tu seras la première à le reconnaître.

– Je l'ai déjà reconnu, nom d'un chien !

– Lorsqu'il y a meurtre, la police soulève un caillou qui n'a pas bougé de place depuis belle lurette. Et s'il t'est déjà arrivé de soulever un caillou de ce genre, tu sauras qu'un tas de vermines rampantes et visqueuses grouillent toujours en dessous. L'espèce humaine n'est guère recommandable, loin de là !

– Ainsi donc, nous en revenons à Emanuel !

– Ils n'ont pas pu prouver qu'Emanuel avait jamais rencontré Janet Harrison en dehors de son cabinet ; mais tu n'ignores pas non plus le temps qu'ils ont mis à établir sa relation avec Barrister.

– Combien d'hommes est-elle censée avoir fréquentés, gentiment, sans faire de vagues ?

– On ne peut jamais savoir, avec ce genre de filles. Si seulement la police pouvait mettre la main sur un témoin extérieur, une preuve permettant de corroborer certains faits, ils procéderaient sans délai à son arrestation, à mon sens. Mais tu penses bien que le bureau du District Attorney n'est pas spécialement pressé d'assister à une arrestation, lorsqu'il pressent plus ou moins qu'il perdra le procès.

– Mais, à ce que j'ai entendu dire, ils appuieront en revanche le dossier s'ils disposent des preuves suffisantes, même s'ils ont l'intime conviction que l'inculpé est innocent.

– Ça peut arriver. Mais la police n'a pas d'états d'âme. Elle ne travaille pas à l'instinct. Mais sur preuves. Plus circonstanciées elles seront, mieux ça vaudra. À ce point du dossier, de toi à moi, ils pourraient à mon avis tenter le coup avec Emanuel. C'était *son* divan, *son* couteau, *sa* patiente, et il était la seule personne susceptible d'être assise sur sa chaise pendant qu'elle était allongée sur le divan. On a vu des affaires arriver en justice avec des dossiers moins bétonnés. Mais son cabinet était pour ainsi dire ouvert aux quatre vents, ce dont un avocat de la défense un peu futé pourrait tirer le maximum. Néanmoins, s'ils parviennent à déterminer le mobile, ils le tiennent.

– Et tu penses que c'est ce qui va se passer, Reed ?

– Non, je te crois, et je me fie au jugement que tu portes sur lui. Mais, Kate, à quel saint nous vouer, à présent ? La police ne croit pas à l'hypothèse du maniaque homicide, et je suis du même avis. Il reste, bien sûr, la possibilité que Messenger ait fait le coup, mais elle me paraît bien tirée par les cheveux.

– Pourquoi ne pourraient-ils pas arrêter Barrister, au même titre qu'Emanuel ? Barrister l'avait, le mobile, lui. Je sais bien que ce n'est pas le plus motivant du monde mais, puisqu'on parle d'avocats futés…

– Avoir un mobile ne suffit pas, sans preuves pour étayer le dossier. Pas un mobile de cette espèce, en tout cas. Bon, en tout cas, les choses commencent à se décanter. Nous avons mis des inspecteurs sur Sparks et Horan, et il pourrait bien en découler quelque chose. Au fait, qu'est-il arrivé à ton Jerry ?

– Je l'ai envoyé voir Messenger.

– Kate, je pense sérieusement qu'après tout ce que j'ai pu te dire…

– Je sais… tu as le droit de hurler. Si Jerry revient avec des surprises, je te promets de t'en faire part. Mais, à en juger par le compte rendu téléphonique qu'il m'en a fait, Messenger est aussi innocent que l'agneau qui vient de naître, comme les autres. Tu sais, Reed, s'ils devaient inculper Emanuel, ce serait vraiment un très sale coup pour la psychiatrie tout entière. Il n'a rien de ces charlatans à la graisse de chevaux de bois qui se tournent par pur hasard vers la psychanalyse. C'est un membre de l'institut de psychiatrie le plus austère de ce pays, et ils le soutiennent à fond, en conséquence. Moi-même, qui passe mon temps à me disputer avec Emanuel, j'ai peine à concevoir qu'ils auraient pu admettre en leur sein, après l'analyse en profondeur exigée, un homme capable d'assassiner sa patiente sur son divan. Et je suis bien sûre qu'ils n'en ont rien fait. Même s'il n'était pas condamné, son inculpation serait un coup fatal. Il y a peut-être quelqu'un qui rôde dans les parages, très monté contre la psychiatrie et décidé à assassiner un patient de loin en loin, à des intervalles très espacés, dans le seul but de discréditer toute la profession. Vous devriez peut-être demander à tous les suspects ce qu'ils pensent de la psychiatrie.

– J'en prends bonne note. Mais il faut avant tout que j'aille me reposer un peu. J'ai, moi, un procès qui commence demain – devant le grand jury, une affaire de pornographie. Tout bien pesé, il vaudrait peut-être mieux faire sauter toute cette fichue planète, et repartir à zéro, du bon pied, dans une petite centaine d'années, quand la Terre aura commencé à refroidir un peu.

Sur ce réconfortant aphorisme, Kate alla se coucher.

Dans la matinée, Jerry se présenta au rapport, l'air d'un chien battu. Il s'assit rageusement et entreprit de feuilleter un magazine pendant que Kate lisait ses notes. Jerry avait relaté sous forme de dialogue son entrevue avec Messenger ; lequel dialogue était suivi d'une description physique minutieuse – et peu flatteuse – du médecin, et complété par un compte rendu de ses impressions personnelles. Il avait peut-être eu l'impression que son rapport manquait un peu de chair, mais il en avait soigné la forme. Kate le félicita pour sa grande lisibilité, mais il eut un rictus narquois.

– Tu as passablement versé dans le littéraire, fit-elle.

– L'un comme l'autre, ne trouvez-vous pas ? Est-ce que ce truc de Lawrence qu'il rabâchait vous évoque quelque chose ?

– Oh ! il me semble, en effet. Ça paraît avoir énormément impressionné Barrister. C'est tiré du début de *L'Arc-en-ciel* – personne n'a jamais mieux dépeint les enfants que Lawrence, probablement parce qu'il n'en a jamais eus. Je crois comprendre que tu serais assez disposé à te fier à Messenger ?

– Oui, en effet, il me semble digne de confiance, si mon opinion a la moindre valeur. Mais je suis bien persuadé du contraire. En fait, d'ailleurs, si vous voulez le savoir, il m'a fait penser à vous.

– À moi ? J'ai les oreilles décollées ?

Jerry rougit :

– Je ne voulais pas dire physiquement. Mais il me fait un peu la même impression que vous. Ne me demandez pas de préciser – c'est juste que, tous les deux, vous seriez parfaitement capables de tricher, mais en connaissance de cause.

– C'est un très beau compliment, Jerry.

– Vraiment ? C'est vraisemblablement de la pure merde en bâton, cent pour cent non trafiquée. Je fais quoi, maintenant ?

– Et il ne t'a jamais donné l'impression de tricher, en connaissance de cause.

– Jamais, non. Il était sincère, j'en mettrais ma main au feu. Même s'il arrive parfois aux gens d'être prêts à jurer de la sincérité d'un escroc.

– Je crois, dit Kate, que nous allons partir du principe qu'il était sincère. Du moins jusqu'à ce que nous ayons de sérieuses raisons d'en douter. Il faut nécessairement une constante à toute équation et, jusqu'ici, nous ne sommes encore tombés que sur des variables. Il me semble que nous pouvons attribuer à Messenger valeur de constante et voir ensuite à quoi revient l'inconnue X. Jerry, ça ne te dérangerait pas de traîner encore un peu dans les parages, pour le moment ? Il se pourrait bien que je décide de t'envoyer dans le Michigan. Le gros problème dans cette affaire, vois-tu, c'est que nous l'avons abordée avec un manque total d'imagination.

Et elle entreprit d'arpenter la pièce de long en large. Jerry grommela.

17

C'était dans la matinée de jeudi que Kate avait tenu cette conversation avec Jerry. On était à présent vendredi soir. Kate avait, ce jour-là, demandé à quelqu'un de la remplacer pour ses conférences. Elle faisait face à Reed, lequel était assis sur son divan, les jambes tendues devant lui.

– Je ne sais pas trop si je saurais te raconter exactement comment ça s'est passé, depuis le tout début, disait-elle, mais je peux au moins te dire par où j'ai commencé hier matin. Je suis partie d'une blague en l'air, qu'un médecin avait racontée à un autre médecin, il y a des mois de ça. Je suis partie d'une photographie un peu vieillotte. Je suis partie d'un des plus grands romans de notre temps, et d'une scène particulière de ce roman, qui s'était gravée de façon indélébile dans la mémoire d'un homme, parce qu'elle évoquait pour lui un moment vital de son enfance. Je suis partie d'un jeu de mots, lui-même partie prenante d'un rêve, d'une association, non pas liée à l'amour ou à la passion amoureuse, mais à la haine et à la peur. Je suis également partie d'une vieille dame, et des arpents sauvages du Canada.

Je suis partie du postulat délibéré qu'on pouvait ajouter foi à ce que dit Messenger – tu viens à l'instant de lire le compte rendu de Jerry. Messenger a dit que Barrister était incapable de commettre un meurtre et, même si cette assertion peut être sujette à caution, j'ai décidé que, pour le moment du moins, elle était valide.

Il y avait encore, également, quelques petits faits épars à retenir. Un procès pour faute professionnelle. Sparks, qui n'oublie jamais un visage. Nicola, et sa propension à raconter à qui veut l'entendre, à condition que son interlocuteur soit compatissant, et même dans le cas contraire, pratiquement tout ce qu'il y a à savoir sur sa vie privée. Un laveur de carreaux, qui s'avéra par la suite n'avoir jamais existé, mais qui m'a aidée à réaliser avec quelle facilité déconcertante quiconque ayant accès à la cour sur laquelle donnent le bureau et la cuisine d'Emanuel pourrait épier ces pièces. Les visites que je rendais autrefois à Emanuel et à Nicola, au bon vieux temps d'avant le crime. Une question qu'on m'avait posée : *"Professeur Fansler, pourriez-vous me recommander un bon psychiatre ?"*

Tout ça tourbillonnait dans ma tête, comme je te disais, et jeudi matin, toutes ces choses m'ont paru soudain retomber pour se mettre en place. C'est là que j'ai fait, ou fait faire, trois choses.

La première de ces choses impliquait Nicola. Je lui ai téléphoné et je lui ai suggéré d'engager, au plus vite et avec la plus grande subtilité possible, la conversation avec Barrister. Pour Nicola, ce n'était pas la mer à boire. Elle s'est tout simplement montrée sur le pas de sa porte après le départ de ses clientes, lui a rappelé qu'il s'était montré très désireux de faire tout ce qu'il pouvait pour les aider, et a déclaré que ce dont elle avait surtout besoin, c'était de quelqu'un à qui parler. Quand j'étais petite, on jouait à un jeu que je trouvais pour ma part plutôt stupide. Quelqu'un tirait une phrase idiote écrite sur un bout de papier, dans le genre : "Papa joue du piano avec ses orteils." Il s'agissait alors de raconter une histoire à son adversaire – lequel adversaire, bien entendu, n'avait pas pris connaissance de la phrase écrite sur le petit bout de papier – et d'y placer sa phrase idiote. Bien entendu, ce qu'il fallait raconter, c'était une histoire elle-même bourrée de déclarations sans queue ni tête, puisque ton adversaire avait droit à trois essais pour découvrir celle d'entre elles qui était écrite sur le papier. Et, naturellement, l'adversaire ne trouvait pratiquement jamais, puisque toutes les déclarations que tu faisais étaient aussi saugrenues que ton "Papa joue du piano avec ses orteils." Et c'était très exactement ce que Nicola était chargée de faire : je voulais connaître l'opinion de Barrister sur D. H. Lawrence, et particulièrement sur *L'Arc-en-ciel*, et plus spécialement encore sur l'un des épisodes de ce roman. Nicola avait pris bien soin de relire la partie incriminée du roman – fort heureusement, cet épisode se déroule dans les soixante-quinze premières pages. Elle devait glisser l'épisode dans la conversation, mêlé naturellement à d'autres références littéraires, de façon à ne pas trop faire tache dans le cours de la discussion.

Nicola a superbement réussi son coup.

La deuxième chose en fait a été réalisée par Nicola. Elle a papillonné, à sa façon délicieuse, dans le cabinet de Barrister, et a réussi à mettre en lumière, en partie en l'interrogeant, mais principalement en les lui exposant elle-même – tu rates beaucoup en ne connaissant pas Nicola – de vastes pans de ses habitudes professionnelles.

La troisième chose a coûté un peu d'argent. J'ai envoyé Jerry dans une petite ville du nom de Bangor, dans le Michigan. Il est en ce moment même sur le trajet de retour, mais je lui ai parlé au téléphone hier au soir. Jerry n'a pas perdu son temps. Il cherchait une vieille dame, mais celle-ci était décédée. Heureusement, c'est une toute petite ville, et il a réussi à retrouver les gens avec qui elle vivait avant sa mort. Ils ne lui étaient pas apparentés ; elle leur versait une certaine somme pour la chambre et pour s'occuper d'elle. Cet arrangement avait été pris par Michael Barrister qui, bien entendu, débarque de Bangor, Michigan.

C'est Michael Barrister qui avait cette vieille dame à charge ; il ne versait pas une bien grosse somme d'argent au couple dont elle partageait la maison et, au fur à mesure qu'elle vieillissait et exigeait plus d'attentions, il en avait augmenté le montant. À sa mort, Michael Barrister a fait don d'une somme très substantielle à ces gens qui s'étaient occupés d'elle pendant des années et lui avaient donné en sus, je présume, l'affection qui, elle, ne s'achète pas.

Tout cela était jusqu'ici parfaitement clair et régulier, mais j'étais en quête de tout autre chose et Jerry, en usant de toute sa séduction de jeune homme, a réussi à mettre la main dessus. Il a demandé si les chèques avaient cessé d'arriver pendant un certain laps de temps. Après toutes ces précautions oratoires, tu ne t'étonneras probablement pas d'apprendre que le cas s'était effectivement produit. Barrister avait envoyé régulièrement un chèque, tous les mois, pendant toutes ses années de collège, de fac de médecine, d'internat et d'externat. Puis ils avaient cessé d'arriver.

C'était un couple de gens bien convenables. Ils avaient continué de s'occuper d'elle, mais le fardeau financier avait fini par devenir trop lourd pour eux et l'homme avait fait le voyage jusqu'à Chicago. Il y avait appris que Barrister était parti pour New York et, en consultant un annuaire de New York à la bibliothèque, avait découvert son adresse. L'homme avait écrit à Barrister et avait reçu en réponse une lettre d'excuse, expliquant que Barrister avait eu de grosses difficultés financières, mais qu'il était à présent remis en selle. La lettre contenait un chèque couvrant tout ce qui était dû depuis plusieurs mois, et le mois à venir. Après ça, le chèque mensuel leur était toujours parvenu régulièrement, jusqu'à la mort de la vieille dame. Mais, au cours de ces mois écoulés sans qu'aucun chèque ne leur parvienne, avait pris place l'un des anniversaires de la vieille dame, à l'occasion duquel Michael Barrister n'oubliait jamais de lui envoyer une lettre et un cadeau. Le cadeau était toujours le même : un petit chien en porcelaine, pour enrichir sa collection de chiens en porcelaine. Les chèques n'arrivant plus et son anniversaire passé à l'as, la vieille n'a plus jamais voulu entendre parler de Barrister. Elle l'appelait Mickey, chose que personne, à part elle, n'avait jamais fait, mais elle refusait à présent de faire la moindre allusion à lui, ou d'accepter quoi que ce soit de sa main. Le couple avec qui elle vivait dut faire semblant de la prendre totalement en charge, tout en acceptant l'argent de Barrister, sans lequel, bien entendu, ils n'auraient jamais pu persévérer. Ils ne correspondaient plus du tout avec lui, et la vieille dame ne reçut plus jamais le moindre chien en porcelaine.

– Touchante histoire, fit Reed. Et qui était cette vieille dame ?

– Désolée, j'aurais sans doute dû te le dire avant. Elle avait vécu avec les grands-parents de Barrister, et s'était occupée de lui quand il était petit. Le testament de ses grands-parents léguait tout leur argent à leur petit-fils, avec un codicille disant qu'ils étaient persuadés qu'il prendrait soin de la vieille dame sa vie durant. Et c'est ce qu'il a fait.

Revenons-en à la conversation de Nicola. Elle me l'a rapportée mot pour mot – dans l'éventualité où tous les greffiers de cour seraient emportés par un quelconque fléau, et leurs machines à enregistrer avec eux, il me semble que Nicola ferait parfaitement l'affaire – mais je vais me contenter de t'en livrer la substance. Barrister a lu *L'Amant de lady Chatterley.* Ce roman excepté, il n'a strictement jamais rien lu d'autre de D. H. Lawrence, qu'il semble, soit dit en passant, avoir légèrement tendance à confondre avec T. E. Lawrence et, en outre, il semble professer l'opinion que la littérature moderne en son entier a pris la mauvaise pente. Elle fait peut-être le pain blanc des professeurs et des critiques mais, quand quelqu'un ouvre un livre, ce qu'il a envie d'y trouver, c'est une bonne histoire, et pas tout un fatras de symbolisme et de tranches de vie.

Ce que Nicola a découvert dans le cabinet de Barrister était déjà connu, je présume, de la police. Il dispose d'une salle d'attente, de plusieurs salons d'auscultation et d'un bureau. Ces dames, à des stades divers de mise en train, sont préparées à la consultation dans ces salons, puis convoquées dans le bureau. Barrister passe de l'un à l'autre, comme aussi l'infirmière. S'il n'est pas dans l'un de ces salons, c'est, suppose-t-on, qu'il est dans un autre. Les dames patientent parfois assez longuement et y sont d'ailleurs accoutumées, chose qui pourra aisément être corroborée par quiconque aura consulté un gynécologue en renom. En d'autres termes, comme tu me l'avais déjà toi-même annoncé, Barrister n'a pas de réel alibi, même si ce très retors avocat de la défense auquel tu fais sans cesse allusion pourrait très certainement tirer le maximum du fait qu'il recevait ses patientes à l'heure du crime. Cela donne à penser qu'il faudrait alors interroger très soigneusement toutes les dames présentes ce jour-là, et, Dieu merci, ce travail ne m'échoira pas en partage.

À ces informations, je vais toutefois ajouter quelque chose que Nicola avait déjà suggéré au lendemain du crime, et que Jerry a découvert au cours d'un petit intermède avec l'infirmière, intermède que je préfère passer sous silence : le fait que Barrister se consacre essentiellement aux femmes incapables de concevoir, aux femmes qui souffrent des divers "petits problèmes" liés à leur sexe, et aux femmes stressées par leur ménopause. J'ai, à tout hasard, téléphoné à mon médecin, un monsieur plutôt conservateur, membre du personnel hospitalier d'un C.H.U., qui a finalement eu le courage de m'avouer – tous les médecins, ai-je découvert, répugnent à envisager le fait que la médecine puisse être pratiquée de façon nocive – qu'alors que de nombreux médecins soignent les femmes ménopausées par des injections hebdomadaires d'hormones, il a personnellement le sentiment qu'on sait encore trop peu de choses sur les effets secondaires des hormones, et qu'on ne devrait recourir à leur utilisation que dans les cas d'une extrême gravité. Ces dames, cependant, ont l'air de beaucoup en apprécier les effets et se font administrer des hormones par de nombreux médecins. Tu veux boire quelque chose ?

– Continue, fit Reed.

– Je vais maintenant te raconter une petite histoire, une histoire qui m'a été inspirée par tous ces derniers faits. Il était une fois un jeune médecin du nom de Michael Barrister. Il avait déjà plusieurs années de médecine derrière lui et en était à son internat. Il aimait beaucoup le camping et les randonnées, principalement dans cette région que nous désignons sous le terme “les arpents sauvages du Canada”, où l'on peut dormir à la belle étoile, louer une chambre chez un forestier, ou encore, à l'occasion, descendre dans un hôtel. Mike, si je peux me permettre de l'appeler par son diminutif, est donc parti camper et a rencontré, dans lesdits arpents sauvages du Canada, une fille du nom de Janet Harrison. Ils sont tombés amoureux...

– Mais son père, hélas, était l'homme le plus puissant du royaume, alors que le sien n'était qu'un humble bûcheron...

– Si tu continues à m'interrompre, maman ne finira pas son histoire, et tu devras t'endormir comme ça. Au bout d'un certain temps, la fille dut regagner ses pénates et ils se séparèrent donc en se jurant un amour éternel. Michael Barrister rencontra sur ces entrefaites un autre homme, un homme qui lui ressemblait étrangement. Ils partirent ensemble en randonnée. Mike s'ouvrit sans arrière-pensée à cet homme, se confiant à lui comme il arrive souvent qu'on le fasse avec des inconnus ; il lui parla beaucoup de lui-même, mais ne lui dit rien de la fille. Une nuit, l'inconnu assassina Mike et enterra son cadavre dans les arpents sauvages du Canada.

– Kate, pour l'amour de Dieu....

– Peut-être était-ce juste un accident. Ce n'est peut-être qu'après la mort accidentelle de Mike que l'inconnu a réalisé dans quelle situation il se trouvait – peut-être n'allait-on pas ajouter foi à sa version des choses, s'est-il dit – quoi qu'il en soit, l'idée lui est venue d'usurper l'identité de Mike.

C'était là prendre un risque énorme ; des millions de choses pouvaient mal tourner, mais tout s'est bien passé. En apparence, en tout cas. L'épisode de la vieille dame a bien sûr constitué un gros os mais, semble-t-il, le problème s'est résolu de lui-même. Le hic, bien entendu, c'était l'éventuelle réapparition des anciens amis de Mike, mais il pouvait tout simplement leur battre froid – leur faire croire, de cette façon, que Mike avait changé du tout au tout. Apparemment, les anges et les saints étaient de son côté. Personne n'a jamais retrouvé le corps. Il répondait au courrier qu'il recevait éventuellement. Le véritable Mike avait des diplômes de tout premier plan, et il n'eut aucun mal à se constituer une clientèle. Le procès pour faute professionnelle avait probablement fait l'effet d'un coup de tonnerre dans un ciel serein, mais il avait essuyé le grain sans broncher.

Et puis est survenu le premier problème de taille : Janet Harrison. Son arrivée en ville avait été reportée d'année en année, et pendant des années. Elle suivait une formation d'infirmière, projetant de retrouver Mike plus tard à New York, et ses lettres y avaient fréquemment fait allusion. Il y répondait en s'efforçant, sans rudesse excessive, de laisser cette liaison mourir de sa belle mort. Il tardait de plus en plus à répondre à ses lettres. À la mort de sa mère, elle dut regagner sa ville natale. Mais, ultérieurement, nonobstant tout ce retard accumulé, Janet Harrison, sa Némésis, débarquait finalement à New York. Elle n'avait jamais cessé de l'aimer, et ne voulait ou ne pouvait pas croire qu'il n'en était pas de même pour lui.

Il pouvait difficilement refuser de la voir. Il a bien sûr envisagé la chose, mais elle pouvait parler et il valait mieux, dans l'ensemble, savoir ce qu'elle avait exactement derrière la tête. Elle réalisa rapidement, bien entendu, que ce n'était pas Mike. Lorsque la ressemblance est assez grande, je suppose qu'il est remarquablement aisé d'abuser les gens. Il ne leur viendrait pas à l'idée que vous pourriez ne pas être ce que vous prétendez être – pour la seule raison que vous avez un peu changé. Mais c'est une tout autre affaire que de tromper une femme amoureuse, qui a couché avec l'homme qu'elle aimait. Elle était d'un naturel assez renfermé – ç'a été pour lui un immense répit – mais elle était bien décidée à administrer la preuve que ce Mike Barrister-là n'était qu'un imposteur et à venger le meurtre de l'homme qu'elle avait aimé. Elle savait sa vie menacée – et elle a donc laissé un testament, léguant son argent à un homme que son Mike à elle admirait, à un homme qui lui paraissait tout proche de son Mike. Malheureusement, si d'aventure elle a réussi à réunir quelques preuves, elle ne les a pas confiées à l'avoué qui a rédigé son testament. Elle les a conservées par-devers elle, dans sa chambre, ou peut-être dans un calepin qu'elle portait toujours sur elle. Et c'est pour cette raison qu'il a dû cambrioler sa chambre – même si pour ce faire il devait encore prendre un risque monstrueux – et fouiller dans son agenda après l'avoir tuée.

Elle passait son temps sur le trottoir d'en face, à observer ses fenêtres. Elle essayait de le faire sortir de ses gonds et, indubitablement, elle y est parvenue. Mais, plus tard, elle a ressenti le besoin de trouver une excuse aux visites quotidiennes qu'elle souhaitait lui rendre, et la présence d'Emanuel sur les lieux la lui fournissait. Une ou deux fois peut-être, elle m'a vue déboucher de l'immeuble, au sortir d'une visite que j'avais rendue à Emanuel et Nicola. Si elle s'adressait à moi, allais-je oui ou non lui suggérer d'aller voir Emanuel ? Elle a tenté le coup, et c'est exactement ce que j'ai fait. Dans le cas contraire... bon, pourquoi s'embarrasser de ce qui n'est pas advenu ?

Elle n'a mis personne dans la confidence, d'une part parce qu'elle n'était pas, à l'instar de Mike, très portée sur les confidences et, d'autre part, parce que personne ne l'aurait crue, non ? Même à présent qu'elle a été assassinée, tu as du mal à me croire. On n'a aucune peine à imaginer le sort que la police aurait réservé à son histoire.

Le Dr. Michael Barrister sait qu'il va devoir réagir, du moins à partir du moment où elle décide de consulter un psychanalyste. Sur le divan, elle risque de parler, de dire quelque chose et, qui sait, d'être crue. Dans tous les cas, désormais, tant qu'elle reste en vie, elle constitue pour lui une horrible menace. Mais il n'a pas l'intention de la tuer. Il est certain, ce faisant, d'attirer l'attention sur lui ; la proximité de leurs deux cabinets aurait inéluctablement cette conséquence. Quel que soit l'endroit qu'il choisisse pour la tuer, le fait qu'elle était en analyse finira inéluctablement par resurgir, et il se retrouvera alors sous les feux de la rampe. Néanmoins, il peut encore tenter de la séduire, de la persuader de l'aimer, de l'épouser peut-être. Il ressemble étonnamment à l'homme qu'elle a aimé. Il connaît bien les femmes. Il sait à quel point elles aiment être dominées et guidées. Il s'est donc efforcé de gagner son amour. Il a dû croire, pendant un certain temps, qu'il y était parvenu. Elle l'a autorisé à lui faire l'amour, mais quelque chose, néanmoins, a dû lui mettre la puce à l'oreille, lui faire réaliser qu'elle aussi jouait la comédie. Qu'elle essayait d'affaiblir ses défenses.

Il savait comment les choses se passaient, chez Emanuel. Un peu d'observation, quelques bavardages avec Nicola, quelques coups d'œil par les fenêtres de la cour intérieure, ont suffi à lui apprendre tout ce qu'il désirait savoir. Les coups de téléphone, c'était un jeu d'enfant. Il savait qu'Emanuel, si on lui laissait la bride sur le cou, irait tout de go galoper dans le parc. Si, par le plus malencontreux des hasards, Emanuel ne sortait pas de chez lui, Barrister n'était nullement obligé de poursuivre. Il pouvait à tout moment faire marche arrière. Mais Emanuel est bel et bien sorti, et Janet Harrison s'est présentée à son rendez-vous à heure due, et a trouvé le cabinet déserté. Barrister est apparu. Il lui aura probablement raconté quelque sombre histoire, aux termes de laquelle Emanuel aurait été appelé à l'extérieur, et l'a conduite jusqu'au divan où, en flirtant avec elle, si ça se trouve, il a obtenu d'elle qu'elle s'étende. Peut-être même l'a-t-il repoussée en arrière pour lui plonger son couteau dans le corps. Il n'avait pas de sang sur lui mais, le cas échéant, il lui suffisait d'escalader la fenêtre sur cour pour regagner son cabinet et se nettoyer. Il prenait de gros risques, bien entendu. Mais il n'avait pas le choix.

Cependant, en l'assassinant dans le cabinet d'Emanuel, il réduisait ces risques au minimum. Où qu'elle soit tuée, il serait nécessairement impliqué ; je veux dire par là que l'attention de la police se portera obligatoirement sur lui, dans la mesure où il est le voisin immédiat de l'analyste. Bien sûr, il ne peut pas la tuer chez lui – il ne l'y a jamais fait entrer. Elle vit, pour sa part, dans un foyer pour dames, un endroit où les allées et venues sont continuelles. Il l'a donc tuée sur le divan d'Emanuel, avec le couteau d'Emanuel. Non seulement ça fait d'Emanuel un suspect, mais ça jette la suspicion sur tout ce qu'Emanuel peut dire, à propos de toutes les révélations qu'elle a pu lui faire en cours d'analyse. La fille lui a parlé de moi, d'Emanuel et de Nicola – il nous sait amis et il aura probablement appris beaucoup de Nicola sur notre passé commun. Plus tard, il enverra cette lettre anonyme qui m'accuse. Là encore, le plan est audacieux : il a pris un risque énorme, et gagné son pari ; en apparence, tout du moins. S'il n'était pas passé à côté de cette photo, si Janet Harrison n'avait pas rédigé son testament, il s'en tirait indemne.

– Et si toi-même, ma chère Kate, n'avais choisi d'épouser la vocation de professeur parce que tu es une romancière *manquée*... Tu parles d'un roman ! Tu devrais le publier !

– Tu n'y crois pas.

– La question n'est pas de savoir si j'y crois ou si je n'y crois pas ; mettons que ce soit bien la vérité. Tu as dit toi-même que la police aurait ri au nez de Janet Harrison. Mais, à côté des hurlements qu'ils pousseront en entendant notre version, c'est de la petite bière. Tu n'as pas la moindre bribe de preuve, Kate, pas la moindre... pas même un souffle de preuve. La vieille dame ? Mike était dans une mauvaise passe financière, et sa liaison lui a fait sortir la vieille dame de l'esprit. Un roman de D. H. Lawrence ? Je me vois en train d'expliquer ça à la criminelle, tiens. Une association, dans un rêve narré en cours d'analyse au principal suspect ? Le fait que l'homme avec qui il a partagé sa piaule pendant un an n'estime pas le Mike qu'il a connu capable de perpétrer un meurtre ? Les meurtres sont bien trop fréquemment commis par des gens insoupçonnables – dans les romans, d'ailleurs, n'est-ce pas précisément le personnage le plus insoupçonnable de tous qui finit toujours par être le coupable ?

– D'accord, Reed, je reconnais que je n'ai pas de preuves tangibles. N'empêche que c'est une histoire véridique, et que ça n'a rien à voir avec le fait que j'aurais pu m'amouracher de ma propre création. Je savais d'avance que tu en rirais. Mais ne vois-tu pas qu'on doit pouvoir en trouver quelque part la preuve ? Si la police, avec tous ses moyens, s'avisait de creuser un peu, elle la découvrirait fatalement. Il doit sûrement exister encore, enregistrées quelque part, les empreintes du véritable Mike Barrister – d'accord, je t'accorde que c'est peu vraisemblable. Mais on pourrait peut-être retrouver son corps. Si la police essayait réellement de s'y mettre, elle la trouverait, cette preuve. Reed, il faut absolument que tu les y pousses. Ça nous prendrait des années, à Jerry et à moi, pour....

– Pour labourer la moitié du Canada, dirais-je.

– Mais si la police consentait ne serait-ce qu'à jeter un coup d'œil, elle trouverait bien quelque chose. Qui était cet homme, par exemple, avant de devenir Mike Barrister. Il était peut-être quelque part en prison. On pourrait relever ses empreintes et...

– Kate. Tu ne disposes en tout et pour tout que d'un joli conte de fées, commençant par "Il était une fois..." Trouve-moi une preuve, une seule, démontrant de manière irréfutable que cet homme n'est pas Mike Barrister, et on pourra peut-être relancer l'enquête. Si besoin est, on pourra même embaucher des détectives privés. Mais tu n'as qu'une simple hypothèse.

– Quelle sorte de preuve veux-tu ? Le véritable Mike n'aurait jamais oublié cette scène de *L'Arc-en-ciel*. Suis-je censé découvrir que le véritable Mike Barrister aurait eu sur l'épaule une tache de vin en forme de fraise, comme ces enfants dans les romans victoriens, qu'on a cru perdus pour toujours ? Quelle preuve tiendrais-tu pour telle ? Dis-moi un peu. Allez.

– Kate, ma chère, tu ne vois donc pas, justement, qu'il ne peut pas y avoir de preuves. Nous pouvons prendre les empreintes de Barrister, mais je peux d'ores et déjà te garantir qu'elles ne seront pas au fichier – il n'aurait pas manqué de savoir une chose aussi fondamentale. Suppose que nous le confrontions à Messenger – tout ce que Messenger en pourra dire, c'est : "Il ressemble à Mike, mais à un Mike qui aurait beaucoup changé." Même à supposer que tu découvres qu'autrefois, à la fac, Mike avait une très belle voix de chanteur d'opéra, et que ce Barrister-ci chante comme une casserole. Il arrive bien sûr qu'on perde sa voix, me suis-je laissé dire. Mais si tu pouvais simplement déterrer une chose de ce genre, ce serait toujours mieux que ce que tu as actuellement entre les mains.

– Je vois, fit Kate. Je t'ai fourni le mobile et le *modus operandi* mais, apparemment, ce n'est pas encore suffisant.

– Que non, ma chère. Et j'ai trop de respect pour toi pour feindre de m'incliner devant une hypothèse qui n'est qu'un château en Espagne. Tu t'es fait beaucoup trop de souci, et tu es stressée. Si j'allais raconter au District Attorney une histoire pareille, j'y perdrais mon job à coup sûr.

– En d'autres termes, Barrister a commis le crime parfait. Deux crimes parfaits.

– Kate, essaye de trouver comment je pourrais t'aider. Je voudrais bien. Mais la vie et la fiction sont deux choses fort différentes.

– Erreur, Reed. La vie n'a pas besoin de preuve.

– Tu admets toi-même avoir bâti cette histoire de toutes pièces. Kate, quand j'étais encore un jeune étudiant, le prof d'anglais nous a donné un paragraphe, à charge pour nous d'écrire une histoire commençant par ce paragraphe. Nous étions une classe de vingt-cinq élèves, et il n'y a pas eu deux de nos histoires qui se ressemblaient, ne serait-ce que de loin. Je suis persuadé qu'en t'accordant un petit peu de temps, tu pourrais en inventer une autre, en confiant cette fois-ci le rôle de l'assassin à Sparks ou à Horan. Pourquoi ne pas essayer, tiens, juste pour prouver que j'ai raison ?

– Tu sembles oublier, Reed, que je dispose de nombreuses preuves, même si tu les juges irrecevables. Le même genre de preuve, exactement, que celle qui m'a déjà démontré que Barrister avait dû connaître Janet Harrison. En l'occurrence, il s'est avéré que Barrister avait paniqué et reconnu les faits. Mais s'il ne l'avait pas fait, je serais en ce moment même en train de m'évertuer à te convaincre du fait qu'ils s'étaient bel et bien connus.

– Peut-être devrais-tu alors aller le trouver en face, lui balancer ton histoire et l'acculer à passer aux aveux.

– Et c'est peut-être exactement ce que je vais faire. Un adjoint du District Attorney, lui dirai-je, est au courant de toute l'affaire, alors pourquoi ne pas me tuer, juste pour lui prouver que j'avais raison ?

– Arrête de dire des sottises. Où donc est la photo de ce "véritable Mike" comme nous l'appelons dorénavant ? Tu veux bien me la trouver ?

Kate la lui tendit :

– On a parfois l'impression qu'il va se mettre à parler. Mais je ne devrais pas dire ça, ça va encore te conforter dans ton impression que je suis en train de perdre la boule. Pourquoi veux-tu cette photo ?

– Pour les oreilles. On ne les distingue pas très bien, tu ne trouves pas ? On a réussi à très bien identifier certaines personnes à partir de leurs oreilles. Dommage que le véritable Mike ne se soit pas fait photographier de profil. On pourrait alors prendre une photo de l'oreille de Barrister.

– Tu veux bien t'en occuper, Reed. Et, je t'en prie, ne va pas me faire passer partout pour une démente incurable. Je me laisse peut-être un peu aller à fantasmer, mais…

– Oh ! je reconnais bien ce ton conciliant. Il signifie que tu es sur le point de faire quelque chose qui n'aura pas toute mon approbation. Écoute, Kate, réfléchissons-y. Si nous pouvions seulement mettre la main sur un commencement de preuve, qui n'aurait rien de littéraire, de psychologique ou d'impressionniste, on arriverait peut-être à y intéresser la police. Je préfère encore rechercher un fourgueur d'hormones qu'un psychanalyste. Tu veux qu'on aille au cinéma ?

– Non. Tu peux soit rentrer directement chez toi, soit me déposer à l'aéroport.

– À l'aéroport. Tu ne vas tout de même pas à Bangor, Michigan ?

– À Chicago. Non, ne commence pas à pester. Je me suis fait la promesse, il y a bien longtemps déjà, d'aller faire un tour à Chicago. Ils ont là-bas *L'Homme à la guitare bleue* de Picasso, et j'éprouve subitement l'incontournable désir d'aller m'abîmer dans sa contemplation. Pendant mon absence, tu devrais lire les poèmes que cette toile a inspiré à Wallace Stevens. Il y parle remarquablement bien de la différence qui existe entre la réalité et les choses-telles-qu'elles-sont. Excuse-moi un instant, je dois aller préparer ma valise.

18

– Venez dans mon bureau, dit Messenger.
– Vous travaillez toujours le samedi ?
– Quand je peux. C'est le jour le plus calme de la semaine.
– Et je suis venue troubler cette belle tranquillité.
– Légèrement l'ajourner, voilà tout. Que puis-je faire pour vous ?

À présent qu'elle était assise en face de Messenger, Kate avait la confirmation de la validité de l'impression de Jerry. Messenger était quelqu'un d'adorable ; il n'y avait pas d'autre mot pour décrire cet homme laid, affable et intelligent.

– Je vais vous raconter une histoire, dit Kate. Je l'ai déjà racontée une première fois ; je suis en train de devenir une conteuse hors pair. Elle a été accueillie, cette première fois, non pas, à proprement parler, par des hurlements d'hilarité mais au moins par des grognements incrédules. Je ne vous demande pas d'y croire. Simplement de l'écouter. Ce soir, vous pourrez annoncer à votre épouse : "Je ne suis arrivé à rien ce matin ; une espèce de cinglée a débarqué et a tenu absolument à me raconter une espèce de conte de fées parfaitement débile." Elle raffolera de l'anecdote.
– Allez-y, dit Messenger.

Kate lui narra son histoire, exactement telle qu'elle l'avait exposée à Reed. Messenger écoutait en fumant sa pipe, et en disparaissant de temps en temps derrière un nuage de fumée. Il vida sa pipe lorsqu'elle en eut terminé.

– Voyez-vous, fit-il, lorsque je suis monté à New York et que j'y ai retrouvé Mike, il n'a tout d'abord pas eu l'air de me remettre. C'était assez naturel, je présume; je ne suis pas quelqu'un qu'on peut s'attendre à rencontrer à New York. J'ai remarqué qu'il était très élégant et n'avait pas le moindre désir de s'embarrasser de moi. Certaines personnes s'attendent toujours plus ou moins à ce qu'on les snobe, et d'autres s'imaginent qu'elles ne seront jamais en butte à ce genre de chose, que personne n'oserait leur faire ça. Je fais partie du premier groupe. Mike m'a dit que j'avais changé. Eh bien, ai-je songé sur le moment, tout dépend du point de vue où l'on se place: lui, oui, il avait changé. Mais, voyez-vous, je n'avais guère changé moi-même. C'est le seul avantage, lorsqu'on a comme moi un faciès à rayer les miroirs – les années qui passent ne le modifient pas considérablement, semble-t-il. Mais je porte maintenant des lunettes, chose dont je n'avais pas l'habitude à l'époque et, selon toute vraisemblance, on pouvait leur en attribuer la responsabilité.

– Seriez-vous en train de me dire que ma petite histoire ne vous semble pas parfaitement délirante?

– Eh bien, voyez-vous, pas du tout. L'homme que j'ai rencontré à New York n'était pas un buveur de bière. Non pas qu'il me l'ait dit; nous n'avons même pas pris un verre ensemble; mais il n'en avait pas le physique. Mike n'aimait pas les alcools forts, et ne prenait que de la bière et du vin à table. Bon, les goûts aussi peuvent changer, il est vrai. Votre Reed

Amhearst, j'en ai peur, nous suggérerait probablement de collaborer ensemble à quelque ouvrage de science-fiction. C'est peut-être à ça, d'ailleurs, que nous devrions nous atteler.

– Topez-là. Je me charge de la fiction et vous de la science. Reed irait même jusqu'à dire que je suis superbement qualifiée. Ce que j'aimerais à présent vous soutirer, mon cher collaborateur, c'est un simple fait. Quelque chose comme, disons, une tache de vin sur l'épaule de Mike. Il n'était ni presbyte ni sourd d'une oreille, ni rien de ce genre, je présume ?

– Je vois très bien de quoi vous voulez parler. Je l'ai su dès le moment où, dans votre récit, Mike rencontre son inconnu. Mais Mike n'était ni presbyte ni sourd comme un pot, ni chanteur d'opéra, ni spécialement nanti d'une voix de fausset. La seule chose qui me vienne à l'esprit, c'est qu'il savait frétiller des oreilles, vous voyez ce que je veux dire, sans qu'aucun autre des muscles de son visage ne bouge. Mais ça n'aurait guère valeur de preuve, ça non plus. D'autre part, je me suis laissé dire que n'importe qui en était capable, à condition de s'entraîner suffisamment longtemps. J'ai devant les yeux la ravissante image de votre Dr. Barrister, assis chez lui et s'exerçant, nuit après nuit, à frétiller des oreilles. Comme vous voyez, je continue à battre la campagne, sans vous avancer en quoi que ce soit.

– Je vous ai raconté une histoire démentielle, et vous ne vous êtes pas précipité sur votre téléphone pour rameuter les forces de l'ordre et leur dire : "Sortez-moi cette pauvre cinglée d'ici." Croyez-moi, c'est plus important pour moi que ça n'en a l'air. Mike devait vous aimer énormément. Janet Harrison le savait ; et c'est pourquoi elle vous a légué son argent. Je peux au moins agiter sous votre nez cette petite raison bien sordide. Si nous parvenions à prouver la validité de cette histoire, ou à obtenir de la police qu'elle le fasse pour nous, vous seriez en bien meilleure position pour prétendre à ce legs.

– Malheureusement, ça n'aurait pour tout effet que d'entacher mon témoignage de suspicion. Le gros problème, voyez-vous, c'est que je n'ai fréquenté Mike que pendant un an, et nous n'étions pas exactement unis comme Damon et Pythias, tous les deux. Je ne me rappelle plus très bien quand précisément il a fait allusion devant moi à ce roman de Lawrence – fort probablement quand je lui ai posé des questions sur sa famille, car il ne m'avait jamais dit qu'il n'en avait plus. La plupart du temps, il ne parlait jamais de lui. Nous discutions de médecine, des avantages de telle ou telle spécialisation sur telle autre – de choses de ce genre. Attendez une seconde... et la denture ?

– J'y ai déjà songé. Je suis une lectrice assidue de romans policiers. Le dentiste de Bangor qui soignait les dents de Mike est mort depuis bien longtemps ; Jerry n'a pas pu retrouver la moindre trace de ses dossiers. Le dentiste qui a repris sa clientèle à son décès n'aura vraisemblablement conservé que les dossiers des clients qu'il continuait de soigner et, en outre, il est mort lui aussi. Il se trouve que j'ai changé de dentiste il y a cinq ans à peu près, quand le dentiste de ma famille a pris sa retraite, et j'ai téléphoné à mon dentiste actuel – vous n'avez pas la moindre idée de l'enquiquineuse que je peux être quand je veux – pour apprendre qu'il ne possédait sur moi, en tout et pour tout, que la seule trace du travail qu'il avait effectué lui-même sur mes dents. Le dentiste parti à la retraite avait bien cédé sa pratique, mais l'acheteur n'a pas conservé les dossiers remontant à la création du cabinet. Le seul fichier dentaire existant sur ma personne est celui du travail qui a été réalisé au cours des cinq années écoulées, et ça ne représente pas grand-chose. La majeure partie de mes plombages datent de mon adolescence. Vous ne sauriez pas, par hasard, si Mike s'était fait extraire toutes ses dents de sagesse ? Si nous arrivions à le prouver, et s'il s'avérait par la suite que le Dr. Barrister possède encore ses quatre dents de sagesse…

Messenger secoua la tête :

– À l'époque, vous pensez bien, je ne recherchais rien de tel. L'internat est une chose très prenante, qui demande beaucoup de votre temps ; très fréquemment, nous n'étions même pas à la maison en même temps. Je ne me souviens même plus si Mike ronflait ou non ; je n'en sais plus rien, si je l'ai jamais su. En réalité, j'ai une mémoire assez vague des choses personnelles. Ma femme s'en plaint assez. Je n'arrête pas de la complimenter pour des chapeaux qu'elle porte déjà depuis trois ans. Je me souviens avoir regardé ma femme un jour, en pensant : "Mais tu as des cheveux gris." Je n'avais rien vu arriver. Vous m'en voyez vraiment navré. Vous avez fait tout ce chemin pour…

– J'aurais parfaitement pu téléphoner. Je voulais venir. Il y a un avion qui repart dans l'après-midi. J'ai même encore le temps d'aller au musée.

– Pourquoi ne pas venir déjeuner chez moi ? J'aimerais vous faire rencontrer Anne. C'est la personne la plus sensée, la plus terre à terre du monde. Elle aura peut-être une inspiration.

Kate fut enchantée d'avoir accepté l'invitation. C'était une famille très sympathique. Après le déjeuner, Kate et les deux Messenger allèrent s'asseoir dans le jardin de derrière, comme l'appelaient ces deux derniers, et Kate réitéra pour eux son histoire. Anne n'avait rien d'une rêveuse éveillée, comme pouvaient l'être Kate et Messenger. Sa réaction évoqua beaucoup plus celle de Reed. Néanmoins, alors que Kate était sur le départ, Anne dit :

– Je vais être très franche, Kate. Je crois que votre histoire tenait suffisamment debout pour vous inciter dès le début à croire en sa véracité et, dans la mesure où rien de ce que vous pouviez savoir ne venait l'infirmer, vous avez fini par vous en convaincre. Je ne pense pas, pour ma part, qu'elle se soit déroulée telle que vous la racontez. Mais elle n'en reste pas moins plausible et, si Dan sait quelque chose qui pourrait la corroborer, nous devons absolument le déterrer. J'ai l'esprit beaucoup plus méthodique que lui, dans tous les domaines à l'exception de la génétique. Mais n'en espérez pas trop.

Et, là-dessus, Kate alla admirer *L'Homme à la guitare bleue*.

Elle était de retour chez elle à vingt-deux heures. Le trajet depuis Kennedy Airport avait pratiquement exigé autant de temps que le vol Chicago-New York, plus, même, si l'on tenait compte de l'attente pour les bagages mais, même dans ces conditions, elle ne regrettait rien. Reed appela à vingt-deux heures trente.

– Je sais bien que je t'ai rencontrée dans un club politique, fit-il, mais j'ignorais que tu te destinais à faire la pige à nos candidats à l'élection. Es-tu disposée à rester tranquille pendant, disons vingt-quatre heures ? As-tu découvert quelque chose ? Bon, l'espoir fait vivre, dit-on. Moi-même, sans avoir pour autant sillonné l'éther, je ne suis pas exactement resté inactif. J'ai consulté un spécialiste de l'oreille. Spécialiste de l'oreille dire photo nous posséder insuffisante. Il va tout de même essayer. Nous avons dépêché un inspecteur, déguisé en photographe des rues, pour prendre la photo des oreilles du Dr. Barrister. L'idée m'est également venue que la photo de notre Mike était probablement présente dans le livre d'or de sa promotion au lycée... et qu'il n'y était peut-être pas essorillé. À moins qu'il n'en ait existé une parmi les effets personnels de la vieille dame, si nous arrivons à les retrouver. Les oreilles ne changent jamais, ai-je pu apprendre, à ma plus grande fascination. Même une photo de lui petit garçon conviendrait. Ça ne constituerait pas une preuve, évidemment. La partie adverse a embauché son propre spécialiste ès oreilles, qui a statué sans plus attendre : "Irrecevable." C'est là le hic, avec les preuves soumises à expertise, les arguments pleuvent des deux côtés. Mais je fais ce que je peux. Comment était Messenger ?

– J'aurais aimé l'avoir rencontré il y a des années, et l'avoir persuadé de m'épouser.

– Oh ! Seigneur, tu es vraiment sur la mauvaise pente. Veux-tu que je vienne te réconforter ? Je pourrais te narrer mes riches heures du grand jury. Ils ont décidé que les bouquins que nous avons eu tant de peine à agrafer n'étaient finalement pas pornographiques. Je ne sais vraiment pas où va le monde, comme disait ma chère maman.

– Merci, Reed. Mais je vais ingurgiter une dose de Seconal et me mettre au lit. Désolée pour ton procès.

– Pas grave. Je songe vaguement à laisser tomber les tribunaux pour écrire des bouquins pornos.

La sonnerie du téléphone fit à Kate l'impression qu'elle l'arrachait à d'insondables abysses, du fin fond d'un océan de bienheureux oubli. Elle barbota frénétiquement pour refaire surface. Il était minuit.

– Oui ? fit-elle.

– Dan Messenger. Je vous réveille. Mais je me suis dit que vous n'y verriez pas d'inconvénient. On a trouvé. Remerciez-en Anne. Vous êtes toute ouïe ?

– Oh ! que oui !

– Anne vous avait bien dit qu'elle était méthodique. Elle a établi des listes, par catégories. Elle a commencé, de façon très logique, par les cicatrices, même si, bien entendu, notre Barrister actuel était à même, lui aussi, d'en constater la présence. Si Mike avait subi une appendicectomie, je veux dire, ce type se serait immédiatement fait retirer l'appendice. Toujours en partant du principe qu'il tenait à une ressemblance impeccable. Son allusion à des cicatrices ne m'a rien évoqué du tout, à ma grande honte, aussi sommes-nous directement passés à d'autres catégories : allergies, habitudes et prédilections, nombre de fois où nous étions sortis ensemble. Vous m'écoutez toujours ?

– Mon Dieu, oui !

– C'est là qu'elle a achoppé sur quelque chose qui, de prime abord, pouvait paraître carrément grotesque : la catégorie vestimentaire. Difficile de dire, à propos de ce type, qu'il n'était pas Mike parce qu'il ne portait pas la vieille veste en tweed dont Mike raffolait. Non pas que Mike ait jamais porté une vieille veste en tweed, comprenez-moi bien. Je ne me souviens d'aucune, en tout cas. J'ai d'ailleurs assez dit que je n'avais pas le moindre souvenir des vêtements qu'il pouvait porter. Nous étions la plupart du temps en blanc, chaussures y compris. Et c'est là, voyez-vous, que ça m'est revenu. Les chaussures. Les chaussures blanches. Je n'en avais qu'une seule et unique paire – l'argent était une denrée plutôt rare, à l'époque – avec d'énormes trous aux semelles. Il pleuvait, et cette semelle trouée faisait ventouse. J'avais les pieds trempés et j'ai demandé à Mike, qui n'était pas de garde, si je pouvais lui emprunter les siennes. Nous chaussions à peu près la même pointure et, même si celles de Mike ne me chaussaient pas vraiment comme un gant, elles avaient au moins le mérite d'être sèches. Il m'a dit que je pouvais certes les lui emprunter, mais que j'aurais le plus grand mal à marcher avec. Je lui ai demandé pourquoi. "Parce que l'un des talons est surélevé, a-t-il dit. Tu n'as probablement rien remarqué, la plupart des gens ne s'en rendent pas compte. Ça ne représente que cinq huitièmes de pouce à peine, mais, à un homme dont les deux jambes ont la même longueur, ça doit faire à peu près le même effet que s'il marchait un pied sur la chaussée et l'autre sur le trottoir." Bref, je les ai tout de même passées, pour voir – elles étaient trop petites, par-dessus le marché et, en définitive, je ne les ai pas gardées aux pieds. Toujours à l'écoute ? Poussez au moins un grognement de loin en loin, s'il vous plaît. C'est assez déconcertant de ne strictement rien entendre à l'autre bout du fil, comme si l'on s'adressait à un téléphone de scène. Là, c'est mieux.

Je ne me suis guère penché sur les prothèses orthopédiques depuis la fac de médecine, mais je crois néanmoins pouvoir dire que, lorsqu'un homme a porté une talonnette une fois dans sa vie, il continue de la porter jusqu'à sa mort. Néanmoins, il serait peut-être préférable de s'en assurer. Le point capital, dans l'affaire, c'est que Mike avait bel et bien une cicatrice, mais que je n'ai jamais eu l'occasion de la voir. Mais, s'il a subi une intervention, on doit pouvoir en retrouver la trace quelque part ; là-dessus au moins, il n'y a pas de problème. Vous allez devoir malgré tout faire vérifier tout ça auprès d'un orthopédiste, et par la police.

À l'époque, Mike ne m'avait pas parlé de sa cicatrice. Je m'en serais souvenu plus rapidement s'il l'avait fait. Mais, plusieurs mois plus tard, il est revenu à l'hôpital alors que je savais qu'il n'était pas de garde et, bien entendu, je lui ai demandé pourquoi. Nous n'avions guère pour habitude de traîner dans les parages quand rien ne nous y forçait. Il m'a répondu qu'il voulait assister à une opération de la colonne vertébrale, l'ablation d'un disque. Il ne pouvait pas rester jusqu'au bout ; c'est une très longue opération, qui peut parfois durer jusqu'à huit heures d'affilée. Il me semble que c'est une intervention relativement récente, dans la mesure où ils ne disposent de l'anesthésique spécifique que depuis peu. Je l'ai interrogé sur l'opération quand il est revenu et il m'a dit que ç'avait été un boulot aussi propre que le sien : "Ma cicatrice n'est pas plus grosse qu'un trait de crayon", a-t-il ajouté. Il m'a dit qu'il avait eu un disque déplacé, et qu'ils avaient pratiqué sur lui la même opération. L'intervention avait assez bien réussi mais, une fois pratiquée, il lui restait toujours cette atroce douleur lombaire. C'était un vieux généraliste de Bangor, a-t-il dit, qui l'avait soigné. Je ne veux pas dire par là que l'intervention était superflue – le nerf était comprimé, les muscles d'une jambe commençaient à s'atrophier – mais c'est tout de même le vieux toubib qui l'a guéri. Il s'était aperçu que les deux jambes de Mike n'étaient pas de la même longueur. D'où un déhanchement pelvien, un mouvement rotatoire en dents de scie. Il a fait porter une talonnette à Mike, et tout était dit. La balle est donc à présent dans votre camp, petite madame. Je vois mal comment vous allez obtenir de votre Dr. Michael Barrister qu'il se déshabille mais, si jamais vous y parvenez, n'oubliez pas que cette cicatrice est à peine visible. Je tiens au moins cette information à votre disposition : elle court de haut en bas, au-dessus de la première lombaire, sur quatre ou cinq centimètres. À un certain moment, elle fait une boucle et s'enfonce dans la chair. C'est là qu'ils auront replié l'épiderme en arrière. Vous pourriez peut-être commencer par vérifier si notre ami porte bien une talonnette.

Mais, n'oubliez surtout pas… même si votre histoire est vraie, le meurtrier aura peut-être remarqué la chose. Il se peut qu'il ait essayé d'enfiler les chaussures de Mike. Il a peut-être examiné très attentivement le corps, à la recherche d'éventuelles cicatrices, et découvert l'existence de celle-ci. S'il porte une talonnette à l'une de ses chaussures – et j'ai eu beau me creuser la cervelle, je ne suis pas parvenu à me souvenir de laquelle – et s'il présente une cicatrice, votre histoire n'en est pas infirmée pour autant mais vous n'arriverez jamais, au grand jamais, à en apporter la preuve.

Lorsque Messenger, ayant été rondement remercié, eut raccroché, Kate appela Emmanuel. Lequel, comme il s'avéra, ne dormait pas. Il n'avait jamais été un gros dormeur et, à présent, il avait tourné à l'insomniaque.

– Emanuel. Kate à l'appareil. Je voudrais que tu téléphones à un orthopédiste. Bon, d'accord, mais dès demain matin première heure, alors. Je veux savoir si un homme qui porte une semelle compensée à l'une de ses chaussures parce qu'il a une jambe plus courte que l'autre pourrait éventuellement décider de se passer de ladite talonnette. Et je veux savoir également si la cicatrice laissée par l'ablation d'un disque peut s'effacer. Non, ce n'est pas ton avis que je veux avoir. Je le sais bien, que tu es médecin. Mais demande à un orthopédiste. Et il aurait intérêt à être assez sûr de son fait pour venir déposer à la barre. Dors bien.

19

Ce dimanche soir ou, plus exactement, lundi à deux heures du matin, une sorte de réunion se tint chez Kate – célébration ou veillée mortuaire, cela ne dépendait plus que d'un seul et unique invité, qui n'était pas encore arrivé. Emanuel, Nicola, Jerry et Kate attendaient Reed. Kate avait pendant un instant caressé l'idée d'inviter également Sparks et Horan, mais le peu d'empressement que montrait Emanuel à rencontrer ses patients dans le monde arguait contre cette idée, nonobstant l'existence d'autres arguments qui pouvaient, eux, plaider en sa faveur.

Reed avait travaillé comme un forçat, depuis cette matinée de dimanche. Emanuel, apparemment, avait tiré son orthopédiste d'un profond sommeil et, au lieu de lui poser lui-même les questions, l'avait tout bonnement persuadé de téléphoner directement à Kate. Celle-ci avait alors rapporté à Reed la teneur de leur conversation.

– Tu sais comment sont les docteurs, avait-elle dit. Celui-ci était un poil irascible mais je présume qu'en l'honneur d'Emanuel, il ne voulait pas avoir l'air de refuser de me parler. Il a probablement dû croire que j'écrivais un roman, et il a répondu à mes questions de la façon la plus technique et emberlificotée possible.

Les médecins ont tendance à se complaire soit dans l'incohérence, soit dans les simplifications abusives – et, à mon avis, ils ont les plus grandes difficultés à se comprendre entre eux. Néanmoins, j'ai quand même réussi à saisir une chose ou deux.

– Je présume, avait répondu Reed, qu'il n'entre nullement dans tes intentions de m'expliquer pourquoi tu soumettais un innocent orthopédiste à un interrogatoire à une heure aussi peu chrétienne de la nuit de dimanche ?

– Je t'expliquerai ça en temps utile et, d'autre part, les orthopédistes innocents ne sont pas de ce monde. Ils sont tous aussi riches que Rockefeller et plus vaniteux que des paons. J'en connais au minimum deux, et je peux donc me permettre de généraliser à bon escient. Quoi qu'il en soit, les renseignements qu'il m'a fournis, encore que très diffus, se résument en gros à ceci : une fois qu'un individu a subi l'opération qui nous intéresse, il en porte à jamais la marque. Dit comme ça, ça peut paraître légèrement pléonastique, mais c'était un point qu'il était capital d'établir. C'est une intervention de longue haleine – chose que je savais déjà – et qui parfois peut exiger la présence de deux chirurgiens, dont l'un travaillera sur la colonne vertébrale et sur le disque, et l'autre sur les nerfs rachidiens impliqués. Il est improbable, au plus haut point, que quiconque ayant été soulagé de sa douleur dorsale par le port d'une talonnette se résigne un jour à s'en passer. Je sais bien qu'il ne s'agit pas là d'un *sequitur*, du moins pas encore, mais écoute tout de même. En quoi consiste cette opération ? Navrée, j'avais oublié que vous autres hommes de loi étiez si fermés aux discours des disciples d'Esculape. Les gens sont victimes de hernies discales, ou autres disques déplacés – oui, je sais que ça arrive sans arrêt, même aux teckels. Autrement dit, une pièce cartilagineuse sort de son emplacement entre deux vertèbres et vient comprimer les nerfs de la colonne vertébrale. Dans certains cas graves, on aura une insensibilité de la jambe. La meilleure façon de soigner un disque qui persiste à sortir de son alvéole est encore de procéder à son extraction, et de souder ensemble les deux vertèbres. La soudure du bloc vertébral se pratique en prélevant un fragment d'os sur une autre partie du corps – l'os de quelqu'un d'autre ne conviendra pas, sauf s'il s'agit d'un vrai jumeau – en le broyant (oui, j'en ai presque terminé ; non, je ne t'ai pas téléphoné un dimanche matin dans le seul but de te faire une nauséeuse conférence médicale) et en le plaçant entre les deux vertèbres à souder. De cette façon, les vertèbres finissent par n'en plus former qu'une, une seule masse compacte, tandis que le malade, lui, gardera une cicatrice à la hauteur de la vertèbre soudée. Tu me suis ?

Voilà, mon bien cher et très patient Reed, où je veux en venir. Mike Barrister – mon Mike, tu sais, pas celui qui occupe le cabinet voisin d'Emanuel – a subi cette opération ; en outre, il portait également une talonnette à l'une de ses chaussures parce que l'une de ses jambes était plus courte que l'autre. Non, bien sûr qu'il n'était pas un phénomène. C'est la chose la plus banale du monde. Mais, sauf dans les cas où la différence de longueur entre les deux jambes est extrême (pas facile à exprimer) l'individu compense normalement par une sorte de déhanchement. Cependant, si son dos a aussi été endommagé, cette constante rotation du pelvis, à cause de l'inégalité des deux membres inférieurs, peut provoquer un inconfort remarquablement déplaisant.

– Kate, avait dit Reed, serais-tu en train d'essayer de me dire, à ta façon bien spéciale, laquelle a ces derniers temps, je dois dire, légèrement tendance à être extrêmement emberlificotée et hérissée de détails superflus, que le Mike de Janet Harrison aurait été opéré ? Quand ça ?

– Ça, mon chou, c'est précisément ce que tu es chargé de déterminer. Il l'a probablement subie à Detroit, qui est, si je ne m'abuse, la plus grande ville du Michigan, non ? Mais ça reste une supposition. S'agissant de la talonnette de la chaussure, il te faudra te contenter de la parole de Messenger. Bien entendu, si tu persistes à faire la forte tête, je peux parfaitement me charger moi-même d'appeler les hôpitaux…

– D'accord, d'accord, je téléphonerai aux hôpitaux. Et ensuite ?

– Ensuite, mon garçon, nous allons devoir obtenir du Dr. Michael Barrister qu'il se déshabille. Je rougirais d'avoir à te confier certains des subterfuges qui ont pu venir hanter mon cerveau enfiévré. Je suppose que tu ne pourras pas te faire délivrer de mandat de perquisition ?

– Un mandat de perquisition autorise à fouiller les lieux, pas les personnes, et je vais te confier un épouvantable secret. Tu serais stupéfaite du nombre infime de mandats de perquisition qui ont été délivrés à ce jour. Le directeur de la brigade des stupéfiants déposait l'autre jour au tribunal et il a reconnu tout à fait sereinement qu'en trente ans ses hommes n'avaient jamais obtenu un seul mandat de perquisition. Les citoyens sont, malheureusement pour eux, et bien heureusement pour la police, très peu informés de leurs droits. La police dispose d'un certain nombre de trucs pour arriver à ses fins, trucs dont le principal est la brutalité pure et simple.

– Si seulement je pouvais entrer chez lui pendant qu'il prend sa douche.

– Kate, je refuse d'écouter un seul mot de plus si tu ne me promets pas, si tu ne me donnes pas solennellement ta parole d'honneur, croix de bois, croix de fer, de ne pas essayer de déshabiller Barrister, ni de l'épier quand il est tout nu, ni de le mettre dans une situation telle qu'il ne pourrait y réagir qu'en ôtant ses vêtements, ni non plus, en aucune façon, de te mêler de…

– Si je te fais cette promesse, tu m'aideras ?

– Si tu ne me la fais pas, je ne poursuivrai même pas cette discussion. Je veux ta parole d'honneur. Parfait. Bien, à présent, laisse-moi le temps de téléphoner aux hôpitaux. Ils vont probablement me répondre qu'aucun de leurs employés ne travaille le dimanche. Je vais devoir ensuite les menacer et les caresser dans le sens du poil. Mais, même comme ça, il nous faudra certainement patienter. J'ignore jusqu'à quel point la police new-yorkaise sera disposée à montrer ses muscles. Bon, maintenant, tu vas mettre fin à tous tes stratagèmes et à toutes tes manigances. Je t'appelle dès que j'ai des nouvelles, si j'en ai. Et n'oublie pas ta promesse.

Kate avait dû prendre son mal en patience jusque dans la soirée, au cours de laquelle Reed avait rappelé :

– Bien, avait-il dit alors, je n'ose même pas te dire par où je suis passé. Je garderai pour moi ces détails, jusqu'au jour où nous serons tous deux vieux et chenus, quand il n'y aura plus, dans nos pauvres cervelles, place que pour les seuls souvenirs. Nous avons établi la matérialité de l'intervention. À présent, si je te suis bien, tu comptes vérifier que le voisin d'Emanuel, le Dr. Michael Barrister, a bien subi cette intervention chirurgicale, et qu'il porte également une talonnette à l'une de ses chaussures.

– Tu me suis à merveille.

– Parfait. Alors je te propose un marché. À prendre ou laisser, comme tu voudras. Je comprends très bien ce que tu peux ressentir pour Emanuel, l'importance que cette affaire peut revêtir pour la réputation de la psychiatrie tout entière, etc., etc., mais il n'en reste pas moins qu'elle a sur toi un effet déplorable, qui me déplaît souverainement. Tu laisses tomber ton travail à la bibliothèque, tu fais l'école buissonnière, tu claques ton argent comme un marin en goguette, tu prends des somnifères, tu survoles les États-Unis en avion de la façon la plus désinvolte qui soit, tu te lances dans des exposés interminables et tu dévoies les jeunes gens. Tout cela va devoir prendre fin. Donc, voici mon marché. Je vais découvrir ce soir, pour ton bénéfice, à condition bien évidemment que le Dr. Barrister passe la nuit chez lui, s'il présente oui ou non la cicatrice d'une opération, s'il a ou non une talonnette à toutes ses chaussures droites, ou à toutes ses chaussures gauches. En l'absence de cicatrice et de talonnette, la police devrait se pencher sur son cas, à mon humble opinion. Nous avons, après tout, apporté la preuve de l'intervention. En d'autres termes, je consentirai à reconnaître la validité de ta preuve, et nous enquêterons de façon plus approfondie sur Barrister, dans la mesure ou nous serons alors en présence d'un homme ayant eu le mobile, l'occasion et les moyens. Mais, voilà ta propre part du marché. Si jamais le Dr. Barrister a bien une cicatrice à la hauteur de sa première lombaire, qu'il ait ou qu'il n'ait pas de talonnettes à ses chaussures – car nous ne disposons d'aucune preuve tangible permettant d'établir que ton Mike en portait bien (ne commence pas à discuter, je n'ai pas fini) – si le Dr. Barrister, donc, présente bien une telle cicatrice, alors il te faudra consentir à biffer cette affaire de ton ardoise, à congédier Jerry et à reprendre ton travail normal. En résumé, à retourner, d'une façon générale, à tes anciennes ornières. Mon marché tient-il? Ne t'inquiète pas de la façon dont je vais m'y prendre pour déshabiller Barrister; nous en reparlerons après coup. Mon marché tient-il?

Et Kate avait alors promis de s'y plier.

Prier Jerry et les Bauer de venir attendre Reed chez elle, ç'avait par contre été son idée. Ils avaient longuement discuté de l'affaire, sous toutes ses facettes, y compris celle que Kate désignait par son détour du côté du «Il était une fois... » Elle les avait mis au courant du marché. Elle leur avait annoncé que Reed arriverait plus tard. Et, au fur et à mesure que la nuit avançait, elle leur avait servi du café, qu'ils burent, et des sandwichs, qu'ils boudèrent. Au bout d'un moment, ne trouvant plus rien à se dire, ils retombèrent dans le silence. Un silence tel qu'ils entendirent l'ascenseur et le bruit des pas de Reed. Kate ouvrit la porte avant même qu'il n'ait ôté le doigt de la sonnette.

Reed rencontrait pour la première fois Emanuel, Nicola et Jerry. Il leur serra la main à tous, et demanda une tasse de café.

– Je présume, dit-il, que vous savez tous à quoi j'ai occupé ma soirée. La police dispose de maintes façons d'entrer par effraction dans un appartement. Elle peut par exemple déconnecter les lumières d'une maison. Les locataires se précipitent alors dans le hall pour voir ce qui se passe, et les policiers en profitent pour se faufiler par la porte ouverte. Une fois dans la place, rares sont ceux qui parviendront à les en éjecter de force. J'ai moi-même envisagé cette ruse particulière, mais je l'ai repoussée pour diverses raisons. Barrister habite une maison neuve et très chic de la 1re Avenue; il aurait été malaisé d'actionner le commutateur; en outre, chose plus importante encore, nous tenions à ce qu'il soit dévêtu. Ce qui signifiait qu'il nous fallait attendre l'heure de son coucher et, dans ces conditions, il devenait manifeste qu'il ne s'apercevrait même pas de la panne de courant. Nous aurions également pu le tirer de son sommeil, pour lui dire que nous avions été avertis d'une fuite de gaz, mais il aurait été, dans ce cas, pour le moins épineux de l'inciter à retirer sa robe de chambre et son pyjama. En conséquence, j'ai préféré m'arrêter au stratagème suivant : attendre qu'il soit au lit, puis sonner chez lui jusqu'à ce qu'il vienne ouvrir, et lui demander alors de bien vouloir nous suivre au QG de la police aux fins d'interrogatoire. C'était, indéniablement, une heure curieusement choisie pour interroger quelqu'un, et nous nous étions préparés à affronter son indignation mais, comme on dit, qui ne risque rien n'a rien. Donc, un petit peu après minuit, nous sommes passés chez le Dr. Michael Barrister.

– Nous ? Qui est ce "nous" ? demanda Jerry.

– "Nous", c'est votre humble serviteur et un policier en tenue. L'uniforme s'avère généralement bien utile, s'agissant de convaincre quelqu'un qu'il a bel et bien affaire à la police. En outre, il crée une certaine atmosphère alarmiste, que j'étais avide au plus au point d'engendrer. Le policier qui m'a accompagné m'a fait une faveur personnelle. Si mon projet aboutissait, lui avais-je promis, il aurait droit à de hautes recommandations. Il pouvait même, qui sait, s'attendre à une promotion. Si j'échouais, en revanche, je lui avais fait la promesse que les retombées éventuelles l'épargneraient. Je souhaitais sa présence, en sus de l'ambiance qu'elle créait, pour me servir de témoin, de témoin totalement étranger à l'affaire. Je craignais qu'en de mauvaises mains, en vertu du lien que j'entretiens avec certaines parties prenantes de cette affaire (il jeta un coup d'œil vers Kate) ma déposition, si j'étais appelé à la barre, ne prête le flanc à une fâcheuse interprétation.

Nous avons réussi à tirer le Dr. Barrister de son lit. Il était bien, comme je l'avais pensé, en pyjama. Il avait de plus jeté une robe de chambre sur ses épaules. S'il nous avait ouvert dans le plus simple appareil, il nous aurait suffi d'engager la conversation, l'un de nous lui faisant face tandis que l'autre se tenait derrière lui. Mais, telles que les choses se présentaient, nous avons dû lui demander de s'habiller et de nous suivre au QG. Le QG en question, en fait, n'a jamais eu d'existence réelle, mais je tenais à ce que notre injonction paraisse aussi menaçante et floue que possible. Au bout de maintes imprécations, menaces et allusions à des gens haut placés qui, j'imagine, sont les maris de ses patientes, il a enfin consenti à se vêtir. Il a dit qu'il voulait téléphoner à un avocat, et je lui ai rétorqué qu'il aurait le droit de passer un coup de téléphone du QG, conformément au règlement, puissent les anges du ciel me pardonner ! Au bout du compte, il a enfin daigné enfiler ses vêtements, non sans derechef protester vigoureusement lorsqu'il a vu le policier le suivre à l'intérieur de sa chambre à coucher. Je lui ai expliqué que, là encore, il ne faisait que se plier au règlement, en s'assurant qu'il ne téléphonait pas, ni ne portait atteinte à son intégrité physique, ni ne dissimulait une arme ou quoi que ce soit d'autre. Il a filé dans sa chambre, violet de rage, talonné par le policier à qui j'avais soigneusement fait la leçon au préalable. J'avais d'abord envisagé de demander au policier d'examiner les chaussures de Barrister, mais j'ai préféré en abandonner l'idée. Nous ne pouvions fonder la réussite, ou l'échec, de notre scandaleuse entreprise que sur sa seule cicatrice, et il valait mieux concentrer toute notre attention sur ce point.

Le policier a suivi mes instructions à la lettre. Barrister a rageusement envoyé valser sa robe de chambre et son pyjama et, pendant qu'il se baissait pour enfiler son caleçon, le policier a avancé d'un pas pour mieux voir. Ses instructions, s'il avait le moindre doute relatif à ce qu'il distinguerait, étaient de trébucher, de tomber de tout son long sur Barrister, d'examiner son dos de plus près, puis de se relever en s'excusant. La chose aurait pu s'avérer nécessaire, si d'aventure Barrister avait été un homme affligé d'une abondante pilosité ; lorsque l'épiderme est couvert de poils, il est plus difficile de déterminer s'il y a ou non cicatrice. Mais Barrister n'était pas velu.

Inutile de vous dire que j'attendais le retour de Barrister et de mon policier comme, je suppose, un futur père attend l'arrivée de l'accoucheur. Ils sont sortis ensemble de la chambre, et nous sommes descendus tous les trois au centre ville. Ultérieurement, nous avons dû sortir le District Attorney de son lit, qui a bougonné qu'il était grand temps que quelqu'un déniche enfin une foutue preuve dans cette inénarrable affaire.

Kate et Emanuel s'étaient levés. Nicola se contentait d'écarquiller les yeux. Ce fut Jerry qui parla.

– Il n'y avait pas la moindre cicatrice, fit-il.

– Qu'ai-je dit d'autre ? demanda Reed. Pas trace de cicatrice. On l'a de nouveau examiné en ville. Pas le moindre signe d'une opération de la colonne vertébrale. Mais le policier a exprimé ça beaucoup mieux encore : “Le bas du dos le plus lisse que j'ai vu de toute mon existence, a-t-il dit. Pas la plus petite marque.”

Épilogue

Six semaines plus tard, Kate partait en croisière pour l'Europe. Personne, à sa propre requête, n'était là pour lui souhaiter bon voyage. Elle avait horreur que des groupes d'amis viennent s'agglutiner pour agiter les mouchoirs, préférant de loin s'accouder au bastingage pour regarder Manhattan s'évanouir dans le lointain. Elle avait une cabine pour elle toute seule, en seconde classe, un ample travail à abattre, et la perspective d'un été agréable et productif.

Les journaux du soir, six semaines plus tôt, informés par Reed (qui ne détestait pas mettre les journalistes dans sa manche) de toute l'histoire avaient torché leur manchette: « Nouveau suspect dans l'affaire de la fille sur le divan. » Le *Times*, en reprenant plus tard l'information, avait exprimé la chose avec un peu plus de décorum: Emanuel et ses patients avaient repris le cours normal des choses et l'analyse des mobiles de l'inconscient. L'Institut de psychiatrie n'avait, pour sa part, fait aucun commentaire – il n'en faisait jamais – mais Kate était persuadée qu'elle entendait encore résonner, dans le vent de la nuit, leur soupir collectif de soulagement.

Jerry avait repris le volant de son camion, et était retourné à Sally, laquelle commençait à plus ou moins trépigner et à se plaindre de son manque d'attentions. Il avait refusé la prime. Kate avait fait valoir qu'elle était depuis le début une clause constitutive de leur marché, clause orale, peut-être, mais tout autant léonine mais Jerry, tranchant, n'avait prélevé que son seul salaire. Kate avait déposé sur un compte bancaire le montant de ladite prime, et ne comptait l'en retirer que lorsque les intérêts accumulés lui permettraient d'acheter un cadeau de mariage digne de ce nom.

Au moment où le paquebot arriva en vue de Brooklyn, panorama qui, selon Kate, n'évoquait rien de bien productif sinon certaines réflexions sur la décadence humaine, elle redescendit. Elle traversait l'un des bars lorsqu'elle eut la stupéfaction de découvrir la présence de Reed, assis dans un fauteuil, l'air d'avoir poussé depuis sa naissance dans ce décor. Elle le fixa, bouche bée.

– Je vais en Europe, fit Reed.

– Eh bien, répliqua Kate, tu me vois soulagée d'apprendre qu'au moins tu sais où nous allons. Je me disais que, peut-être, tu te croyais dans le hall du *Plaza*. Tu es en vacances ?

– Vacances et permission de détente. Je me suis décidé à la toute dernière minute et je dois partager ma cabine avec deux jeunes gens qui compensent en vigueur leur lacune en vertu mais, au moins, je suis là. Protection.

– Que protèges-tu donc ?

– Qui je protège, tu veux dire. Pour un professeur d'anglais, tu me sembles avoir de gros problèmes avec tes pronoms. C'est toi que je compte protéger, bien sûr, le temps d'une période de quarantaine, afin de m'assurer que la fièvre t'a bien quittée.

– Quelle fièvre ?

– La fièvre de l'investigation. J'ai connu plusieurs personnes présentant des symptômes similaires aux tiens. Invariablement, à un moment donné, ils partent en croisière pour l'Europe et trébuchent sur un cadavre en entrant dans leur douche. J'étais tout bonnement incapable de rester assis sans rien faire à New York, alors que je t'imaginais en train de relever des indices, tout en semant des citations littéraires aux quatre vents.

Kate se laissa tomber dans le fauteuil voisin. Reed sourit, puis leva la main pour héler un steward qui passait par là.

– Deux cognacs, s'il vous plaît.

Rivages/noir

Joan Aiken
Mort un dimanche de pluie (n° 11)

Robert Edmond Alter
Attractions : Meurtres (n° 72)

Jean-Baptiste Baronian
Le Tueur fou (n° 202)

Marc Behm
La Reine de la nuit (n° 135)
Trouille (n° 163)
À côté de la plaque (n° 188)
Et ne cherche pas à savoir (n° 235)

Tonino Benacquista
Les Morsures de l'aube (n° 143)
La Machine à broyer les petites filles (n° 169)

Pieke Biermann
Potsdamer Platz (n° 131)
Violetta (n° 160)
Battements de cœur (n° 248)

Michael Blodgett
Captain Blood (n° 185)

Paul Buck
Les Tueurs de la lune de miel (n° 175)

Edward Bunker
Aucune bête aussi féroce (n° 127)
La Bête contre les murs (n° 174)
La Bête au ventre (n° 225)

James Lee Burke
Prisonniers du ciel (n° 132)
Black Cherry Blues (n° 159)
Une saison pour la peur (n° 238)

W.R. Burnett
Romelle (n° 36)
King Cole (n° 56)
Fin de parcours (n° 60)

Jean-Jacques Busino
Un café, une cigarette (n° 172)
Dieu a tort (n° 236)

George Chesbro
Une affaire de sorciers (n° 95)
L'ombre d'un homme brisé (n° 147)
Bone (n° 164)
La Cité où les pierres murmurent (n° 184)
Les Cantiques de l'Archange (n° 251)
Les Bêtes du Walhalla (n° 252)

Andrew Coburn
Toutes peines confondues (n° 129)

Michael Collins
L'Égorgeur (n° 148)

Robin Cook
Cauchemar dans la rue (n° 64)
J'étais Dora Suarez (n° 116)
Vices privés, vertus publiques (n° 166)
La Rue obscène (n° 200)
Quand se lève le brouillard rouge (n° 231)
Le Mort à vif (n° 241)
Bombe surprise (n° 260)

Peter Corris
La Plage vide (n° 46)
Des morts dans l'âme (n° 57)
Chair blanche (n° 65)
Le Garçon merveilleux (n° 80)
Héroïne Annie (n° 102)
Escorte pour une mort douce (n° 111)
Le Fils perdu (n° 128)
Le Camp des vainqueurs (n° 176)

Hélène Couturier
Fils de femme (n° 233)

James Crumley
Putes (n° 92)

Mildred Davis
Dark Place (n° 10)

Jean-Paul Demure
Milac (n° 240)

Pascal Dessaint
La vie n'est pas une punition (n° 224)
Bouche d'ombre (n° 255)

Thomas Disch/John Sladek
Black Alice (n° 154)

Wessel Ebersohn
La Nuit divisée (n° 153)
Coin perdu pour mourir (n° 193)
Le Cercle fermé (n° 249)

Stanley Ellin
La Corrida des pendus (n° 14)

James Ellroy
Lune sanglante (n° 27)
À cause de la nuit (n° 31)
La Colline aux suicidés (n° 40)
Brown's Requiem (n° 54)
Clandestin (n° 97)
Le Dahlia noir (n° 100)
Un tueur sur la route (n° 109)
Le Grand Nulle Part (n° 112)
L.A. Confidential (n° 120)
White Jazz (n° 141)
Dick Contino's Blues (n° 212)

Howard Fast
Sylvia (n° 85)
L'Ange déchu (n° 106)

Kinky Friedman
Meurtre à Greenwich Village (n° 62)
Quand le chat n'est pas là (n° 108)
Meurtres au Lone Star Café (n° 151)
Le Vieux Coup de la sauterelle (n° 197)
Elvis, Jésus et Coca-Cola (n° 264)

Samuel Fuller
L'Inexorable Enquête (n° 190)
La Grande Mêlée (n° 230)

Barry Gifford
Port Tropique (n° 68)
Sailor et Lula (n° 107)
Perdita Durango (n° 140)

Jour de chance pour Sailor (n° 210)
Rude journée pour l'Homme Léopard (n° 253)

David Goodis
La Blonde au coin de la rue (n° 9)
Beauté bleue (n° 37)
Rue Barbare (n° 66)
Retour à la vie (n° 67)
Obsession (n° 75)

James Grady
Le Fleuve des ténèbres (n° 180)
Tonnerre (n° 254)

Russell H. Greenan
Sombres crapules (n° 138)
La Vie secrète d'A. Pendleton (n° 156)
C'est arrivé à Boston ? (n° 205)
La Nuit du jugement dernier (n° 237)
Un cœur en or massif (n° 262)

Joseph Hansen
Par qui la mort arrive (n° 4)
Le petit chien riait (n° 44)
Un pied dans la tombe (n° 49)
Obédience (n° 70)
Le Noyé d'Arena Blanca (n° 76)
Pente douce (n° 79)
Le Garçon enterré ce matin (n° 104)
Un pays de vieux (n° 155)
Le Livre de Bohannon (n° 214)

John Harvey
Cœurs solitaires (n° 144)
Les Étrangers dans la maison (n° 201)
Scalpel (n° 228)
Off Minor (n° 261)

George V. Higgins
Les Copains d'Eddie Coyle (n° 114)
Le Contrat Mandeville (n° 191)
Le Rat en flammes (n° 243)

Tony Hillerman
Là où dansent les morts (n° 6)
Le Vent sombre (n° 16)

La Voie du fantôme (n° 35)
Femme-qui-écoute (n° 61)
Porteurs-de-peau (n° 96)
La Voie de l'Ennemi (n° 98)
Le Voleur de temps (n° 110)
La Mouche sur le mur (n° 113)
Dieu-qui-parle (n° 122)
Coyote attend (n° 134)
Le Grand Vol de la banque de Taos (n° 145)
Les Clowns sacrés (n° 244)

Chester Himes
Qu'on lui jette la première pierre (n° 88)

Dolores Hitchens
La Victime expiatoire (n° 89)

Geoffrey Homes
Pendez-moi haut et court (n° 93)
La Rue de la femme qui pleure (n° 94)

Dorothy B. Hughes
Et tournent les chevaux de bois (n° 189)
Chute libre (n° 211)

William Irish
Manhattan Love Song (n° 15)
Valse dans les ténèbres (n° 50)

William Kotzwinkle
Midnight Examiner (n° 118)

Jonathan Latimer
Gardénia rouge (n° 3)
Noir comme un souvenir (n° 20)

Michel Lebrun
Auroroute (n° 165)
Le Géant (n° 245)

Elmore Leonard
Zig Zag Movie (n° 220)
Maximum Bob (n° 234)

Bob Leuci
Captain Butterfly (n° 149)

Ted Lewis
Le Retour de Jack (n° 119)

Sévices (n° 152)
Jack Carter et la loi (n° 232)
Plender (n° 258)

Richard Lortz
Les Enfants de Dracula (n° 146)
Deuil après deuil (n° 182)
L'Amour mort ou vif (n° 206)

John D. Mac Donald
Réponse mortelle (n° 21)
Un temps pour mourir (n° 29)
Un cadavre dans ses rêves (n° 45)
Le Combat pour l'île (n° 51)
L'Héritage de la haine (n° 74)

John P. Marquand
Merci Mr Moto (n° 7)
Bien joué, Mr Moto (n° 8)
Mr Moto est désolé (n° 18)
Rira bien, Mr Moto (n° 87)

Richard Matheson
Échos (n° 217)

Helen McCloy
La Somnambule (n° 105)

William McIlvanney
Les Papiers de Tony Veitch (n° 23)
Laidlaw (n° 24)
Big Man (n° 90)
Étranges Loyautés (n° 139)

Marc Menonville
Jeux de paumes (n° 222)
Walkyrie vendredi (n° 250)

Ronald Munson
Courrier de fan (n° 226)

Tobie Nathan
Saraka bô (n° 186)

Jim Nisbet
Les damnés ne meurent jamais (n° 84)
Injection mortelle (n° 103)
Le Démon dans ma tête (n° 137)
Le Chien d'Ulysse (n° 161)

Kyotaro Nishimura
Petits crimes japonais (n° 218)
Jack O'Connell
B.P. 9 (n° 209)
Liam O'Flaherty
L'Assassin (n° 247)
Jean-Hugues Oppel
Brocéliande-sur-Marne (n° 183)
Ambernave (n° 204)
Six-Pack (n° 246)
Abigail Padgett
L'Enfant du silence (n° 207)
Hugues Pagan
Les Eaux mortes (n° 17)
La Mort dans une voiture solitaire (n° 133)
L'Étage des morts (n° 179)
Boulevard des allongés (n° 216)
Bill Pronzini
Hidden Valley (n° 48)
Bill Pronzini/Barry N. Malzberg
La nuit hurle (n° 78)
Michel Quint
Billard à l'étage (n° 162)
La Belle Ombre (n° 215)
Le Bélier noir (n° 263)
Diana Ramsay
Approche des ténèbres (n° 25)
Est-ce un meurtre ? (n° 38)
Philippe Setbon
Fou-de-coudre (n° 187)
Desolata (n° 219)
Roger Simon
Le Clown blanc (n° 71)
Génération Armageddon (n° 199)
Pierre Siniac
Les mal lunés (n° 208)
Sous l'aile noire des rapaces (n° 223)
Démago Story (n° 242)
Le Tourbillon (n° 256)

Les Standiford
Pandémonium (n° 136)
Johnny Deal (n° 259)
Richard Stark
La Demoiselle (n° 41)
La Dame (n° 170)
Richard Stratton
L'Idole des camés (n° 257)
Vidar Svensson
Retour à L.A. (n° 181)
Paco Ignacio Taibo II
Ombre de l'ombre (n° 124)
La Vie même (n° 142)
Cosa fácil (n° 173)
Quelques nuages (n° 198)
À quatre mains (n° 227)
Ross Thomas
Les Faisans des îles (n° 125)
La Quatrième Durango (n° 171)
Jim Thompson
Liberté sous condition (n° 1)
Un nid de crotales (n° 12)
Sang mêlé (n° 22)
Nuit de fureur (n° 32)
À deux pas du ciel (n° 39)
Rage noire (n° 47)
La mort viendra, petite (n° 52)
Les Alcooliques (n° 55)
Les Arnaqueurs (n° 58)
Vaurien (n° 63)
Une combine en or (n° 77)
Le Texas par la queue (n° 83)
Écrits perdus (1929-1967) (n° 158)
Le Criminel (n° 167)
Écrits perdus (1968-1977) (n° 177)
Hallali (n° 195)
L'Homme de fer (n° 196)
Ici et maintenant (n° 229)
Masako Togawa
Le Baiser de feu (n° 91)

Armitage Trail
Scarface (n° 126)

Marc Villard
Démons ordinaires (n° 130)
La Vie d'artiste (n° 150)
Dans les rayons de la mort (n° 178)
Rouge est ma couleur (n° 239)

Donald Westlake
Drôles de frères (n° 19)
Levine (n° 26)
Un jumeau singulier (n° 168)
Ordo (n° 221)

Janwillem Van De Wetering
Comme un rat mort (n° 5)
Sale Temps (n° 30)
L'Autre Fils de Dieu (n° 33)
Le Babouin blond (n° 34)
Inspecteur Saito (n° 42)
Le Massacre du Maine (n° 43)
Un vautour dans la ville (n° 53)
Mort d'un colporteur (n° 59)
Le Chat du sergent (n° 69)
Cash-cash millions (n° 81)
Le Chasseur de papillons (n° 101)

Harry Whittington
Des feux qui détruisent (n° 13)
Le diable a des ailes (n° 28)

Charles Willeford
Une fille facile (n° 86)
Hérésie (n° 99)
Miami Blues (n° 115)
Une seconde chance pour les morts (n° 123)
Dérapages (n° 192)
Ainsi va la mort (n° 213)

Charles Williams
La Fille des collines (n° 2)
Go Home, Stranger (n° 73)
Et la mer profonde et bleue (n° 82)

Timothy Williams
Le Montreur d'ombres (n° 157)
Persona non grata (n° 203)

Daniel Woodrell
Sous la lumière cruelle (n° 117)
Battement d'aile (n° 121)
Les Ombres du passé (n° 194)

Rivages/mystère

Charlotte Armstrong
Le Jour des Parques (n° 13)
L'Inconnu aux yeux noirs (n° 15)
Une dose de poison (n° 21)
Francis Beeding
La Maison du Dr Edwardes (n° 9)
La mort qui rôde (n° 12)
Un dîner d'anniversaire (n° 18)
Algernon Blackwood
John Silence (n° 8)
Jypé Carraud
Tim-Tim Bois-Sec (n° 22)
Mildred Davis
Crime et chuchotements (n° 14)
Passé décomposé (n° 16)
Un homme est mort (n° 20)
Michael Dibdin
L'Ultime Défi de Sherlock Holmes (n° 17)
John Dickson Carr
En dépit du tonnerre (n° 5)
William Kotzwinkle
Fata Morgana (n° 2)
Alexis Lecaye
Einstein et Sherlock Holmes (n° 19)
John P. Marquand
À votre tour, Mister Moto (n° 4)
Anthony Shaffer
Absolution (n° 10)
J. Storer-Clouston
La Mémorable et Tragique Aventure de Mr Irwin Molyneux (n° 11)
Rex Stout
Le Secret de la bande élastique (n° 1)
La Cassette rouge (n° 3)
Meurtre au vestiaire (n° 6)
Josephine Tey
Le plus beau des anges (n° 7)

Achevé d'imprimer sur rotative
par l'imprimerie Darantiere à Dijon-Quetigny
en février 1997

Dépôt légal : 1er trimestre 1997
N° d'impression : 97-0122

TERRY
PRONE
and the CARR
COMMUNICATIONS
TEAM

Get that Job

Get that Job
Libermann Library Kimmage

BUSINESS
POOLBEG

First published 1993 by
Poolbeg Press Ltd,
A Division of Poolbeg Enterprises Ltd
Knocksedan House,
Swords, Co Dublin, Ireland
Reprinted 1993
10 9 8 7 6 5 4 3 2

A catalogue record for this book is available from the British Library.

ISBN 1 85371 235 3

Cover design by emSpace
Set by Mac Book Limited in Stone
Printed by The Guernsey Press Company Ltd,
Vale, Guernsey, Channel Islands

Acknowledgements

The following people and organisations gave generously, and without the slightest complaint, of their time and effort to help us get this book together. We can't thank them enough.

Frank Tracy and Maureen Gilbert of NRB.

Aishling Harrison, Head Hunt.

Kieran Rose.

Joe MacAree in Bank of Ireland.

Norman Newcombe, Group Marketing Manager, An Post.

Ron Bolger, Managing Partner and Anne Foley of KPMG Stokes Kennedy Crowley.

Tom Hayes of AP McClean.

The Federation of Irish Employers and SIPTU.

Contents

1

Why You Need This Book

If you're standing in a bookshop, flipping through the pages of this paperback and debating whether or not you should invest the few pounds it costs, here are the facts you need to make up your mind.

- If you're happy in your job, work in a business or state-sponsored body that looks as if it'll be around in fifty years' time and are assured of as much progress within your career as you could want, then don't buy the book. Save the money.
- If you seriously want to get a job, or to get a better job, you should buy this book.
- If your profile matches any of the following, you can't afford not to buy it.

Career Builders For Whom This Book Is a Must

- You're unemployed since leaving school or graduating from college.
- You're trying to return to the paid workforce after a chunk of time spent having babies.
- You've been fired/made redundant.
- You've taken early severance, the "golden handshake," but you don't figure on spending a quarter of a century watching TV in the middle of the morning.
- You're bored bendy in your present job and likely to sink your teeth in your boss's shinbone if you can't get a livelier challenge.
- The small business you set up has gone tubular, taking your life's savings with it.
- You're in a semi-state organisation and a position is due to become available at the next grade—and you want it.

If your situation is a little like any of the above, you must buy this book. Why? Because, if you follow the detailed job-getting plans laid out in the following pages, you will radically improve your chances of getting the job you want. We say this with total confidence, because we're the Carr Communications team. We've been helping people get jobs for twenty years. Helping them get their curriculum vitae, their personal marketing plan, their approach and their interviewing skills right.

We know that the first thing you have to do, when you go looking for a job, is to regard the job-seeking as a fulltime project. Might last three months, might go out to six months or longer. But for that period of time, you are fully employed in marketing.

You don't get paid for this marketing task, but do it right and you'll have no long-term money problems.

This unpaid marketing project is arguably the most interesting job you'll ever have. You will gain more practical skills faster than at any time in your educational or professional life, and gain more solidly based confidence in yourself. These are the job specifications for the marketing project:

- Eight-hour day, five days a week, for a notional six months
- Dress code
- Physical fitness
- Research, personally undertaken
- Ruthless self-examination
- Will demand disciplined scheduling and cold-calling (that's introducing yourself to people who have never heard of you)
- Requires the development of writing and selling skills

If you sign on for this marketing project, there are lots of perks. You're your own boss, for starters, and you get to talk and think about yourself a lot more than you ever will once you get a paid job. You're going to be selling a once-off unique product, rather than something coming off an assembly line. We're not talking yellow-pack here, we're talking about a fascinating individual about whom you have huge knowledge and understanding. Once you have developed and implemented a good marketing plan for yourself, then you will have cracked all of the essentials of good marketing and demystified, for yourself, a crucial element in all business.

You do have to face up, at this stage, to the possibility that the marketing project might close down more quickly than the six months' span allotted to it. You may, in short, get a job on your first try. Oddly, many job-seekers who have committed themselves to the six-month marketing project are quite unnerved if this happens.

"It was one of those odd interviews where, halfway through, the guy stops being a personnel manager and starts being a human who needs this other human across the desk from him to come onstream immediately if not sooner," one newly appointed executive wrote to tell us. "I went straight into reverse and started giving him all the reasons he shouldn't appoint me, because that's what I had prepared for; how to overcome his every objection. Fortunately, I copped on to what I was doing and surrendered to a job offer!"

If you're going to take on this six-month marketing project with the objective of marketing yourself into a good job, then remember the first of the job specs:

eight-hour day, five days a week, for a notional six months.

The reason we specify an eight-hour day is that this is one of the most important tasks you'll ever undertake. You're trying to set yourself up in a job which will, you hope, lead to a career which will allow self-fulfilment at a decent level of remuneration. So the very least you must do is give this project your full-time commitment and handle it with the same professionalism you plan to bring to your paid employment.

If you are in the running for promotion rather than the out-and-out job-getting market, you obviously won't have as much time on your hands. You will also be in the habit of doing the eight-hour day, so don't worry about the forty-hour week, but do make sure to spend as much time as you can spare on this job—it will pay off in the long run.

That means getting up early each morning, getting scrubbed, clean and well-dressed, before you sit down to the job-seeking tasks of the day. Obvious?

Not at all. Many job-seekers fit their job-seeking in between the make-work that develops when you are without a job. Some job-seekers have such low self-esteem that they don't think they deserve the time to devote to it. The self-esteem problem is particularly true of women who, in their forties or later, want to return to the paid workforce having been out of it for perhaps twenty child-rearing years.

Although they yearn to have a job, they can find almost no time to devote to seeking it systematically, because there's this job that needs to be done in the house, or Head the Ball needs his tea early, or something needs to be collected from the cleaners for the eldest daughter.

So leave yourself no back door. Decide how much time you can devote to job-seeking. Decide it now. Write it down. If you know that, realistically, the demands of your family situation will preclude a forty-hour week, then cut it in half. But identify the hours you will devote to the task, and stick to it. Because jobs are like planes. For the most part, they go to the places that are expecting them, where there's a clear runway, and a gate allocated to welcome them. They don't circle at random on the off-chance of landing in somebody's front garden. Now, it's quite possible that you already have a job. You just want a *better* job. In that case, decide on the number of hours outside your "day-job" you can realistically devote to your marketing plan, and make a promise to yourself that you will find that much time each and every week until you're in the position you really want.

Our Findings

People who devote forty hours a week to the job-seeking project and tackle it as if it was a paying job more than double the odds in their favour.

If you can start next Monday, save the next chapter until then.

See you!

2

Where Are You Going?

There are elegant ways of putting it.

Chance favours the prepared mind.

That's one of them. Courtesy of Lister, the germ man. A blunter way of putting it is this:

If you don't know where you're going, you don't stand a chance in hell of getting there.

An even more seriously crude version goes like this:

If you don't know where you're going, there's a good chance you'll end up somewhere else.

In career terms, you have to know where you want to go. Before you embark on job-seeking, you must identify what kind of career you want.

Career. Not job. Because, today, the two are not synonymous.

Consider a few projections as we enter the 21st century:

In ten years, at least one-fourth of all current "knowledge" and accepted "practice" will be obsolete. The life span of new technologies is now down to eighteen months...and decreasing.

- Within ten years, twenty times as many people will be working at home.
- Two-career families will multiply: currently one-half of all families have two paycheques; this will become three-quarters.
- If you are under twenty-five, you can expect to change careers every decade and jobs every four years, partly because you choose to and partly because entire industries will disappear and be replaced by others we haven't heard of yet.
- Women now own more than three million businesses (in the US) and will own more than half of all businesses by the year 2000.
- The forty-hour work week will become a dinosaur. We will work 20 per cent more and sleep 20 per cent less than we did a decade ago.

Source: *If it Ain't Broke...Break it!* Robert J. Kriegel

That's in the US. (No apologies for telling you about it. Many of the readers of this book will spend at least part of their career working in the US, filling gaps in the American skill-supply in the nineties.)

Back home in Ireland, the ESRI's Philip O'Connell figures that:

- Within the next few years, many more Irish people will work from home.
- Two-career families are on the increase. However, we are unlikely to reach the American level.
- Although most people under twenty-five do change jobs fairly frequently and may, in the process, change careers into the bargain, in Ireland, people rarely change sectors. If you start in one of the three main sectors:

  - Industry
  - Services
  - Agriculture

  you are not likely to move out of that sector in the course of your career. You may be content to change jobs within that sector.
- Ireland shows few signs of moving to a sixty-hour week. The EC wants to impose limits on the working week rather than extending it. It remains to be seen whether the American pattern of working two and three jobs in order to make ends meet, will catch on in Ireland.

In our parents' time, solid results in the Leaving Certificate were likely to lead to a "good solid job" in the Civil Service, where you rose slowly through the ranks, received increments with every passing year, and expected to be there until you retired.

Today, the pattern of employment is quite different. Not only will this generation shift job as many as ten times in their working lives but they're much more likely to shift career as well.

Some examples:

- Roger M was Director of Research in a state-sponsored body, and at thirty-five, losing interest completely in research, moved to head up a major charity. It wasn't just a change of job, it was a change of career.
- Mike R was a print journalist, then became manager of a local radio station, spent two years as a public relations officer and now works as a business consultant.
- Anne B was an engineer in a local authority for a couple of years before she went overseas with a construction company. When she returned to Ireland, construction was in the doldrums and she did a computer design course, leading to work in a video production house.

It makes no sense, in the 1990s, to look for a job and assume you should still be in it fifteen years from now. The life span, not only of companies but of whole industries, is shorter and more subject to change now than it was in the past.

Not only are industrial life spans shorter, but basic qualifications are higher, particularly in highly educated societies like Ireland, where:

- 20 per cent of all government social expenditure since 1980 has been committed to education.
- 70,000 students are in third-level education at any given time.
- There are seven universities
- And nine regional colleges
- Plus two colleges of technology.
- 42,000 (60 per cent) of students are doing engineering, science or business studies.

Graduate Output in Ireland

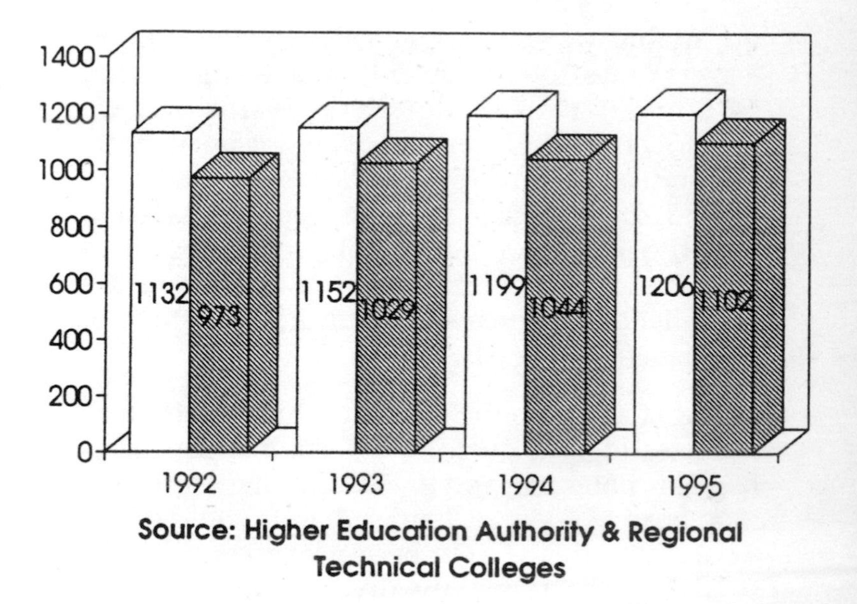

Source: Higher Education Authority & Regional Technical Colleges

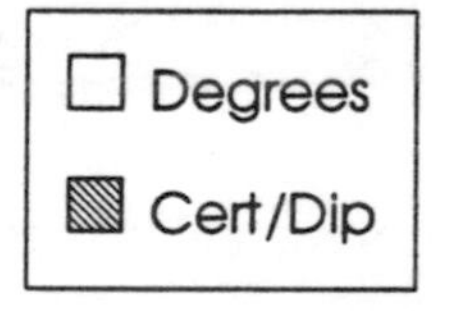

Jobs for which, in practical terms, a Leaving Certificate should be a more than adequate qualification, now go to people with degrees. In some ways, this is not a good thing for the recruiting company, as some of them are beginning to be aware.

"Every year KPMG Stokes Kennedy Crowley takes on around one hundred graduates and school-leavers," says Ron Bolger, SKC's Managing Partner. "We invest a lot of time interviewing and we certainly have the intention of ending up with the brightest and best of any year. We are always on the lookout for more than academic geniuses. Relating well with people, an ability to take a new perspective on a business problem, initiative—these are the ingredients our firm needs to stay fresh and to be of real benefit to our clients."

The fact is, nonetheless, that a third-level degree is increasingly a qualifier for a job with career-building potential, and if you don't have one, you may have to try a lot harder than if you did. For what it's worth, the eight-person team contributing to this book is evenly divided on academic qualifications or lack thereof. Four have at least one and in some cases two or three degrees, and four have no third-level education whatsoever. Statistically, it seems that letters after your name can marginally ease your access into your first job interviews, but thereafter, it's performance rather than qualification that counts.

Long-Term and Short-Term Goals Are Important

In planning your career, it is important to have both long-term and short-term goals.

A long-term goal might involve:

- Becoming MD of Guinness (Ireland) by the time you're thirty-five.
- Making several million as a financial dealer earlier than that.
- Becoming a key member of a winning team like CRH or Ballygowan.
- Becoming the youngest ever department secretary in the Civil Service.
- Heading up the ESB's fish-farming activities.
- Becoming a supervisor in a chemical plant.

Right now, what you need to do is think in three-year spans. Answer this question in fifty words or less:

Question: What job do you want to hold, three years from today?

Answer:

Don't be vague. Don't perpetuate that all-time cliché about "wanting an interesting job meeting people." Short of becoming a lone, fulltime speleologist, it's pretty difficult to avoid meeting people.

Your answer *must* specify:

- In what country you hope to work
- At what level in the hierarchy
- In which industry
- At what salary
- In what sort of company (small, medium, large, private sector/public sector).

Your answer *should* specify:

- Which company typifies the one you'd like to work for
- The flavour of the company (prestigious member of the industrial establishment or thrusting newcomer).
- What precisely you mean (put numbers on it) by an "appropriate" or "acceptable" or "decent" salary.

Now, take each of the principal points in your statement and argue them out. We're going to hold you to this statement as we make progress in your marketing plan. It will be awkward to shift from being a middle manager in an oil refinery in Saudi to being a knitwear design supervisor in Donegal.

So don't waste your time. Confirm every detail of your statement, so that at the end, you can look at it and say to yourself, "Yes. That's where I'm going, and nothing on God's earth is going to stop me getting there."

Now, having established where you want to be in three years' time, establish the "gateway job" which will start you on the way to getting there. If you want to be working in a cutting edge software company, your gateway job is not going to be as a commis waiter.

So, write it down in another fifty words or less:

In order to get to where I want to be in three years' time, the job I want right now is:

If you haven't filled in the previous mini-form, here's why you're doing yourself no service. Defining where you want to go, writing it down, and visualising it, is a habit of highly successful people, worldwide. Great athletes, before they run a race or fight a fight, envisage each portion of the race or fight, taking themselves, by means of the wondrous gift of imagination, through the pain and the triumph.

What's important about the way they do it, and

what distinguishes winners from losers, is that the winners invariably envisage the race or game or shot at the golf hole as they would like to play it, whereas the losers invariably envisage it as they fear they're likely to play it, i.e. badly. So if you plan to be a winner, not just in getting your first job, but in building your whole career, you need to get into the habit of visualising for the future: using your imagination to see things as you'd like them to be and then blocking out practical plans to make them happen.

But make sure to stay on the positive side of things. One of the oddities about working on the scaffolding of sky-scrapers in Canada and the US is that American Indians (or Native Americans) are much better at it than any other race. Nobody has been able to tie down precisely why this is, but researchers investigating the phenomenon hear the same advice from the Indians all the time; when you're hundreds of feet above the ground, don't look down. Don't look where you don't want to go. In other words, thinking about what you *don't* want to happen increases the odds that it will. Throughout this book, you'll be invited more than once to envisage, positively, where you do want to go, and crystallise what you've imagined by putting it down on paper. Don't underestimate the importance of this as a working habit.

3

Now Throw Away the Security Blanket

Here comes the tough part. Up to now, all you've had to do was dream dreams and see visions. Easy.

Now, you have to get rid of your security blanket. Each one of us has a security blanket that keeps us warm in the face of the cold breezes of reality. The security blanket is made up of a series of excuses so tightly interwoven that they provide the ultimate insulation. Here are some of the common excuses which allow job-seekers to pull their punches and make less than 110 per cent effort:

- I won't get the job because it's not what you know, it's who you know that counts.
- I won't get the job because I have no political pull.
- I won't get the job because I have no relatives working in that company.

- I won't get the job because there'll be such competition—I mean, look at the unemployment statistics.
- I won't get the job because they'll be prejudiced against where I come from.
- I won't get the job because the word is, it's going to a woman (man).
- I won't get the job because I'm having my period.
- I won't get the job because I didn't get the last three.
- I won't get the job because I didn't go to the right college.
- I won't get the job because the job's already been given, but the law forces them to advertise it.
- I won't get the job because I'm too short/fat.
- I won't get the job because I'm too old/young.

Now, add your own. The excuses you figure you might use. The excuses your mother would use. The excuses that your family uses from time to time. Come up with at least ten and fill in this form.

Security Blanket Form

- I won't get the job because:
- I won't get the job because:
- I won't get the job because:
- I won't get the job because:
- I won't get the job because:
- I won't get the job because:
- I won't get the job because:
- I won't get the job because:
- I won't get the job because:
- I won't get the job because:

Now that you've woven all of your potential excuses into the security blanket, roll up the blanket and throw it away. You will never, at any point in the future, use any of those excuses again. They are banned. In future, if you fail to get a job that you've aimed at, you will concentrate, not on making excuses, but on finding out what you can learn from an apparently negative experience to equip you to win the next outing.

Later in this book, you'll learn that applying for jobs is a little like a box of Smarties, if you imagine that a successful application is the Smartie that's coloured red. In order to get a red one, you take out a handful and you find several of other colours. But you don't feel a failure. Similarly, when you apply for jobs, one of them will turn out to be the equivalent of the red Smartie but you still have to go through the handful of other colours.

Prone's Precept

Success is a percentage of and a result of failure.

Soichiro Honda, the founder of Honda Motors, says that success can only be achieved through "repeated failure and introspection." "In fact," he says, "success represents the 1 per cent of your work which results only from the 99 per cent that is called failure."

Learning to pull success out of failure is a lot easier when you throw away the excuses blanket.

Of course, in the early days without excuses, when you're used to using them, as we all are, it can be cold and lonely. The good thing is that you have no time to concentrate on that new cold loneliness. You have a base of operations to set up, to house probably the most important project of your life.

4

Your Base of Operations

No. Don't skip this bit. You may be dying to get to the section about how to do a killer job interview, but you can't afford to ignore any of the steps that need to be taken before the interview happens.

One of those steps is to set up a base of operations for yourself. You're running a marketing business, remember? So you need a place:

- To sort and collate your research
- To craft your letters of application
- To make and receive phone calls
- To write and revise your CV.

If you don't create a dedicated job-seeking work-station, you'll quickly find that on the morning you need a second copy of your CV, you don't have one or can't find it.

This workstation doesn't have to be big. Ideally, it should be a desk with at least two drawers. But it can be a vanity unit in a bedroom, a coffee table in a converted garage or a sideboard in a sitting-room, as long as everything unconnected with job-seeking is banished from its surface and from its shelves or drawers, if it has any of the latter. Put ornaments, perfumes, aftershaves or books into a carton and stuff them under a bed. They can re-emerge the day after you take up your new appointment. In the meantime, put the territorial imperative into action (i.e. threaten death and dismemberment to anyone in the house who grots up your new workstation) and clear the decks for action.

Get a phone on to the desk. You don't even have to install an extra extension should one be currently missing from the room. If you're handy, you can extend the flex on the main phone so it can be moved into the room which is now your base of operations. Or a friend can do it for you.

One way or the other, make sure that you have a phone on which to make and receive calls, which is close to you (so you do not arrive at it breathless and flustered) and not surrounded by the noisy static of happy family life; ghetto-blasters, television, rattling saucepans, quarrelling siblings and weeping babies. Trying to impress a potential employer that you are the human dynamo without whom his business will fossilise in position like a stalactite is pretty difficult if your introductory phone call is punctuated by cats getting sick or teenagers yelling ultimata. (This also applies to extensions. Someone sleepily picking up an extension when you're trying to get to first base with a potential employer and saying "Hello? Who's there? Hello?" while you restrain yourself from snarling at them to *put down the Goddam phone fer chrissake I'm trying to get a job here are you determined to keep me barefoot and broke?* does not add to the image of the quietly competent person you wish to sell.)

Before we leave the subject of the phone, we need to examine the staffing of said phone. You are going to have to leave the house occasionally, if only to attend the job interviews which are the focus of all of this planning. But you cannot afford, during that absence, for Tony O'Reilly to ring, ready to offer you a job as his second-in-command in Heinz, or for Michael Smurfit to call, demanding a fast answer to an equally appealing opportunity. Because Tony O'Reilly and Michael Smurfit don't ring twice. Neither do half the callers you're hoping to hear from. The remaining half may ring again, but they're not impressed by getting no answer at all, first time around.

We have all grown to expect some kind of a response from a telephone, whether it's a giggling toddler, a recording or a FAX whine. A phone that rings repeatedly and is simply not answered is, these days, oddly discomfiting. It's also counter-productive from the point of view of the job-seeker.

Either leave it off the hook, if you're going out for less than an hour, or pay the extra for Telecom Eireann to install their system which passes your phone calls on to the next place you're going. This option, which does depend on your phone being attached to a "digital" exchange, is a "call divert" facility. It allows you to have all incoming calls automatically transferred to another number in your area, switching your calls to a relative or friendly neighbour. Costing about £3 a quarter, with an additional modest fee of one call unit every time you set up a divert, this is a very useful option. For details, and to check if this facility is available on your exchange, contact Telecom Eireann. Their special helpline is Freefone number 1-800-500-500.

If you cannot get a friend or family member to take care of calls in your absence, then beg/borrow/steal an answering machine. They are now relatively cheap and simple to operate and prices are falling all the time. A word of warning, though. Make sure you listen to the tape every time you come in. It's easy to forget, and hell hath no fury like a recruiter who has left a message on your machine inviting you to take up a job and has their good news ignored by you. Assuming you do manage to lay your hands on such a machine, put a brisk, businesslike and unaffected message on the tape. Give your number, your name and your brisk apology for unavailability. Promise you'll return the call quickly and invite the caller to leave name, number and message, after the bleep. Do not be facetious. Get some pal to listen to the tape to ensure that you sound reasonably like yourself.

If you have family members in the house, sit them down and explain the importance of their answering your phone, in your absence, as if they were your secretary. I know of one PR executive whose daughter, now thirteen, has from the age of seven handled incoming phone calls in her father's absence with total aplomb, and made absolutely sure he gets the correctly spelled name and properly enumerated phone number of the caller as soon as he returns. Would that there were more of her.

In addition to the phone and to the answering system which has to be orchestrated around it, you will need pens. Shove a jam jar (empty and clean) in the middle of your workstation and stick half a dozen pens into it. Being caught penless happens at the most awkward times. I have, on occasion, been so desperate for something to write with that I grabbed a lipstick and wrote the message on a mirror, like that serial murderer who scribbled a message on someone's make-up mirror to the effect that the cops had better catch him before he killed again. My husband disapproved of this convict-style record-keeping quite a lot, partly because he found that lipstick is difficult to get off a mirror. My message, when wiped off, left distorting streaks that put him considerably off his stroke when shaving.

In addition to ordinary pens, you should have a set of highlighter pens for marking advertisements and news items pertinent to your search.

Once you have pens, you need paper. Several different kinds of paper:

- Note-taking paper. A jotter or stenographer's notebook.

- Cover-letter paper. This may have your name and address on it, but if so, it should be in simple print or script. No flowers. No pastels.

No lines of poetry. Can be smaller than A4, but don't go for odd sizes. A letter written on the equivalent of a compliment slip is too easy to file in the dustbin.

- CV paper. This is for amendments or emendations to your CV to make it meet the specific needs of a particular target recipient. Your CV paper should be of high quality, pleasant to the touch, and either white or cream.

- Post-it notes. For you to leave reminders to others in the house, or to yourself. To write ideas on when you wake up in the middle of the night with a startling new concept.

- Post-it tape flags. These are dandy little temporary stickers you put on the edge of a page in a book which has something you want to remember. You can write on them. When you've noted down the important item from the relevant page, you can pull off the flag and it leaves no mark.

You will need a filing system. Not an elaborate heavy-duty filing system. A box to carry indexed cards will do fine, and can be picked up cheaply in stationery shops.

You will also need:

- Paper clips

- Pritt glue sticks

- A sharp scissors

- Rolls of Sellotape
- A wastepaper basket
- A clock
- A4 envelopes
- Tipp-Ex
- Something to hold business cards
- A few cardboard or hard plastic folders to be organised thematically as store-houses for research
- A calendar
- Stamps

All of these need to be kept in the dedicated workstation area. Otherwise, you waste time searching, or you find yourself running into the problem one of our PR consultants experienced one evening, when a very eminent client rang him at home one night with an emergency statement for immediate release. The consultant groped around in the area surrounding the phone for paper on which to make notes as the client dictated his statement, but could find none. Rather than interrupt the client in order to search for paper, the consultant did a fast bit of lateral thinking. Unsheathing his elegant Parker, he also unsheathed his elegant left leg, and carefully inscribed the seven paragraphs from knee to ankle. He then rang the copy desks of each of the newspapers and dictated the statement flawlessly, rippling his leg muscles through the text as he read to avert boredom.

"The only problem was that because the issue was such a contentious one, I felt I couldn't erase the original source document, so to speak, for several days," the consultant remembers. "So I was taking showers with a plastic bag rubber-banded around my leg, and figuring that if I got knocked down in an accident and taken to hospital, what the hell would they make of this nether limb filled with angry prose?"

Moral
Have pen and paper constantly to hand.

Also within the dedicated workstation area you need to have directories. Telephone directories. Publications giving lists of companies within a particular industrial field and so on.

It would help a lot if you also had a typewriter. Best of all, if you had a word processor and knew how to use it, because no matter what job you're going for, you will be more competent to handle it if you can do your own paperwork using a computer. It is possible to buy a word processor with a letter-quality printer these days for considerably less than a thousand pounds, particularly if you explore the second-hand market. It is important that you do not get a dot-matrix printer that looks as if it was designed to create join-the-dots drawings for kids' comics.

Now, at this point, you may be saying, "Yeah, it would be nice, but I don't have several hundred pounds and anyway, I can get my CV typed up by one of those services." Whoa. Avast. Halt. Your point is well taken. You don't have money, and there are services that will lash you up a CV which reeks of class. Only problem is, it is also likely to reek of cost.

If you ask a company specialising in writing as well as merely typing a CV for you, it will cost you anything from £35 to £50. The current average cost for a commercially produced CV (just typed) on good-quality white, cream or grey paper with a simple cover is £15. This assumes that you will craft the words yourself and that the CV will not need subtractions and additions to tailor it to meet the needs of specific companies. (The companies offering this kind of service try to keep CVs on computer disc for about a year, and run off further copies at about a tenner a throw.) This cost also assumes that you will handwrite all of your cover letters. If you are possessed of effortlessly readable copperplate script, this is no problem, but the chances are that you will have to go back several times to have your CV updated, either to a commercial firm or to a long-suffering secretarial pal, and in terms of time and control, you might be better to try to lay hands, even for a six-month lease, on a computer.

If you have a choice, get a Macintosh or an IBM-compatible. Buy or borrow typing-lesson software and learn the correct fingering. If you do an hour's typing lesson a day for six months, you'll have gained—cheaply—an extra skill which will be invaluable to you in the future, while ensuring, in the short-term, that you can make alterations to your CV speedily and neatly to allow it to meet the needs of a particular market.

However, since we can still hear you whinging on about it, let us address the problem of money. Look at it this way. If you need to buy a house, you will move heaven and earth and tell lies to the building society people in order to get a mortgage, right? If you want to buy a car, you go along to the bank and you happily sign away your future in order to put wheels under yourself.

Now, a computer is a vitally advantageous piece of equipment in this six-month project period of your life. It can help you get a job more quickly. It can help you get a better job. It can help you tidy up your self-presentation and your thinking. The very fact that it is expensive will help focus your mind and add guilt to your motivation. (Never underestimate guilt. It may not be currently in fashion, but it'll make a comeback. It's too useful and too cheap not to.)

So think seriously about taking out an overdraft or going along to your credit union and telling them about the productive loan you want to negotiate. There will be few outlays to be made in the future which will have so clear a payback so quickly. Do not, however, grab your courage in both hands and go face the bank manager or loan committee of the credit union quite yet. You're likely to need money for investment in other aspects of your career-building, too, so hold off the loan application until you've read the sections on wardrobe.

5

Planning the Best Use of Your Time

Now that you have a headquarters for your project, the next thing to look at is your two major assets:

- Time
- You

When you are not employed by a third party or occupied fulltime by taking care of a family and rearing children, then the one asset you certainly have is time. The problem is that time can move all too easily from being an asset (positive) into being a liability (negative).

Time can be a liability for an unemployed person when they end up sleeping more than they would if they had a job, eating more, drinking more, or watching TV/videos more. OK, I hear you say. Watching TV or videos too much could veg you out a bit, and with drinking too much—the damage is obvious. But what the hell is wrong with sleeping a bit longer?

It's very simple. Sleeping longer than usual is OK if you're unemployed, but if you're unemployed and actively determined to get a job, then you should be sleeping, if anything, less than you think is your natural entitlement, because:

1. You have a lot to do, and a short time to do it in.

2. If you get a job, a sleep pattern that starts an hour after midnight and lasts until midday or later is going to be difficult to break.

3. Sleeping too much is a vicious circle; it makes you more tired, not less.

4. Sleeping too much tends to be depressing. No, not to your mother or whoever you live with. Depressing to the sleeper.

5. Research suggests that there is no "natural entitlement" to eight hours' sleep. People who think they must get eight hours can manage on less without any objective symptoms of deprivation.

So, as you work through your project, get up in enough time to wash, dress in clean, unslobby clothes, eat breakfast and be at your desk by nine. The "clean, unslobby clothes" are important. Unless you have a personality like a smile badge, being unemployed makes you feel down. You should be supporting your own morale wherever possible, just as you would that of a good friend. If you saw a good friend who was unemployed and who had got into the habit of flinging on, in the morning, whatever clothes he had left curled in worm-cast fashion on the floor the previous night, you would know that your friend was teaching himself downwardly mobile habits.

You have an eight-hour day in front of you, and we'll come to the scheduling of that in just a moment. But first, we'd like to interfere with your life even before you do your day's project work. We want you to think about fitness—and if your fingers itch to flip through the pages to a section "on CVs or something practical," restrain them for thirty seconds. Because that's how long it will take us to list the five reasons you should think about devoting some time to physical fitness:

1 A regular commitment to running, swimming, rope-skipping or other aerobic exercise will make you look and feel better.

2 Why should you wait until you're in a job to start giving your body the care it deserves?

3 Fitter people think and articulate faster, and you're going to need all of your wits about you for the interviews ahead of you.

4 Fitness doesn't have to cost money.

5 If you exercise vigorously for more than half an hour every working morning, you will have twice the energy during the rest of the day—once you've survived the shock of the first few days.

It's now time to address time management.

Job-Seeker's Inside Tip

Most job-seekers waste a lot of time and worry about getting a job, but don't spend time systematically on the tasks that, properly completed, will guarantee them a job.

On the next page is a form. It's a fairly simple form, which means that if you don't have the money to photocopy it about twenty times, you can rough out your own version on a sheet of A4 paper.

The objective of this form is to help you allocate time, in each of the days coming up, to the various challenges that have to be tackled in preparing to market the product that is you.

The form has two sections, as you can see.

On the left is the forward planning section, where you will fill in, today, how much time you plan to spend—tomorrow—on each of a number of tasks, which include:

- Research (reading ads and other materials, and following up on them in libraries)
- Preparation of CV
- Organising a proper job-seeker's wardrobe

Forward Planning	What Actually Happened
08.30	08.30
09.00	09.00
09.30	09.30
10.00	10.00
10.30	10.30
11.00	11.00
11.30	11.30
12.00	12.00
12.30	12.30
01.00	01.00
01.30	01.30
02.00	02.00
02.30	02.30
03.00	03.00
03.30	03.30
04.00	04.00
04.30	04.30
05.00	05.00
05.30	05.30

You might decide, for example, that you want to start at nine by reading this book for an hour, then spend an hour making a list:

- Of items you need to buy for your workstation
- Of newspapers to be perused for ads
- Of wardrobe items you may need to buy or get cleaned

That would bring you up to eleven o'clock, and you'll deserve a coffee break. Take it. Research suggests that unemployed people often don't take breaks and don't take holidays which they badly need. Being unemployed is a whole lot harder work than being in a job. So take your coffee break—and don't take it at your workstation.

After the coffee break, you may want to hit the street, and you might even have a list of places you need to visit:

- ILAC centre or your local library
- FÁS office
- Couple of clothes shops
- Dry cleaners

In planning your day, don't get loose or easy-going with yourself. Don't turn a trip into town into a day off. Be as honest about the productive use of your time as if you had a boss you respected and were fond of. Because you *have* a boss like that: You. Don't cheat yourself by drifting into time-wasting pursuits on a project working day.

So fill in the left-hand side of the page in black pen, and make a habit of doing it the previous night, so you don't forget things you want to achieve, and you don't drift aimlessly.

Keep the little form on one side of your desk throughout your working day, and do not allow anything else to be put on top of it, because you are going to fill in constantly the right-hand side of the page with a red pen to keep a record of what actually happens, as opposed to what you plan to make happen, on any given day. The difference between plan and actuality will be enlightening. Gazing into our crystal ball, we're prepared to make three predictions:

Prediction 1

You won't plan to spend time on incoming phone calls. A grim fact of life: whether you are unemployed or actually working at home, your extended family, friends and acquaintances will have no respect whatever for your time, because you're not actually "going out to work." Keep a record, for the first week, of the amount of time spent on the phone to no particular purpose. During week 2, reduce that time by half, and the following week reduce it again. Indicate to those who love you that you are very busy trying to get your career planned and started, and that you'd appreciate their assistance, i.e.don't be offended, but I only have three minutes. Teach yourself methods of time-limiting phone calls.

Prediction 2

You will develop an enhanced sense of how long any task will take you.

Prediction 3

You'll learn the Pareto Principle, named after a late nineteenth-century Italian sociologist and economist. Pareto stated that the significant items in a given group normally constitute a quite small portion of the total number of items in the group.

His observation is also sometimes called the 80/20 rule.

Thus, in any group of salespeople, about 20 per cent of the salespeople will bring in about 80 per cent of the business won. At a meeting, 20 per cent of the people present will make 80 per cent of the input.

Some companies have applied the Pareto Principle to their books, and believe that 20 per cent of what the company does accounts for 80 per cent of the turnover.

If you apply it to your own work, you begin to separate the mass of trivia from the much smaller number of crucial tasks you need to complete. Asking yourself if you're being victimised by the Pareto Principle can help you to manage your time better.

Prediction 4

You'll be able to tick off tasks as they get completed, with a resulting sense of businesslike achievement.

Prediction 5

You'll identify tasks we've missed out on in this book. (Please write to us and tell us for the next edition.)

6

You—and the Disqualifiers That May Impede Your Progress

For the foreseeable future, the employment situation is going to be a buyer's market. That's the crude truth. Here's what it looks like from the employer's side:

When RTE recently advertised a post as trainee radio producer, the grapevine says they got 16,000 applications. For one post.

When a leading pharmaceutical company did a tour of universities with its corporate video, seeking three chemical engineers, it got follow-up letters from more than two thousand graduates—some from this year's crop, some from previous years.

When a manufacturing company's managing director, in the course of a radio programme, mentioned that his company was expanding, their switchboard was jammed with people seeking everything from part-time unskilled to top management work.

In a buyer's market, the first thing buyers do is seek a method of simplifying their task. So they look through letters of application, application forms and CVs for the disqualifiers, the factors which allow them to dump this particular applicant without reading further or interviewing him or her. If you run up against a potent disqualifier, then it doesn't matter if your CV is printed in gold leaf on papyrus, perfumed with raw civet and bound in glove leather, nor does it matter if you can do job interviews that are better entertainment than the most popular sitcom; bang, bang, say the disqualifiers, you're dead, before you ever get a chance to sell your wares.

So before you invest pointless time in a CV that may go unread, face up to the most frequent disqualifiers:

Underqualified/ Undereducated

Lack of a degree or lack of an appropriate degree is the most frequently applied disqualifier. "Unemployment rates for those with few, if any, educational qualifications are far higher than for qualified workers. Employment growth in those sectors where educational and skill standards are high is faster than in other sectors. This does not necessarily mean that raising educational standards would result in lower overall unemployment, but it should.
The Sunday Times, September 1991

Solution:

Get a degree, get extra training, aim lower or resign yourself to a longer wait.

Inexperienced

You have your degree, and it's a good one. But you have never worked. For many companies, those two factors add up to a disqualifier. They want highly qualified people who have been "broken in" to the workings of industry. They don't want, for example, bright marketing graduates who are full of high-flown theory and who have little grasp of the grim realities of day-to-day working.

Solution:

Get experience. (**See page 48.**) Without documented experience of the real workplace, you're like a one-legged tap dancer.

Coming From the Wrong Field

You're qualified as a town planner, and you want to get into communications consultancy. Employer's reaction? "Gimme a break!" Or you've been working as a teacher and you want to get into forestry management. To the potential employer, you're a liability in the short-term, even if you prove to be a long-term asset.

Solution:

Do a course. Do some freelancing. Do some networking. Give up your summer holidays and get some free experience somewhere.

Don't Need/Can't Afford You

You're qualified, competent and might be an asset to the company you're aiming at. But they're not advertising for recruits, and they don't want any. Their business plan doesn't include taking on any new people. Not you. Not anybody.

Solution:

Prove to them that you're indispensable and that they have to have you.

Graduate Experience Programmes

Universities have long since come to terms with the prejudice against academic successes who do not have practical experience, and some colleges have come up with their own solutions. A good example is the Marketing Department of University College Galway, where Professor James Ward has a post-graduate Diploma in Marketing Practice going, which has, over the past eleven years, seen more than two hundred business graduates placed in companies. The vast majority of participants continue to work in marketing positions for Irish companies.

The programme is designed to enable graduates to acquire marketing experience while at the same time allowing Irish companies to develop and enhance their marketing capabilities in a cost-effective way.

"The success of the programme is reflected by the fact that the majority of participating graduates continue to work in marketing positions for Irish companies, many of them the companies in which they did their placement," says Jim Ward.

But you don't have to take it from the originator of the programme. Donal Morrissey, Managing Director of Clarenbridge Crystal, has taken a number of graduates over a period of time under this programme.

"The calibre of the graduates, the contributions they have made in a wide range of marketing-related areas, and the back-up provided by the university have enabled us to strengthen our performance in the marketing area considerably," is how he sums up the experience.

The Diploma in Marketing Practice is subsidised by the European Social Fund. It is a post-graduate course which includes placement in a company for thirty-two weeks, with the graduates being paid (through ESF) £75 per week. There are twenty-five places each year, and these are advertised in the national press in May/June. Graduates must have either a Business Degree (i.e. Commerce or Business Studies) or an Arts Degree with a diploma in Business Studies. If you want to know more about it, contact Greg Moran, who's in charge of the course. You may be able to join the programme or find a similar programme in this or a different discipline in some other college.

FÁS, the state-sponsored training and recruitment people, may help, too. They run programmes to help bridge the gap between university and industry. One of their most interesting essays in this area is called the Graduate Placement Programme, which has placed Irish graduates in Germany, Japan, US, and other countries with a view to their coming back and working in the Irish subsidiaries of German, Japanese and other companies.

They also run undergraduate programmes (to get information about any FÁS course, many of which involve introductory placements within companies, contact your local FÁS office—there is a nationwide network).

In the twenty years Carr Communications has been in business, twelve people have spent time with us on one of the schemes run by FÁS. Three have now set up their own businesses and do a good deal of sub-contracted work for us. Three are long-term staff members, and the other six are all in good jobs at home and abroad and stay in contact with us. It was a completely win/win situation.

Case History of Job Placement

Dermot McCrum came to Carr Communications from an AnCO Public Relations course at the College of Commerce in Rathmines in 1980. We didn't want him or need him, and because we were overworked at the time (that's our excuse, anyway) we made all of this bluntly clear to him.

"It takes too bloody long to explain things to a newcomer," we said discouragingly. "Much easier to do it ourselves. But if you really want to spend a couple of months here, OK. As long as you're prepared to be ignored, prepared for long stretches of boredom, have no sense of prestige, so that you do whatever is asked of you, like make coffee and other lowly worm tasks, are incredibly discreet, find something to do all the time, don't get up anybody's nose and expect no money, we'll let you hang around us."

Having delivered herself of this motivating hard

sell, Terry Prone then forgot about Dermot completely. Three weeks later, working late, she barged into the ladies' loo and encountered Dermot there. This took both of them aback and disconnected the hoover, which was in there with Dermot.

"What the bloody hell do you think you're at?" Terry enquired in her friendly way.

"The cleaning lady is on holiday and I volunteered to replace her," was the response from the Public Relations graduate.

Like an extra lightbulb coming on, right there in the ladies' loo, came the realisation: "Hey, here is a guy who's prepared to deliver on his side of the deal."

This was rapidly followed by another realisation. Carr Communications would not find it easy to dispense with this guy when his "placement" was complete. This proved to be the case. Dermot was on staff before his placement ended, became a video producer for us, ended up as Head of Production, set up his own company and at time of writing runs that company as an Associate of Carr Communications, operating from within our HQ.

The moral is that if you take a "placement," don't take it passively and expect the host company to educate and develop you. Take it actively and set out, from day one, to solve the host company's problems, as you perceive them.

If you have a degree, have no experience, and

can't get on any of the programmes which would ease the financial pain of getting that experience, then you simply have to cast your bread on the waters.

Meaning that you have to swap the assets you now have, which include:

- Your degree/expertise
- Your energy/youth
- Your time for the asset you do not have, which is experience.

There is no "Swap Shop" to facilitate this, although there undoubtedly should be. What you do is get to a key person in a target company (for how to get to impossible people, (**see page 89**) and present the issue to them in such a way that they realise they might get, for free, your highly educated person, for a period of perhaps six months, during which you'll do anything they ask you to do, and fill any gaps that occur in their manpower planning, and all you're asking in return is experience and maybe a reference at the end of the six months.

If you are in one field of activity and you want to shift to another, then you can do a night course or use your spare time to do part-timing in that other field. I am constantly amazed by the number of teachers who want to get the hell out of teaching but who figure that a career shift is only done in crossing-the-Rubicon mode. In fact, if you're a teacher, you have a wonderful time-structure within which you can experiment in another field, as long as you're prepared to make the best use of the time you have.

Case History

Maeve B was a secondary school teacher. Coming up to her fifteenth year in this job, she was ready to chew any available carpet. Yes, teaching was rewarding. No, she didn't want to spend the rest of her life at it. What she wanted to spend the rest of her life at was television. Producing and presenting programmes for television. So she applied for every TV job that came up and even managed to get to an interview once. But she didn't get shortlisted, and most of the time she didn't even get called to interview. Thanks but we'll call you.

She then did a two-week media skills course. It had two results, the first of which was to confirm to her that she was right in thinking that TV was for her. The second result was that the course tutor told her, bluntly, that there was no chance she was going to make the transition from teacher to broadcaster in one jump. She'd have to do some freelancing first. Painstakingly, she began getting up an hour earlier in the morning, writing features and little items for radio programmes and submitting them. Before the summer holidays, she had lined up an advertisement agency which was willing to give her a little experience in return for slavery. She began to think like a media person, and develop connaissance; knowingness. She began to know who was who in various radio stations and departments of RTE. In July, a demo tape landed on the right desk in a radio station at the right time, and in August, she was putting in train the procedures for taking a career break to facilitate an all-out attempt to convert a short-term contract into a fulltime job. Eight months later, she had the job.

Getting past disqualifiers in very large bureaucracies is difficult. If a major state-sponsored body has advertised a post and stated that a degree in electronics engineering is a basic qualification, then an application form which comes back with a blank in the space left for academic qualifications will simply be culled and discarded, no matter what clever side-roads the applicant tries to travel.

But, outside the formal hierarchies, and outside the blunt "degree-or-else" scenario, a disqualifier should be a challenge to you to start thinking laterally.

7

Dressing the Part

Whether we like it or not, here are the facts about job-seeking garb:

1. Because we literally only get one chance to make a first impression, you'd better be dressed and groomed to the *nth* degree when you go job-seeking.

2. People employ people who they think will do their company credit. They don't look at a jeans-wearing, earring-decorated young man and think: "He only looks like this at weekends and probably has a wardrobe full of business suits that he'll wear as soon as we give him a job." They say: "Yech."

3. Even if the person interviewing you is no fashion plate, and even if you discover that their corporate culture doesn't major on formal clothing, you will never lose by erring on the side of formality. It

shows respect for a potential employer.

What all of this may add up to is the purchase of a new suit and the borrowing of money for this is an investment in your future.

When you get around to making that investment, don't forget the following DO's and DON'T's.

Do ask for advice. We have a pet manshop-owner named Derek Byrne who can tell any executive in five minutes whether what's "in" is double-breasted or single-breasted, wide lapels or narrow, brown, grey or black, dark socks or pale, patterned or solid, striped or freehand ties. Find your own Derek and indicate that within a tight budget, you need to look like an executive. For women, some of the big department stores have experts who will happily advise along similar lines.

Do co-ordinate what you buy. Don't fall in love with a handbag that doesn't match the rest of your outfit perfectly.

Do go for natural fabrics. Cotton, silk and wool always look and feel classier than polyester or nylon. (This applies to underwear, too. No nylon underpants or socks, please. Sweaty and smelly.) A silk tie is more expensive, but always looks better—and silk is becoming cheaper at the moment.

Do underplay your looks. You need to be remembered for what you are, not what you wore. We've been part of interview boards where, at the end of a wearying day, the board members have referred to individuals encountered during the interviews as "Your wan with the pelmet for a skirt" and "The guy with the Doc Martens."

Don't ever wear a shirt straight-out-of-the-packet to an interview. The giveaway crease will inevitably sit across your chest and invite the interviewer to assume you only have one shirt, which may or may not be a selling point...

Don't fiddle with cuffs or edges of jackets during an interview. Get in, get sitting down, do any arranging you need to do and from then on, forget your clothing. It's background.

Don't wear distractions. Distractions are shirts or ties with wording on them. Or jewellery that moves. (I own a watch-like bracelet that makes electronic pictures all the time. It's great fun, but it's also a distraction.)

Don't wear a dark suit and dandruff. If you have dandruff, tackle it. If you've tackled it and failed to vanquish it, do the old Sellotape trick—wind Sellotape around your hand with the sticky side out and pat it all over your collar and shoulders just before you go in for interview. Sticky labels will do the same trick and a few can be kept in a pocket. If you have an intractable dandruff problem, wear paler colours, no matter what's in fashion.

Don't go for interview with bitten nails. Buy the disgusting stuff the chemists sell for painting on the end of your fingers to alert your taste buds to keep off. Wear gloves for a week. Bitten nails are a turnoff. (Other turnoffs include age, height and weight see **page 146**.)

Oh, and one other, which may not, on the face of it, seem to belong in the wardrobe section. Garlic. Delicious—and lethal. Generously used in a delicious dinner, it will, by the following morning, be exuded from the eater's every pore so that the air around them shivers gently like heat haze. Emissions of overnight garlic will emerge with every sentence spoken, to surround and strangle the interviewer. The smell of garlic becomes more vivid than the bright silk tie the interviewee is wearing. The smell of garlic becomes more impelling than any of the well-prepared points the interviewee is laying on the interviewer. The smell of garlic creates its own bizarre imperative; get this person out of the room quicker than quick and fumigate the place, lest the next interviewee should develop the impression that the personnel manager chews on garlic between chats.

Garlic freaks should break themselves of the habit during their job search.

If, having read the above, you are now in a righteous seethe, muttering to yourself that employers have a goddam nerve and that you want to be selected for performance, not self-presentation (or garlic avoidance), then get real. You'll never get a chance to provide performance if you can't get past the first impression barrier. Or as my good friend Machiavelli put it, when advising a new ruler, you have to pay attention to appearances,

"Because the great majority of mankind is satisfied with appearances, as though they were realities, and is more often influenced by the things that seem than by those that are..."

8

The Curriculum Vitae: Your Personal Brochure

In preparing a CV, you should never start with yourself. You should start with the person who'll end up reading it.

Most CV-senders don't do that, as we know from tiresome, rather than bitter, experience. Carr Communications gets, on average, each week, about two dozen CVs. More at particular times of the year, such, for example, as the stretch directly following the month when universities tell final-year students whether or not they have graduated.

At least a third of those CVs don't get opened, for one simple reason. We are a communications company. People applying to work with us should know that, and should show that they can communicate. The samples on the next pages show that too often, they don't. Each of these six applicants has spent time, money (including paying An Post for a stamp, although, as you can see, in one case, the stamp wasn't the right one) and hope sending a CV to our company, but:

- In one case, hasn't written the address so it's instantly legible
- In one case, has got our address totally wrong
- In one case, has misdirected the envelope within our company (Frances Fox is Financial Controller, not Head of Training)
- In one case, has misspelled our MD's name
- In one case, has changed our MD's sex.

We figure that the envelope alone shows that the senders have no aptitude for our business, and we go no further.

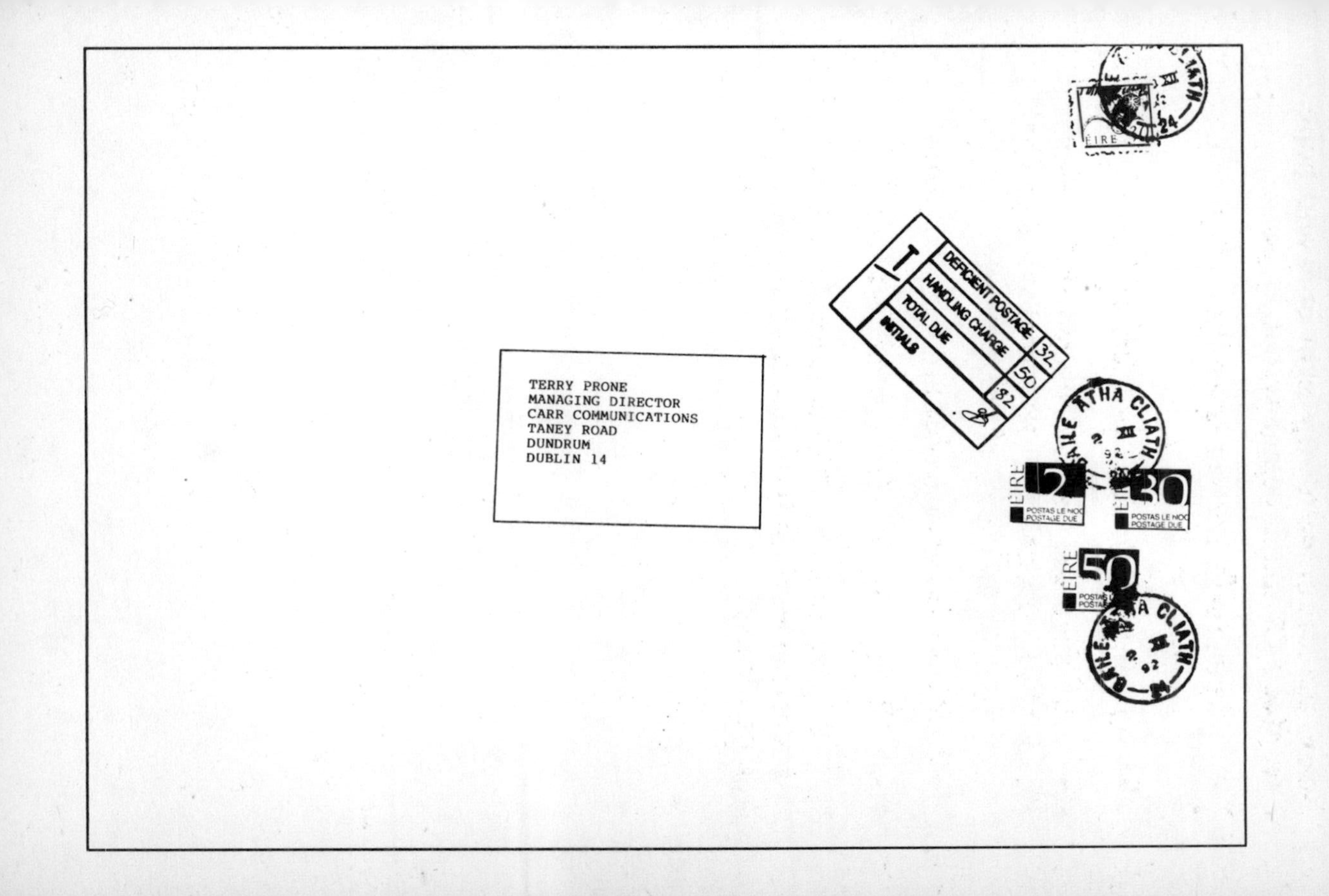
TERRY PRONE
MANAGING DIRECTOR
CARR COMMUNICATIONS
TANEY ROAD
DUNDRUM
DUBLIN 14
T
DEFICIENT POSTAGE 32
HANDLING CHARGE 50
TOTAL DUE 82
INITIALS
BAILE ATHA CLIATH
EIRE
POSTAS LE NOC
POSTAGE DUE

BAILE ATHA CLIATH
21.8.92

Éire
POSTAS
0 3 6
IOCTHA
HP 2526

ATT:- TERRY PRONE
CARR COMMUNICATIONS
OLD RAILWAY STATION
TANEY ROAD
DUNDRUM
DUBLIN 14.

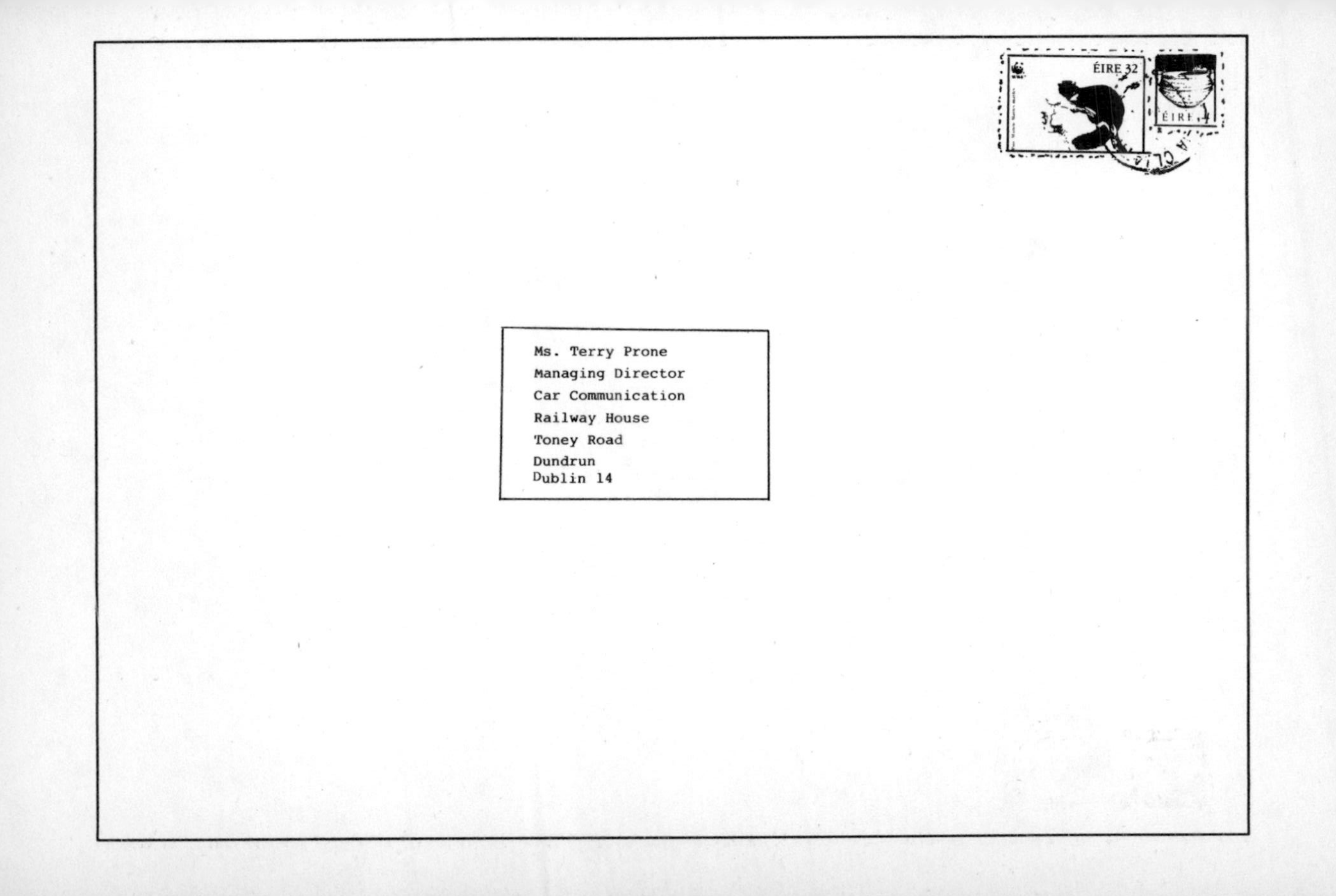
ÉIRE 32
ÉIRE 4
Ms. Terry Prone
Managing Director
Car Communication
Railway House
Toney Road
Dundrun
Dublin 14

Ms Frances Fox
General Manager
Carr Communications
The Old Railway Station
Taney Road
Dundrum
Dublin 14

21.8.02

Ms Terri Prone
Managing Director
Carr Communications
The Old Railway Station
Taney Road
Dundrum
Dublin 14

ÉIRE 32

ÉIRE 4

Mr. Terry Prone

Managing Director

Carr Communications

Old Railway Station

Taney Road

Dublin 14.

> **Key Tip**
>
> **Do not insult the people to whom you send your CVs. It rarely seduces them into an instant job offer.**

Or, to put it more positively:

Send your CV to the right person

Get their name and sex right

Get the address right

Put the right stamp on it

Don't send it in an envelope which looks as if a family of four slept in it for a week

Print or type the destination.

And that's just the envelope! (Nor does it touch on the research you should do into each company to which you apply—(see page 98)

It's perhaps simplest to decide the optimum package to put inside that envelope by telling you what a CV is not.

A CV Is Not a Glossy Annual

So?

So it doesn't need your picture in full glorious colour on the title page. Or anywhere else. It doesn't need to be printed in two or more colours. It does not need to be bound with enormous subtlety and strength.

A CV Is Not an Autobiography

It's not even a profile feature in a magazine. So? So it doesn't need to be cast in purple prose and read like an account of St George slaying the dragon; "Having overcome initial resistance to my purchasing plan, I drove my former employer to become Number 1 in the *B&F* top five hundred companies..."

A CV Is Not a Birth Cert, a Marriage Cert or a Leaving Cert

So? So spare us the medical details, other than confirming that you were born and aren't dead. Let them find out anything more subtle at the medical, if there is one. (**See page 137.**) Don't give us every grade you ever got in every exam in school. Keep to what's significant.

A CV Is Not Homework

It's your personal brochure. So? So don't send it out with misprints or mistakes in it. Don't send it out with Tipp-Ex on it. Don't send it out with handwritten additions on it. Get it right. When you think it's perfect, ask three people to read it and tell them you'll give them a fiver for each misprint they find. When they're finished, you give it one final read. Backwards. Yep. It's the only way to catch the misprint that is determined to survive—read every word aloud, backwards. Then, and only then, let your epitaph be sent.

A CV Is No Joke

The urge to be funny should be restrained. An awful lot of people in Personnel Departments are earnest.

A CV Is No Lie

So? So if you're tempted to sneak in a little white one, on the basis that nobody's going to check every teensy weensy detail, restrain your dishonest self. a) They might. b) If you got the job, you could never ever afford to forget the lie. c) There's a thing called ethics and the indicators are that it's coming back into fashion. In short, don't. Ever.

A CV Is Not an Endurance Test

We've had CVs running to ten pages. They practically gave us the sender's favourite colours and preference for broccoli over cauliflower. They certainly gave us every course the sender had ever attended, right back to elocution at the age of seven. There was less than no payoff for reading all of this self-indulgent, unfocused verbiage.

Our all-time favourite CV, on the other hand, lasted one brief page. Admittedly, that one page listed top-level national and international experience and was backed by references just due south of the Pope and the President of the United States. But it said what it had to say and then it shut up. CVs longer than three pages rarely justify the extra pages, although exception has to be made for the CV which makes maximum use of white space. There's a lot to be said for white space when it comes to focusing the reader's attention on the print that takes up the rest of the space.

A CV Is Not a Game Show

Here's where you can get caught between a desire to be creative, plus a need to attract attention, and, on the other hand, an absolute requirement that you do not put the potential employer's teeth on edge. There are countless examples of individuals who printed their CV on T-shirts, with "Guaranteed to fit" on the back, and sent them to potential employers, and of job-seekers sending saucepans with messages like "Don't put me on a back burner" contained within them.

We once got a CV that came in instalments. The first page arrived, all on its own, in an envelope marked "Urgent—Confidential." No cover letter. No name. This single page carried a single paragraph saying that the sender was an honours graduate of such-and-such a college in such-and-such a discipline.

We assumed that a nervous job-seeker had forgotten to put in a letter, and, since there was no point in keeping it, we threw out the single page. The following day, another page arrived. It said that the still nameless sender's career objective was to be (I quote) "a highly influential executive in a prestigious company at the cutting edge of communications consultancy." Yeah, right. By the time the last instalment of this epic had arrived, we disliked the sender without ever meeting her, because of her presumption that we had the time to waste assembling the scattered bits of her existence on a daily basis. She wasn't solving our problems, she was creating new ones for us.

A CV Is Not a TV Programme

There's a small but growing trend for CVs to be done on video. Let us hope it dies. While it is quite appropriate to send a demo tape to a TV station or an independent production house, sending a videotape CV to any other potential employer is gimmickry for the sake of gimmickry.

Now that we have identified all the things a CV isn't, let's look at what it is. It is one of two tools which will sell your experience and qualifications to an employer and get you as far as an interview. (The second of those tools is your cover letter, **see page 86.**)

Your CV will be one of many landing on the personnel officer's desk when a job is advertised. It must be a succinct summary of your qualifications, your experience and any other information which may help to make you more interesting as a potential employee or which may help to differentiate you from the hundreds (or thousands) of other applicants. This it must do in a format that is easy to read, follow and remember. It does not need to stand out from the others by virtue of purple paper or a length to rival the *Encyclopaedia Britannica*.

In preparing to assemble it, you should start with the content. Write down every job you have had. Even unpaid ones. Write down every qualification or certificate attained, every course attended.

Now, start culling. Examine each of them, and decide if it can be used to demonstrate that you are suitable for the type of post you're hoping to land. Say, for example, that you're applying for a job as a receptionist. In that case, your CV needs to stress any experience you have had in areas which involved meeting and dealing with people, answering phones, and doing secretarial work. It should also cover any courses you may have taken in telephone skills and/or shorthand and typing.

Having decided what stays and what goes, organise the stayers into a logical sequence, starting with your current or most recent job, and working back from there. Include the job title, the company name and address, the dates from which employment started and on which it concluded, and a brief explanation of what the job entailed. This latter should cover the work areas you have identified as being relevant to the position(s) you will be applying for. "Brief" means two or three concise lines.

If you have some achievement which will stand up to scrutiny, then this should be included, too. A financial controller who radically reduced overheads in his or her last company should be saying so. A quality control manager who brought the failure rate in a manufacturing line from 3 per cent to .04 per cent should indicate this in the CV.

Job-Seeker's Inside Tip

Don't give us the title of the post you held; give us the significance of what you did. Remember, experience is not what happened to you, but what you did with what happened to you.

This applies even to unpaid student jobs. The editor of a student newspaper who ups the advertising income and manages to make it break even for the first time in history should be happy to make this claim in a CV, as being illustrative of a businesslike cast of mind and a capacity to control a project tightly—both traits a recruiter may be actively seeking.

Your educational experience should be organised along similar lines. How much detail to include about examination results depends entirely on how recent and relevant each of them was. So, if you've just completed an MBA, your Leaving Certificate becomes considerably less important, whereas if the only post-school qualification you have is a certificate of attendance at a FÁS course, then of course you will include your (hopefully excellent) Leaving and Junior Cert results.

Every time you make a statement in your CV, run a need-to-know test on it. Look at it. Ask yourself honestly if the person you're setting out to interest will benefit from this particular statement. If it's not of value to that person, then scrap it. Keep in mind at all times that, apart from getting an overall view of how your education has developed, the recruiter only needs to know about the parts of your education which could make a positive impact on his or her organisation.

At the front of the CV should be your full name and address, and, if for some reason you won't be there, an address where you can be reached. Phone numbers to facilitate reaching you should also be included.

Date of birth is preferable to current age, because if you give them the date on which you were born, you don't have to keep updating the age as time passes.

Most Irish companies expect you to tell them whether you are married or not. For quite different reasons. Employer A may identify strongly with the implicit stability of a family person, whereas Employer B, who wants to move the new employee between several plants in different countries, may actively prefer a single "unencumbered" candidate. If you should happen to be separated from your spouse, do not put it on the CV. If you get to an interview, you may choose to input it at that stage, but this kind of highly personal information should not be included in a general document.

After you have listed your personal details, gone through the chronology of your education and/or work experience, you may, depending on your profession and level of experience, want to list your publications in a separate section. Thus, if you are a surgeon seeking a consultancy post in a major hospital, and if you have undertaken or participated in research, you will position details of that research and of any publications emerging from it in a prominent way. Remember to underline the titles of any studies.

The section on personal health should be terse. Do not proffer your height and weight, unless you are looking for a post like an aerobics instructor, which specifically requires physical fitness. Executives shouldn't be purchased by the pound. If you can honestly say that your health is "excellent," then say it. Otherwise, leave this area alone and allow the details of your health picture to emerge in interview or in a medical (**see page 137**.)

If you are a person with a disability, you have a real problem with a CV, knowing that if you put details of the disability down on paper, this may preclude your ever getting to the interview stage, but knowing, contrariwise, that if you conceal the information, and then turn up at the interview with a white stick or in a wheelchair, then the recruiter may feel you've pulled a nasty. We'll be dealing with the question of prejudice against people with disabilities later on (**see page 148**) but at this point, what is important is a basic principle; your potential employer is entitled to know about any disability which might affect your ability to do the job on offer. If, however, you have a disability which will in no way affect that ability, then its disclosure in a CV is a matter of personal choice. In some cases, it will make sense to wait until you have established a rapport before you allow the interviewer to focus his or her mind on a disability.

References should never be included in a CV. By that I mean that you should never photocopy a letter of reference and shove it into the back of your CV. For three reasons:

1 Putting all of your wares in the window reeks of desperation and lack of experience.

2 Some recruiters will instantly dismiss a general one-size-fits-all reference as having nothing specifically to offer them.

3 If one of your references is from a former employer, a recruiter may disregard the glowing descriptions of you provided by that former employer, on the basis that they were written as part of the former employer's effort to get rid of you painlessly.

All that's necessary is that on the final page of the CV are listed two (at most three) people who are prepared to act as your referees. Their name should be given, as should their title, their company or organisation, and their address and phone number.

Job-Seeker's Inside Tip

Most people, when creating CVs, treat the references section as an unimportant extra. It isn't.

Referees are not a passive factor in a CV. They are unlikely to be contacted unless you do well in an interview, but they must be geared to be useful to you. You should, accordingly, pick and prepare your references very carefully.

Picking a Referee

The status, background and fame of your referees says something about you. Something bad. Something good. Here are some reactions we've gleaned from personnel managers:

"Show me a CV with two references from teachers or lecturers in college, and I'm like 'Oh, right. You've never gotten to know anybody or impress anybody, other than your teachers?'"

"I hate to see an unconnected reference at the end of a CV; some anonymous person who could be anything from the local publican to a passing chimney-sweep. No indication of who this person is or why my company should pay attention to their view of the applicant. They could both be the applicant's uncles, for heaven's sake."

"Spare me references from politicians. Politicians would say anything about their constituents in order to get a vote from them. A politician's reference is not worth the paper it's written on."

So select your reference people carefully, to present an authoritative and credible validation of your worth.

Then go to see your referees. Ringing them up and asking if you may use their name isn't enough. You want them to be active, informed and helpful, so that, in the event that a future employer of yours rings them, they can say what is useful to you, rather than something grudging, vague, or inappropriate.

Between the time when you ring the two or three people you'd like to use as references, and the day when you drop in on them in their office or home, you have some homework to do. Photocopy the form overleaf and fill it in for each of them. What you want to achieve is that when Possible Boss (future tense) rings Mr Reference and Ms Reference, each of them will make sure to leave Possible Boss (future tense) with three solid memorable points about you which make you more appealing as a candidate for employment. Mr and Ms Reference won't do that unless you have made it clear to them what you want them to say, and you can't make it clear to them until you have identified it for yourself. Hence the Points For My Referees.

Ideally, I'd like Mr Reference to make the three following points about me to any caller:

1____________________

2____________________

3____________________

If you're looking at that form and being eaten alive by the space of white paper, how about tackling the task in this way. Here are a random selection of words. Pick five that you'd love to hear other people use about you:

Reliable	Good-humoured	Open
Hard-working	Intelligent	Accomplished
Aggressive	Motivated	Discreet
A self-starter	Team player	Organised
Tolerant	Flexible	Driven
Easy-going	Delivers	Good on dead-lines
Innovative	Resilient	Responsible

Now, find five more that we haven't given you:

At this point, you have ten positive descriptions of yourself. Except that they are just assertions. Line them up individually and put flesh and blood on them. Let's say you've chosen "Team Player" as a good description of yourself. Take a sheet of paper, put the description at the top, and underneath, write out an example, from your experience, which establishes the truth of the claim. Like this:

Team Player

When I was put in charge of my school's response to the RTE Telethon, I gave every member of the team equal responsibility, so that at meetings, I wasn't always the person who chaired. We came up with a bigger contribution than any other school—and it was seen within the school as a *school* triumph.

If you can't come up with an anecdote or example to illustrate a claim you'd like to make, then you just can't make that claim.

On the other hand, you may come up with much more than one example. If you do, write them all down, and then select the best.

Selecting the best need not mean that the second-choice example must be lost. It may well be that an illustration you came up with to support a claim of being a self-starter will work equally well to support a claim of being someone who delivers. In which case, change the heading.

Sometimes, this exercise is best done by picking the brains of your family or friends, who will often recall incidents that the subject of the CV has forgotten.

When the very best of your illustrations have been harvested, do not turf the rest of them out. Cut them out and stick them on cards to put in your filing system. You're going to need this kind of support material when you go for interview.

Assemble the five points in order of preference. If Ms Referee got to make only one point to a future employer, which point would you want it to be? OK. That's your first. If Mr Referee got only two points made, which would be your chosen second? Right. Down it goes as number two.

When you have completed the list, you're ready to head off to meet your referees. Your agenda goes like this:

Meet your referee, thank him or her for seeing you and indicate that you want to ask him or her to be a referee. **Checkpoint:** Ask him/her. Don't assume anything.

Outline the kind of jobs you're after. **Checkpoint:** Make sure your referee is comfortable recommending you for this kind of job. If he or she is not then ask them what kind of jobs they think you'd be better off seeking, listen carefully, thank them, and leave, promising that you'll keep their advice in mind and that you'd also like to keep in touch occasionally to let them know how your jobsearch goes.

Fill in your referee on aspects of your education or career about which he/she may be uninformed. **Checkpoint:** If he/she doesn't make notes, you make a mental note of the fact, because it'll call for follow-up on your part later.

Establish the points about you which could be of most assistance to you, if made by your referee. **Checkpoint:** establish your referee's comfort with the points and with the supportive information with which you're providing him/her.

Raise any negative questions you figure the referee might be asked, and provide him/her with the information to allow these questions to be answered in a positive way.

The sort of questions your referees may be asked inevitably depends on their relationship with you, but here are some of the more frequent queries:

- How well do you know the applicant?
- What do you see as the applicant's weaknesses?
- How would you rate the applicant's capacity to work in a team?
- Why did the applicant leave your em-

ployment? (This tends to be asked of a former employer.)

- Would you re-employ the applicant? (Again, this tends to be directed to former employers.)

The question about weaknesses often catches referees off-guard. Ask your referee bluntly what he or she would regard as your most noticeable weakness. Pick yourself up off the floor, and see if there's any way this weakness can be made less devastating.

"What's my worst weakness?" you ask your referee.

"You have verbal diarrhoea. You're vaccinated with a gramophone needle. You have a mouth like a torn pocket. You never shut up. You talk non-stop."

Whew. Difficult one, that. But what would you say yourself?

"I love communicating. I'm very open. I tackle issues head on and I don't mince words."

Your referee might refine his/her first thought to something like this:

"Well, he talks a lot—but if you want an upfront communicator who'll keep you informed, then the talk can be useful to you..."

If it isn't a first job you're seeking, but rather a replacement for a job you lost or gave up, then you need to be aware that using a former employer for reference purposes can be problematic. If the employer fired you, he may be willing to give you a positive reference as a means of preventing you getting litigious about it, or as a means of calming his own conscience. However, in the event that he should get a phone call from a possible future boss, he may give you every help short of actual assistance, and this may happen inadvertently.

Here's an instance.

The personnel manager of the recruiting company rings your former boss and asks a series of easy, soft questions requiring only easy, soft answers. Then the personnel manager hits your former boss with the stinger: "Would you re-employ this candidate?" Your former boss falls silent for a moment, while he works out the permutations; if he says, "No," he's sinking you, but if he says, "Yes," then the logical next question is, "Well, why don't you?" Even if your former boss comes up with a splendid answer, the momentary silence while he thought up the answer is a startlingly potent confirmation of what the recruiter had suspected: you're a dud on the scale of Typhoid Mary.

In summary, make damn sure that your referee is the right referee, is prepared to say the right things about you, and knows the right answers to the tough questions he just might be asked.

Having taken up at most a half-hour of your referee's time, make your exit. If you're not going to use him or her as a referee, write a letter of thanks anyway, and indicate that you're letting him or her off the hook.

If you are going to use them as a referee, send a crisply written thank-you note. One sentence in the note should thank the referee for allowing you to brief him or her, and should introduce a separate single sheet of reminder information. On the separate sheet, type the illustrations for the points you're hoping he or she will make.

It's a lot of work. The chances of your referees' being contacted at all are about 50/50, and the odds of their being asked difficult questions are even longer. But you're setting out to market an important product, so you have to cover all your bases.

Job Seeker's Inside Tip

Don't deliver your CV yourself. It looks as if you have nothing to do with your time and can't afford the stamp. Unless you want to portray yourself as a great postperson-in-embryo, mail your CV.

And a final **Checkpoint.**

If and when you get a job, write a thank-you letter to your referees. They may never have been contacted, but they deserve your thanks. More to the point, you are not likely to stay in the job for the rest of your life, and you should be consciously networking in preparation for the next step on your career path. Almost nobody writes thank-you letters to referees. It's as if the job-getters are saying: "Hey, it was OK for me to use your reputation, your position and your testimony to get where I am now, but now I have a job, to hell with you."

Pity.

The Covering Letter

There's another missive that you will need to write and that is the covering letter that must accompany your CV.

It must explain what job you are applying for:

Dear Sir,
I am writing to you in connection with the position of lion-tamer as advertised in *Big Top Weekly* on the 19th June...

It needs to be short, literally a few lines long.

If you are not going to be at the phone numbers or addresses in your CV for any length of time you need to give an alternative way for the recipient to get in contact with you.

It should be typewritten and signed if possible. Don't rely on the legibility of your handwriting.

9

Networking—Helpful in Getting a Job, Essential in Getting a Better Job

Most people start their jobsearch in the newspapers. Most people don't acquire their jobs through the newspapers.

Interesting contradiction, isn't it?

We put an interviewer out in the streets of Dublin to do Vox Pop interviews on this one, and here's what he found:

- One man who owed his job to his brother-in-law. Both were happy about it.
- One woman who had been head-hunted by a man for whom she had once done secretarial work. Five years after he left the company, he found he needed an administrator, and asked her to move.

- A woman who was asked to do a part-time job by the daughter of a friend, and who grew the part-time job into a fulltime career.
- A man who was made redundant and re-employed in the same week. Someone told someone else about him coming on the job market, and the someone else rang him.
- A man who got a job because he heard two people on the top deck of a bus talking about a vacancy that was arising in their company—and he rang the company.

Luck? Nepotism? Favouritism? Espionage?

Yup.

All of those things. Because when you're looking for a job in a buyer's market, you need to pull out all the stops.

Above all, you need to be a good networker. Networking is keeping in contact. Traditionally, women have done this. It's women who remember birthdays and anniversaries and who meet with former schoolmates for social evenings long after they've left school. They do it with no motive other than pleasant human contact and the maintenance of relationships. The same process can be vitally important to a jobsearcher of either sex because without contacts you will miss out on grapevine information about jobs that are coming onstream, and so you will be unable to use informed opportunism. Not only that, but a dearth of contacts means that you will not have tip-of-the-tongue reference value. What you need is for a recruiter, gazing into space, suddenly to find your name on the tip of the tongue as a solution to a problem. A name doesn't find itself on the tip of anybody's tongue unless you have maintained contact with the owner of the tongue.

We have already mentioned researching potential jobs. Research is not just a matter of going through library references or published documentation. It's also using your contact network. It has been suggested that any one of us in Ireland is only three contacts away from anyone we need to reach—if we really think about it. It doesn't matter whether you want to reach the Taoiseach or the head of Lombard and Ulster or the editor of the *Sunday Tribune*: the chances are that, if you work hard enough, you can establish that you know somebody who knows somebody who knows one of the three.

It does help, however, if you have maintained good relationships with your contacts.

- That means sustaining an interest in their progress.
- It means keeping telephone numbers up to date.
- It means writing a note to someone to congratulate them when you see their promotion in the paper.
- It means writing a note to people when they need consolation or celebration.

- It means having cups of coffee or the occasional lunch or dinner with old friends. Some of today's Leaving Cert people will be tomorrow's captains of industry—make sure they remember you from now on.

- It means finding ways to introduce yourself or be introduced to people you think might be interesting to know—and useful in your later career.

If you network properly, it can be of enormous benefit to you in your career development. But networking is not a one-way operation. The Bible talks of casting your bread on the waters in the confidence that it will return to you after many days. At a rather more trivial level, networking operates on the same principle: you must invest your time and concern in other people in order to create a context where they are likely to invest their time and concern in you. (In some quarters, this is known as the favour bank. You make it a practice, throughout life, to be helpful to people and to do favours for individuals without any immediate expectation of a quid pro quo. Keep yourself in credit in the favour bank. It will make you more successful. It might also, by forcing you to think about other people in a systematic and contributory way, make you a better person...)

A network is not built up overnight. But once it is built up, it means that just a phone call away are individuals who can:

- Give you information about a particular

company or the context in which that company operates.

- Give you a "suss" on the people who have to be reached if you're to get the job you want.
- Put in a word for you. (Don't knock it. But don't do it where it's inappropriate or illegal. It's never right to use influence when seeking a public service post, but it's perfectly proper to say to a recruiter, "Well, your Head of Production knows me from way back and I'm sure he would support what I'm saying about my being a good team member."
- Tell you, post factum, why you didn't get selected, so that you can do a better job of self-marketing next time around.

You build a network starting today. Write down the names of five people in business who are contacts of yours and work out a way of seeing them in the coming weeks. Start making notes and placing phone calls and a network will slot into place around you.

The Let-Down of Reading the Advertisements

One of the regular tasks which will take up time on almost every day of your personal marketing project is reading the appointments pages. You'll buy all the national papers on a Sunday, because that's where there's the biggest spread, but you'll check the appointments pages of the other papers on other days, too.

> **Prone's Precept**
> **90 per cent of appointments are not made as a result of advertising.**

This does not mean you should not peruse the ads. Even if you never get a job as a result, you will gain:

- A sense of which industries are expanding.

- An insight into which professions or skills are most saleable.
- A capacity to read the corporate-speak companies put into their advertisements so you know what they're really saying.
- A good feel for the wages/salaries applying in different fields.

By responding to ads, you can gain:

- Practice at crafting cover and application letters.
- Knowledge of the kind of application forms which are increasingly a part of the recruitment process for large companies.
- Practice at follow-up phone calls.

The grim reality is that this may be all you'll ever gain, because relatively few jobs are acquired through response to advertising.

At this point in your personal marketing project, it's no harm to concentrate on the ads. But, longer term, you will need to build your career by other methods, including networking (**see page 87**.)

For the moment, look out some of the things you purchased for your workstation:

- Scissors
- Highlighter pen
- Pritt stick
- Index cards.

Now, take the Sunday papers and open them to the appointments page. Read all the ads. Even if an ad is looking for a chemical engineer, and you're looking for a job as a word processor, you should read all of the ads, in order to get an understanding of what's happening, generally, in the business world.

When you have examined the whole page, start at the top left-hand corner again and highlight anything that interests you. Cut out the highlighted bit and stick it on an index card.

At this point, you are ready to make a judgement as to which, if any, of the ads you're going to respond to. So it's time to look carefully at the individual ads, bearing in mind all the time that your need for a job can blind you to the realities of a particular ad. Postal fraud people trade on the blindness created by poverty and need. The classic scam is where an advertiser says you could earn £18,000 a year at home knitting jumpers, and all you have to do, to lock into this income, is to send a sample of your knitting, together with a £10 processing fee, to the address given. You never hear from them again.

So do not invest too much hope in any ad.

Be particularly wary of "blind" ads. A blind ad is one which does not identify the company seeking staff. It can be placed for a number of reasons:

- The advertiser doesn't want competitors to know he's recruiting.

- The advertiser doesn't want his own staff to know that he's recruiting.
- The advertiser doesn't want to spend a fortune on advertising, and is sufficiently prestigious to feel that if he identified himself, he would have to run bigger, classier, costlier ads.
- The advertiser is playing it cute, and wants to survey the field without having to deliver any jobs.

A "blind" ad is never as attractive as an open ad, and has one extra disadvantage for the applicant. There is always the possibility that the ad has been placed by the company where you're currently employed. It's a small possibility, but the thought that one's current employer might receive an application indicating that one is bored stupid in the company and dead eager to jump ship should give one pause.

When an advertisement does not end up with a box number, you can begin your research into the company by simply reading the copy with care and noting:

The Logo

Logos often sum up what a company likes to believe about itself. AIB bank spent a fortune, a few years ago, to develop a three-coloured logo featuring a boat and a bird, as part of its public self-presentation. Our own company's logo is very significant—at least to us.

Not so long ago, when one of our consultants, Peter, was doing a workshop about the importance of corporate image, he was asked about the meaning of our logo.

"Well, it has the TV screen shape, upright," he began. "That's because the programme emerged out of the needs of clients to do well on TV. Then it has two exclamation marks, indicative of communication, and those exclamation marks are also rabbit's ears—recalling that in the early days of TV, the aerial on the top of the box was called 'rabbit's ears.' Finally, and most importantly, the bunny's ears recall the name of our Chairman, Bunny Carr."

There was a short silence while Peter congratulated himself on a masterly summary. Then a female participant in the back row spoke.

"Gawd," she said reverently. "Isn't it lucky his name isn't Willie?"

The Company Self-Description

Here, from just one Sunday newspaper, are key comments made about companies by themselves:

AKZO
SALES
REPRESENTATIVE
Macpherson Paints Limited,
one of Ireland's leading paint companies is a subsidiary
of AKZO, the Dutch based international chemicals
Group, which has 250 operating units in 50 countries
with sales of more than IR£6 billion.
A key player in the world paint market, AKZO
specialises in decorative paints, car refinishes,
automotive paints and aerospace coatings.
As part of its current business development
programme, Macpherson Paints Limite
ishes to
appoint a
SALES
Agfa, Europe's leading manufacturer of Medical X-Ray products,
invite applications for the position of:
Techn
Representative
apher)
dynamic Radiographer
ew technologies in
H.J. Heinz is a $7 billion company, employing 35,000 people
with 3000 product varieties selling in over 200 countries. The
company commands a leading position in world food markets
and has now decided through its subsidiary Custom Foods, to
establish an 80,000 sq. ft. state of the art plant at Dundalk to
produce high quality food products for European markets.
Employment is projected to grow to 300 people. We have been
retained to recruit the following people.
LOGISTICS MANAGER
This person will report to the Plant Manager and will be responsible
for order management/customer service, production planning/
control, inventory control/warehousing, distribution and purchasing.
We require a person with several years broadly based materials
management experience in a fast moving products/manufacturing
environment. A good working knowledge of computerised systems
is important. Position Ref. No. 731.

As you can see, some companies are extremely forthcoming, others less so. We do not include the companies which say nowt about themselves, which are in the majority.

Nevertheless, the most flamboyantly self-publicist company gives you only the introduction to the information you need before you go for an interview.

You need information before you go for interview, because you are trying to set up a business relationship, and while blind dating has its payoffs, in employment terms it is not the best option. You will prepare best for an interview (**see page 102**) and perform best under pressure if you know where your interviewer is coming from, and which corporate values and history inform his or her thinking.

Suppose you have cut out an advertisement from a newspaper and, having resolved to apply to the company involved, you then paste the advertisement onto a stiff card for filing. Your next step is to seek further information about the company. There are all sorts of ways of doing this:

- You may ring the company, ask for the PR department or for the name of their PR consultant, and request of them any published material on the company. This can (in the case of a large firm) take the form of brochures, newsletters, magazines, annual reports, press releases, marketing material or leaflets.

- You may ring the umbrella organisation representing that particular industry and ask them for information. If the job you're chasing is in the chemical sector call the Federation of Irish Chemical Industries (FICI). For building-related companies try the Construction Industry Federation (CIF).
- You may fish around and get information from suppliers, clients or competitors of the target company.
- You may ask a journalistic pal to look up details on the files of their newspaper or magazine.
- You may look up the indexes of books in the library about that particular industry.
- You may visit the ILAC library in Dublin, where you can access any reference made to the company in practically any publication over the past decade.
- You may ring up the offices of a trade magazine covering that particular trade, and ask them what they've covered in recent times relating to this industry.
- You may look up the Golden Pages.
- You may ring up their advertising agency and ask to have pulls of recent ads.
- You may visit the company and pick the receptionist's brains for information/ publications.

- You may, through the grapevine, find a relative or friend who knows somebody within the company. In Ireland, you're only one person away from the person who has the information you need about almost anything, but you must set out relentlessly to identify that someone and ask them straightforwardly for help. Apropos of which, if asked by the PR agency or any of the other potential information-givers mentioned what's behind your questions, tell them the truth. You're trying to improve your chances of getting a job with Company X. You'll be startled how often people will go out of their way to help you.
- You may talk to a charity or other worthy cause sponsored by the company.
- You may talk to your trade union. (If a publication has a rotten track record of exploiting and failing to pay journalists, for example, the NUJ will quickly enlighten members about the risks they face in going to work for that particular firm.)

When you get to a useful source of information, don't ask tombstone questions. Because you know what? You'll get tombstone answers.

Tombstone answers are those infinitely sad statements of curt chronology which tell you the least interesting thing about a man or woman; when they were born and when they died.

Researching a company, you do not want to

know when they began or where. You do not want to know their organisational chart. This does not mean that you will reject either piece of information, if proffered. But what you are more enthusiastically after is the inside story. You want the grapevine version, rather than the PR version. You want to know who really runs the show, what sort of style they have, whether the company is growing or contracting, what its best and worst attributes are.

11

Preparing For the Job Interview—Three Degrees Worse Than a Firing Squad

"I just hate to have to do this—I'd rather face a firing squad." That's what a client said to me just a few weeks ago. This was a very senior marketing executive, who was about to face an interview for promotion. He eventually got the job, but his fear and anxiety epitomise what most people feel at the prospect of having to do a job interview. In many cases, there's no way to describe it other than naked fear. Fear of failure. Fear of not doing oneself justice. Fear of drying up. Fear of having to sell oneself. While my marketing client had no problem whatsoever in promoting and selling his range of products, it was remarkable the problems he was having in selling the product he knew best: himself.

Peter Finnegan
Assistant Head of Training
Carr Communications

If you get your interviewing skills right, then you can sell yourself to a particular customer. If you don't get your interviewing skills right, then all of the time, creativity, money and research in the world won't get you the job you want.

One of the first problems to overcome when preparing for a job interview is that of attitude. Interviewees or applicants see themselves in a subservient role. They're the ones "begging for the job." So they concede the dominant role to the interviewer, who, as they see it, holds all the aces, making it a very uneven encounter.

The reality is usually quite different.

Certainly, it's different from the interviewer's point of view. The way he sees it, he's the one under pressure, the one who has to fill the vacancy, the one who's going to be judged on whether he got the right candidate or picked a woodener.

- An interviewer working for a small company is under almost moral pressure, knowing that a wrong decision can cripple a little business.

- An interviewer working for a very large company is under double pressure. First of all, an initial screening may have been provided by a head-hunting agency. So if the interviewer manages to find a clunker among the select few proffered by the head-hunters, that's kind of a negative achievement. Once the clunker is in position, his line management will let the interviewer know, in no uncertain terms, that as a recruiter, he's a good tree surgeon.

A job interview, therefore, is a more even-Steven situation than the job-seeker may imagine.

Candidates, accordingly, must approach the interview as a problem-solving exercise where they are putting themselves forward as understanding the needs represented by the vacancy, and as the best solution to those needs.

This attitude: "I understand what your company is doing, I know what you're trying to achieve with this appointment, and I believe that what I can offer you will help you achieve that." Rather than:

"Gimme the job because I need it."

The freedom to be able to adopt this attitude will come about only through a thorough understanding of what you have to offer and of how that can be related to the needs of the target company.

The key to success here is through proper preparation with this goal:

At the end of the interview, the experiences and capabilities of the interviewee will be known, understood and clearly related to the position on offer.

That's it.

That's all you can achieve.

There are no secret techniques to make you better than you actually are. People who spoof or hype and generally indulge in overselling are on a loser from the moment they open their mouths.

Successful job applicants:

- tell it straight,
- are understood,
- are believed

and

- are remembered.

They get across to the interviewer the reality of what they are, and present the best of that reality. The trouble is that very few people are capable of getting that reality across accurately and adequately.

> *People think that we in Carr Communications put words in people's mouths and put a veneer on job-seekers so that they sell a phony version of themselves. In fact, I often say that what we're in is the transport business. Many individuals are good communicators when they're talking to people they know and like. They just can't transport that good communicator into pressured situations. We help them transport their own reality.*

Tom Savage
Director, Carr Communications

To be organised in this, you need to start by drawing up a list of points you want the interviewer to remember after you have left the room. Each of these points must be related to the job for which you're applying, and must have an illustration or an example that will make it stick in the interviewer's mind. Aim at no fewer than eight points and no more than ten.

Now you have an agenda for the interview, and the great benefit of this is that it completely repositions the interview. Instead of being an examination, where the person asking the questions is in complete control and the person answering the questions is convinced that a "wrong" answer is likely to escape at any moment, and a failing grade awarded as a result, the interview becomes an encounter of equals, each contributing to the development of the ideas being discussed.

Do remember, though, that it won't work simply to list off a series of one-line points. Each must be prepared so that it differentiates you from the other people applying for the job and makes you a better prospect than any of them.

You can achieve this by giving your information in four layers.

The First Layer Is the General

You may begin by saying, "I have experience in area A." This will get that particular experience on the table, which is fair enough. In its general form, your experience in area A is not likely to differ greatly from what your rivals will be claiming.

The Second Layer is the Specific

Differentiation happens when you become specific.

This second layer is what begins to separate you from the rest of the contenders; to differentiate you from them. It's where you give details about what you did, how you handled particular challenges, what resources you employed to meet them, what initiatives you took and decisions you implemented. All of these will be particular to you and will give you the opportunity to stand out from others. You must seek to give detailed, interesting, anecdotal but not self-indulgent examples of your experiences, so that no doubt is left in your interviewer's mind as to what you are capable of doing.

Level Three Is Refining the Differentiation

It's at this level that you communicate what it was you got from each of the individual experiences. Very few people do this. They think that just because they've said they've done something, the interviewer will figure out how they've developed as a result of doing it and how it enhances their capabilities for the future. To expect an interviewer to do this is taking a very big chance on the single most important issue of the whole interview: the accurate translation of past experiences into present and future capabilities.

It's also handing over your responsibility to the interviewer. It isn't the interviewer's job to interpret you in the best possible light. It's your job to make that kind of interpretation inevitable and inescapable. Just do it: analyse each of your experiences, positive and negative, and tell how they've affected your development and understanding, plus how you think they will be of future benefit. There are two great advantages for you in doing this. Firstly, those personal insights are unique. They set you apart. Secondly, they make the interviewer's job infinitely easier by doing the translation process from experience to potential for him or her. So don't wait for the right question. It may never come. And don't assume that the interviewer can—or should—read your mind.

Mind Reading

> *One of the most dearly held illusions is that we know what others are thinking—and that others should know what we are thinking. "I don't have to tell him—he knows" is an all-too-common remark, and one that has a way of leading to disappointment when it turns out that he not only doesn't know, he doesn't even know you think he should know.*
>
> Dr Arthur Freeman
> *The 10 Dumbest Mistakes Smart People Make and How to Avoid them*

Level Four—Relating Your Experience to the Job on Offer

This is where you relate each individual experience directly to the job on offer, thus completing the cycle of understanding for the interviewer and leaving nothing to chance, nothing to be figured out and no opportunity for ambiguity.

Properly managed, the process takes the interviewer through each experience like this:

1 "I have experience in A."

2 "Here, specifically, is how I went about it."

3 "Here are some insights into how I have developed as a result."

4 "And here's how I can apply that to your job."

Layer One

"I have experience in overseas markets."

Layer Two

"Over the past three years, I have worked in Germany, Italy and Spain. I was involved in intensive market research in each of those markets, particularly in Germany, which we perceived as the best opportunity to expand. This meant that I set up contacts and introduced trials of the products we were offering. It included reading the results of these trials, assessing them, and liaising with our product development division in order to customise our products to specific markets. In one instance in Italy, it meant taking a team of Italian management people back to Ireland to visit our plant."

Layer Three

"What I got from this experience was a great insight into how decisions are taken differently in these three specific markets. It also reinforced for me the importance of personal contact and trust in international business and showed me how great the markets can be when you're prepared to be flexible to meet the markets' demands."

Layer Four

"I believe that what I've been doing to develop these markets relates directly to what you're trying to achieve with your new range of products."

While this layered approach works on the experience side of the interview, it is equally effective on the side of the interview that deals with your future plans and potential contribution to the interviewer's company.

There is no point in going into an interview for a position if you have not the smallest idea how you're going to perform within and develop that position. Most of your rivals will come up with something along the lines of job development. What you offer in the future tense should be much less forceful than what you offer about your own past, for the very good reason that you may not be accurate in your assessment of where the company is going, and so you could be barking up a decidedly wrong tree. But the layering approach still holds good:

1 “Here’s where I think we should be going/ what we should be doing.”

2 “Here are some details of how I see it being implemented.”

3 “These are the kind of resources I see being necessary for a successful implementation.”

4 “This is the approximate time scale necessary.”

“I never cease to be amazed,” says Peter Finnegan, Carr Communications’ most experienced job-seeker coach, “at the number of clients I meet going to an interview with very specific plans in their minds who, under pressure, come out with at best a sketchy outline of those plans. This puts them in the same league as the chancers who dream up a plan on the spur of the moment.”

We said earlier that having eight or ten central points was crucial to taking the initiative in an interview and moving it away from being an examination. If they’re properly illustrated, they should be evocative and memorable to your interviewer.

Remember that Marcel Proust created a complete novel, *Remembrance of Things Past*, out of a piece of cake he one day absent-mindedly soaked in tea, as had been the custom in his childhood. Suddenly, he was awash in memories: “In that moment all the flowers in our garden and in M. Swann’s park, and the water-lilies on the Vivonne and the good folk of the village and their little dwellings and the parish church and the whole of Combray and its surroundings, taking shape and solidity, sprang into being, town and gardens alike, from my cup of tea."

You're a job-seeker, not a novelist. You're not likely to come up with an illustration from your experience that will come near to rivalling Proust's madeleine. But the task is the same; to make your experience arresting and memorable for the person who has given you his/her time and attention.

Good examples and central points must spring to mind under pressure, and they will not do that unless you work on them in advance. Outline each of them in as few words as possible on individual cards.

Now, juggle the cards. Pick the first one to offer itself, and expatiate on that point, going through the layers and seeking to make it desperately interesting. Juggle again and talk about whichever point next offers itself. Do this often enough and you will become comfortably familiar with the content of each block and its logical flow.

In his years of preparing people to go play a blinder in job interviews, Peter Finnegan has been at pains to prevent them trying to figure out what questions they will be asked.

"It's such a waste of time and energy," he shrugs. "The focus of the interviewee's mind should always be on what they have to offer in relation to the company's needs. Of course, it's OK to ask yourself some obvious questions and figure out how they can be used as platforms to relay the information in your prepared agenda."

"Aha—you're teaching people how to avoid the questions they're asked and just give rhymed-off prepared answers?"

"Quite the opposite," says Peter. "You should always answer the questions that are asked and expand the information to include the information from your agenda."

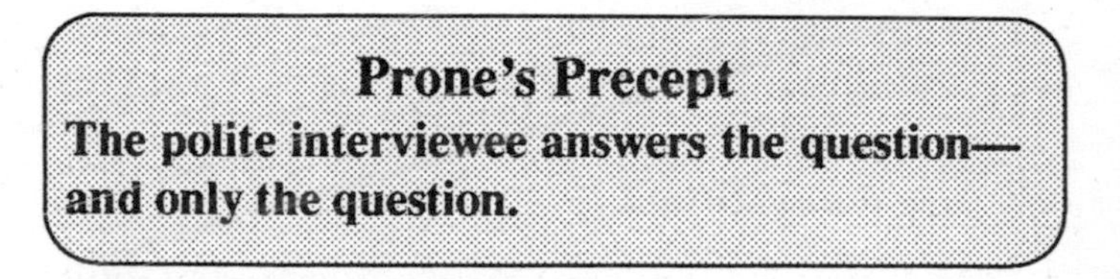

Prone's Precept

The polite interviewee answers the question—and only the question.

Some questions do need to be confronted in advance of the day. These are the stinker questions. The nasties. They're never very difficult to figure out. They are the ones that keep the red light flashing in your mind, saying, "God, I hope I'm not asked that."

Wishing away a question will not work. *Au contraire*, it will ensure that you deal with the bulk of the interview with only half your mind, while the other half is grinding away at the dread thought that this stinker may surface at any moment. Going into an interview with an unaddressed negative at the back of your mind is like being told not to think about a pink elephant for five minutes. During that time, peony-pink pachyderms proliferate promiscuously all over your thought processes. Not only can you see the bloody things, you have an overwhelming desire to drag them into the conversation, too. (Try it. You won't like it.)

So, well in advance of the interview, list, honestly, all the stinkers you believe the most obnoxious, malign, wicked, twisted and perverse person might ask if the wind was in the wrong direction.

Here's just a random assortment of stinkers which have been asked of (and survived by) clients of ours:

- What can you offer us that none of the rest of the applicants can?
- Presumably, this reference in your CV to physical fitness is just to fit into our known corporate profile?
- Why have you been unemployed for so long?
- Why did your last employer let you go?
- Your CV doesn't mention you have a clean driver's licence although it mentions everything else. Has your licence been endorsed?
- If we were to talk to some of your colleagues, what would they say made you impossible to work with?
- You're a job-hopper, aren't you? Why should we invest in you and be used as a stepping-stone in your further progress?
- You're very sure of yourself, aren't you?
- What makes you angry?
- What do you think is wrong with our company?

- The fact that you've been so long with your present employer would suggest you have no initiative?
- What position would you expect to hold with us in five years' time?
- Give me the key words your current boss would use to describe you?
- How would you feel if I told you I'd like to ring your current boss and check that with him?
- How would you feel, as a man, working for a woman?
- As a woman, would you be able to cope with a team of men?
- Give me some examples of how your work has been criticised?
- What aspect of your present job did you hate most?
- Your sports indicate that you're a loner—no team games?
- You've inflated the money you claim to be earning, haven't you? I know the salary of that kind of grade, and it's nothing like you say you're on.
- What was the last play you saw?
- You've been working for X. Is the rumour about him and Y accurate?

- Could you fire someone?
- Are you a workaholic?
- What's your opinion of construct psychology?
- What are your bad habits?
- (To an aspiring salesman, pushing a dirty ashtray across the table at him.)

  You say you can sell anything. All right. Sell me that.

Stinker questions break down into a number of different categories:

The Unanswerable

If you're asked a question about a rumour involving your former boss, the answer is "I'm sure you don't expect me to answer that question." If the interviewer has no sense of what's proper, or is testing you out, he may indicate that he does expect you to answer. In which case you indicate that if he gives you this job, he will get complete discretion and confidentiality from you and will never find you discussing his personal life with someone else, and that's precisely the standard you apply to your former boss.

The Opportunity

Eight out of ten stinker questions offer a set of wonderful opportunities. They allow you to show good listening. They allow you to show good judgement. (Think before you answer. There are no brownie points for speed; it isn't a TV quiz; you won't win a blender.) They allow you to turn positives into negatives. So a question about why you play "loner" sports can be gracefully turned into an illustration of how, because you like to spend your working day with teams of people, you like thinking and reflection time and this is what you get when you go fishing or cycling. In turning a negative into a positive, don't start with a contradiction or a plea: "No, it's not fair to say that I'm a job-hopper." Instead, start positively! "One of the great advantages of having the variety of jobs I've had..."

Similarly, if you're invited to find something wrong with the company to which you're applying, don't. I mean *Don't.* They will nod appreciatively as you rubbish their operations, convince themselves that they are open-minded, and find some reason to refuse you the job other than the fact that you made them feel small. Turn the question around. Indicate that you don't know enough yet to make judgements on the company, but you would be conscious that the industry is facing particular challenges at the moment, like x and y, and obviously how it handles those challenges will be critical in planning for the future.

The Tripwire

Asking what job you want to have in five years' time is a classic tripwire question, frequently asked, which tends to evoke one of two answers: an open-mouthed floundering, or a smartass, "Well, I'd like your job."

When you're asked a tripwire or any other stinker question, remind yourself that you have an agenda to follow, and use the question you have been asked to get to the next point you want to make. So if you have prepared a point to make about your possible future within the company, the tripwire question allows you to say something like "I couldn't pin down precisely what job I might be lucky enough to get in five years' time, but I will tell you the direction I think I might help the company develop along, because..."

In general, do not criticise your former colleagues, if you're coming from another job, or your professors, if you're coming from an academic institution.

If asked a question that reveals ignorance, be happy to confess that ignorance. Do not wing it.

Bunny Carr's Law

If you're asked a question to which you don't know the answer, you have a choice. You can say you don't know it. Or you can prove you don't know it.

In a one-to-one interview, the interviewer may decide to be (or be by nature) a son of a bitch. The same role may be filled by an individual member of an interviewing panel or board. The trick is not to assume that the venom is in some way deserved by you. Under pressure, it's very easy to assume precisely that. In fact, it is often a performance put on to create an artificial obstacle for the candidate to surmount. The nastiest question may be asked by a questioner who is quietly delighted to see the question coped with. Of course, the converse may also be true. That smiling, nodding sweetheart may be the person who is resolutely dismissing you from consideration.

If you do not believe that the venom you experience can be just a performance, have a look at Brian Farrell on RTE's current affairs programmes. In person, Dr Farrell is a gentle, civilised conversationalist. On TV, he has an unequalled genius for investing quite normal questions with a terrifying air of justified outrage: "I put it to you, Ms Bloggs, that you did—you *did*—have breakfast this morning?" In most personnel interviewers, there's a wee streak of Brian Farrell finding regular expression. Look impressed.

Tom Savage's Law

A good interviewee answers the data part of a question, never the emotional part.

Although there may be a little touch of games-playing in some of the interviewers you will encounter, you should not indulge in any games-playing yourself. We were recently consulting with a man who was going for the major promotion of his entire career. This move would take him right to the top. So we put him through an interview, and as we watched the videotaped playback, we had problems identifying precisely what was off-kilter. We knew something was. He wasn't quite concentrating on what he was being asked, and he was missing opportunities to add value to the encounter.

"You're concentrating on something else," we eventually said, stopping the tape.

He nodded with misplaced pride. "I'm mirroring," he said. "You're what?" we asked.

"Mirroring."

"That's what we thought you said. What's mirroring?"

Well, he explained, people hire people like themselves, right? So when you meet a personnel interviewer, you want to convince him that you're just like him, right? So you send subliminal signals to him by adopting the same body posture he has at any point in the interview. If he has his hands locked under his chin, you lock your hands under your chin. If he has his arms folded, you fold yours. If he's leaning forward with both palms flat on the table, you do likewise. Right?

This was explained with the loving fervour of a born-again mirrorer.

"Ooookay," we said, and left the room. When we returned, we had a clean drinking glass in our hand. We put it in the middle of the table. "Point one," we said. "See that glass? Next time you say 'right?' at the end of a sentence, you're putting a quid into it. That will happen any time you say it for as long as you're here, so if you keep it up, we get to buy ourselves a bottle of champagne at the end of the day. Agreed?"

"Right," he said—and instantly paid up.

"When you go home, do the same kind of deal with your partner," we added, "because you have one of the most maddening verbal tics we've come across in a long time."

He looked silently at the pound coin in the bottom of the glass.

"Now let us address this mirroring business," we continued. "It is the greatest load of rubbish we have come across. First of all, professional recruiters don't select people like themselves. They select people to meet clearly specified needs and often that amounts to somebody quite unlike themselves. Secondly, no normal person is flattered, liminally or subliminally, by someone mimicking the way they sit or gesture. Thirdly, the videotape shows quite clearly that while you are wasting time watching the interviewer to make sure that you're like a physical shadow of him, you're making no sense and leaving no impression. You look like someone doing sums in your head. You're going for a job as MD of a company employing two thousand people. Do you seriously think you will or should be picked because you can fold arms like a syncopated swimmer?"

He abandoned his trick, reluctantly, and eventually got the job. Every year, there's some new trick along these lines. One year, it's "use these five power words." Another year it's "categorise the psychology of the interviewer by where his eyes go when he's talking." They're all a waste of time. Concentrate on content and on what you have to offer, and you will not need or benefit from tricks.

Job Interview Panels

An interview conducted by a panel of questioners as opposed to one conducted by an individual questioner always scares people more. There is a sense of facing carbine, howitzer, cannon, pistol and sub-machine gun simultaneously.

In fact, however, the task is the same. You have your agenda and you are determined to leave the most interesting points you have prepared in the minds of all of those facing you. It does help if you can get all the names correctly, and use them. Most of us don't learn names when we are introduced because we are so self-directed at the time. When you are introduced to an interview panel, for starters, it should not come as a complete surprise to you. You should have done advance research, and either that will tell you the names of some of the members, or you'll be able to guess at several of them. (This is particularly the case for medical specialists going for consultancy posts. Given the hierarchy within the hospital and the need for specialist input within the discipline, it is usually easy to work out the names of the majority of the personnel who are likely to figure. So you don't have to learn eight new names. You may have to put names you know on faces you don't know, and you may have to learn two or three names, but that's easier. Ask for them to be repeated, if necessary. Nobody has ever been insulted by hearing his or her own name reiterated. Most of us can handle that just fine.)

You should use names when you can without sounding stagey. One of the best ways, when facing a panel of interviewers, is to link what is being said now with what was said earlier: "Mr Nicholson touched on this earlier, and perhaps I can link what he asked then to what Mr Roche is putting to me now..." Never use an interviewer's first name, even if he or she uses yours.

You should be aware that not all of the people who do personnel or recruitment interviews are trained in the proper techniques. I have sat on interview boards with board members who did much more talking than did the applicants. The applicants who came to terms with this simply waited until the board member had finished what he was saying, and then came in, using it as a platform to get to whatever was the next point they had intended making. Applicants who failed to come to terms with it went into panic-mode and tried to talk the talker down.

That's always a big mistake. If the rest of the board want to shut the talkative one up, that's their business. But the applicant should never interrupt any interviewer or member of an interviewing panel. Instead of panicking that your next point is not being made, concentrate on what the other speaker is talking about. Your attention, even if you never get to open your mouth, will convince the speaker that you are a wise and knowledgeable person who probably deserves the job.

It is probably not worth advising anyone to avoid unintentional double entendres, since, by their very nature, they are not amenable to premeditated prevention. One of the best examples of this happened many years ago when I was serving as Attila the Hun on an interview board made up of various eminences, including the chief executive of the company involved. The job on offer was that of Public Relations Officer. Towards the end of the day, a particularly attractive young female teacher presented herself before the board, and towards the end of her interview, I leaned forward and asked her, in suitably intimidatory tones, to single out what would be her single biggest priority, were she to be appointed. "If I were to be appointed," she said with enthusiastic ambiguity, "my top priority would be to mount the chief executive on every available platform."

That the rest of us stayed solemn in the face of the resultant mental imagery was a tribute to us, individually and severally.

Before I finish this chapter, I want to talk to you about what happens in advance of the interview. What happens directly after the interview. And to mention the secret key success factor I left out.

Before the interview you arrive. Fifteen minutes before the interview is due to happen. Clean, polished and garlic-free. You arrive alone. Do not bring along friends or family for moral support. Their presence makes you look a dork. Look at the place as you come in and as you wait in the lobby. There may be mission statements framed on the wall or other clues as to how the company interprets itself. Keep your eyes open.

In the last paragraph, I have insulted you three times, because you would have done all of those things without me stating them. All right, here goes for insult number four. Be pleasant to the receptionist. She (sorry, sisters, but it is more likely to be a she) may be asked her opinion of you afterwards. It happens. Or she may provide you with some little bit of information you mightn't have had in advance, no matter how good your research is (**see page 89**.)

Not so long ago, a young man looking for a job with us answered the question "Why do you want to join us, particularly?" by smilingly referring to our friendly informal atmosphere. We mentally dismissed this as flattery, only to have him continue.

"Because I was a bit early, I was in your lobby for ten minutes," he said. "During that time, every one of your staff who passed through the lobby asked me was I being taken care of and would I like a cup of coffee. I found that friendly."

This was self-evidently one job applicant who didn't waste the time in our lobby examining his own terror.

When you are brought into the interviewer's HQ, you must do a number of things:

- Shake hands with a firm grip. If you have a handshake like a dead fish, it makes an interviewer want to terminate the conversation right then and there.
- Smile at the interviewer, use his name and say "How do you do?" Telling the interviewer you are pleased to meet him or her is inaccurate and gauche.
- Sit only when asked to.
- If you have impedimenta, put them on the floor beside you rather than on the interviewer's desk. (And while we're on the subject of impedimenta, keep them to a minimum. And for women; be aware that a handbag is just about the least businesslike prop you could bring with you. Handbags always look as if they are filled with small change, powder puffs, Elastoplasts, tampons, combs, TV licences, lipsticks, rosary beads, photographs of babies, tweezers, cottonbuds, lucky rabbits' feet and spare keys to the attic. A briefcase can carry the same things, but nobody expects it to. Plus it looks like business.)

- Do not touch anything on the interviewer's desk. Nor must you read anything, even if you know how to read upside down.
- If the interviewer takes a phone call while you're there, make a spirited pass at leaving the room to afford him or her privacy, and don't stop unless you get a decisive wave to stay.

Now, fast-forward your mental tape and come to the end of the interview. Coming towards the end of the interview is when interviewers like to sneak up on you with the question about a question.

"Before we let you go," they smile. "Is there anything you'd like to ask us?"

If you say that there isn't, it tends to sound as if you have no interest in their company. Ask something simple, preferably something arising out of the questions you've been asked.

"I noticed you asked me a lot about European languages. Would I be right in assuming that Europe is going to be of increasing importance to Company X in the coming decade?"

Don't ask them what they'd pay you. That's for later negotiation. Not only is it wrongly timed, but in some paternalistic companies it can result in a rejection, because they feel you do not understand their corporate culture, if you think you even need to ask about money. The implication for them is that you don't trust them to treat you decently.

The liveliest response to this classic question happened within our own company recently, when we were expanding.

"Is there anything you'd like to ask me?" the interviewer queried amiably.

"Yes," said the interviewee. "Do I get the job?"

The answer was yes. But we didn't tell her for a whole day.

Now, having asked your last question, off you go. Out to the car. Or the bus-stop. Or the nearest café or pub. Wherever you can plant yourself on a seat—you will select—and then you'll do your personal debriefing. Out will come your notebook, and you will write down:

- Everything you were asked
- Everything the interviewer said
- Everything you said
- Everything you planned to say but forgot.

When you have completed it, go back over it again, and you will remember other things.

This exercise has a number of beneficial outcomes:

1. If you have genuinely forgotten something the interviewer really should know about you, you can go back to your PC, sit down, type a letter to him or her, spellcheck it, and then either post it, or if necessary, courier or FAX it. Few people do this, and it can tip the

balance. It shows that you have not been fazed by the protocol of an interview, and that you have kept your wits about you subsequent to it.

2 It allows you to plan for a second interview. Quite often, this first interview leads to a shortlist and to a second interview. For the second interview, you must know what you said first time around, what they asked first time around, and you must be able to make the same vital points, but using fresh illustrations and examples. Six out of ten people shortlisted do worse during their second interview than during their first, because all they have left is spent bullets.

3 It will allow you to assess your performance and to prepare for the next interview with some quite different company. You need to work out honestly and unemotionally where you did well (so you can repeat the pattern) and where you did badly (so you can prevent the pattern from recurring). No blame. Just detached determination to view today's interview as a rehearsal for tomorrow's interview, and both as part of your personal development.

When you get home, file your notes and move on.

Do not misinterpret the length of time accorded to you. Occasionally, applicants convince themselves that because they got more time than they had expected they must therefore have been much more appealing to the interviewer than they had hoped. Sometimes they're right. But there are also a few very fair-minded interviewers who know in their gut, five minutes after the interview starts, that this applicant doesn't have what it takes, and who devote extra time to that applicant in a scrupulous desire to make sure that no injustice is done to any individual. Be aware that it does not always follow that a long interview makes you a cert for the job.

You will note, by the way, that not once, in the course of this long detailed chapter, have we mentioned your CV. That's quite deliberate. The worst job interviews are done by applicants who expect to be "taken through" their CV, and who assume that what's in their CV sets the agenda and wins them the job. Not true. Could not be less true, in fact. It happens not infrequently that recruiters have only the sketchiest acquaintance with a CV before they start to interview its owner.

Even if they have read the CV, it is not a central part of the interview. They may refer to it. But you, as interviewee, should be establishing yourself, live and in full colour in front of them, regarding your CV simply as the brochure that got you to this point. Do not make the mistake of suggesting to your interviewers that they should refer to page four of your CV—tell them, in scintillating detail, what's on page four, but don't treat the interviewer as if she/he was a student who should be studying their books.

Now for that Secret Key Success Factor for Job Interview Triumph.

Hype?

No. Fact.

It's called *Listening*.

Most of us have forgotten how to do it. We flatter ourselves that we're great communicators, but for the most part, what we mean is that we'd talk a hole in a brick wall.

Listening is much more difficult than talking.

Example

Try this one on your friends. Simple question to put to them.

"If you look at a lemon through a sheet of blue glass, what colour is the lemon's skin?"

Most of your more intelligent friends will immediately go to work and figure out that if you mix yellow and blue you get a third colour.

"Green," they'll announce, triumphantly.

Wrong answer. Right answer to the wrong question.

Back up there just a moment. What was the question again?

"If you look at a lemon through a sheet of blue

glass, what colour is the lemon's skin?"

Of course, the lemon's skin is yellow.

"Green" is the right answer—if the question was "what colour will the lemon's skin appear to be?"

Don't figure you know the question you're being asked *before* you listen to the question you're being asked.

In summary, the interview is not an oral exam. It is not a version of Mastermind where there are wrong or right answers. It is not a fashion contest. It is not a performance. It is a process by which the interviewer or interview board is attempting to get behind the CV to ascertain what is the reality of the candidate facing them. It is your opportunity to give them unique insight into what you are, into the extent of your present capabilities and of your future potential.

Four Ways to Learn the Right Lesson From Rejection

You go to a job interview. You don't get the post.

Worse, you get past the initial, screening interview to a second. But you don't get the post.

Worse again, you know you are shortlisted. But you still don't get the job.

This is the time to sympathise with yourself and

to start learning the right lessons from the experience.

Lesson 1

Don't make it global. Sometimes, job-seekers open their polite letter of rejection and tell themselves, "Oh, I didn't do the interview properly, I can't do anything properly and I'll get nowhere." Nonsense. There's no benefit to yourself in globalising your mistake by saying "I boobed, therefore I'm stupid, therefore I'll never get any job." Go back through your notes and find out what you did really well and make sure to repeat that aspect of your performance next time around.

Lesson 2

Don't advertise it. Don't tell your friends/mother/former colleagues. Why should you? To get it off your chest? Oh, I see. And put it on someone else's chest so you can see it as if they had a verbose T-shirt? If you're working with someone, using a friend to coach and share and advise, or paying someone for that purpose, then certainly let them know the outcome of an interview. But apart from that person keep the numbers of interviews to yourself, and cover them with a great "Keep Out" statement. "Yes I'm on a jobsearch at the moment. Doing lots of interviews. I hope they'll help me focus on what job I should really go for—but the main thing is that I'm getting used to the interview process."

Lesson 3

Don't repeat it. Suppose, for one moment, that you know you answered one question area poorly. Sit down and work on how you'll make sure it doesn't happen again. Once you've established a workable approach, replay it in your mind again and again. Most of us replay only our mistakes in our own minds, as if we were determined to learn how to make the perfect mistake.

Lesson 4

Don't think that there is a virtue in self-condemnation. Finding yourself guilty is a pointless and depressing habit. But it's a habit which can be unlearned. Indeed, it's a habit that *must* be unlearned, and replaced with "learned optimism."

12

The Application Form and the Medical, Two Steps You Shouldn't Slip On

There are two steps in the job application process that cause enormous unwarranted apprehension when they appear. Not all companies use either or both of them. In both cases the worry they cause is well out of proportion to their actual impact on getting the job.

Application Forms

If you are going to be faced with an application form it will hit you in one of two ways. Either it will be sent to you when you first apply for the job or you may be asked to fill one out in the office directly before your interview.

If you get the form when you first apply for the

job then you have some more time to deal with it, but how you deal with it in both cases will be basically the same.

The first thing to do and this is absolutely essential is read the whole thing carefully. All too often people just barrel straight into answering the questions and miss out on minor instructions like "Please Complete in Pencil." The company will not fail to notice this error—"Ah, here's a guy who's liable to miss out on details..."

Secondly it will make filling out the form easier. You may wish to cram in a load of information to answer one question and then find out that there is an entire other section devoted to that question area.

Once all of that is clear start to fill it in. Don't waste time trying to predict the right answers—just fill in the form as completely as you can. If you have time and you don't understand any of the questions ask for clarification.

Now the application form will provide you with a few clues about how this organisation works and what its priorities are. The relative size of each section is a good indicator of how highly the information rates in the company's eyes. You should, before the interview, figure out how you will use questions in these areas to launch one of the points you want to get across.

Once you're satisfied that you have done a good job of filling it in, hand it in and forget about it. Other than making sure you have followed the instructions for filling it out correctly there is nothing more you can do about it. Application forms are used either to screen applicants initially—and if you have the correct qualifications you will be okay—or as a method of getting some information that the employers are particularly interested in in a standard format to make their lives easier.

The Medical

Medical examinations tend to cover a series of common areas. They will look for a urine sample, a chest X-ray and a general physical examination. The physical will include a chest and abdomen examination.

That will just establish that you are in a reasonably healthy condition. You won't be expected to be super-fit.

Some companies may carry out a liver function test. This is to check for alcohol or drug abuse. Obviously evidence of either will have to be explained adequately before the company is going to give you the job.

Some particularly thorough companies look for a blood pressure test and a full blood count. Again, these tests are only to check for general fitness.

Currently very few companies are using an AIDS test but it will become more widespread. To carry this and the blood count test out they will need to take a sample of blood. This means a needle so be prepared.

When we checked up on medical examinations the consensus was that the proportion of people who would be disqualified because of them is extremely low. Also the general state of your health is not something that you can change very much in the few days between when you find out about the examination and when it happens.

So treat it as a routine and no more than a routine.

13

Measuring the Right Stuff

Many tests are multiple choice; they ask you to tick off what you're most like and what you're least like in a selection of words. So you could get four words or phrases. The first will be "aggressive." The second word may be "loving" and the third phrase could be "making friends." The fourth word could be "happy." Now if you're going for a sales position what they want you to be is "aggressive." What they want you to be least is "loving" because that just doesn't help in sales. You can't really go to the door and come across as a really loving nice person because they'll just throw you out of reception. You have to come across as aggressive, the type who won't give up, who will call back.

So there's a whole series of these questions.

A lot of people think you can cheat but you can't actually cheat because you'll contradict yourself and eventually it'll pan out what you're really like. That's the idea of the tests anyway. It gives the recruiters an idea without your realising. It's very hard to fiddle them if they're any good— they can find out what you're like inside. Actually it may not be a disadvantage to come across badly. If you come across selfish, aggressive or any of these kinds of things for a sales job that's brilliant. Now if someone came across like that and they were going for a receptionist position that just wouldn't do. You couldn't be selfish and aggressive on reception. You have to be more warm, loving, committed, loyal— that type of person and systematic. It depends what job you're going for. They're looking for a particular type of personality profile for each job.

Very few places make a decision totally on a test. It's usually done on a third interview basis when they're fairly sure about somebody through earlier interviews. The test's used as a backup service at the very end of the selection process or if they're having difficulty making up their minds in a final interview from a shortlist of two people. The one that comes across better in the test will have the slight edge over the guy or girl that didn't do so well in the test. So that's what they're used for and that's generally how they work.

Ashling Harrison
Sales and Marketing Consultant
Head Hunt Limited

Getting a job isn't the straightforward matter of letter and interview it used to be. There's an ever-increasing number of hoops to jump through if you're going to convince an employer you've got The Right Stuff.

Group discussions, in-tray exercises, and things called situation cards. Every time you go into an "assessment procedure" you're likely to find something new. New ways of putting you on the spot and maybe making it harder for you just to be yourself.

One thing in particular leaves many job candidates with a sense of nowhere to hide. Psychological tests are like a mental X-ray of attitudes and aptitudes, strengths and weaknesses. You don't know what they're measuring and, worse, you're not told what they've found. So you don't know what makes you a winner or a loser. And you can't learn to do better next time.

It's all done with psychometrics, or mind measurement, a set of statistical techniques developed by psychologists to help employers decide exactly what they're looking for, and then find out who's got it. And because it's proved more reliable than just interviewing alone as a predictor of performance, more and more companies are using it. Not just in the tests themselves, but in job specification and in the design of application forms.

Psychometrics has come a long way since the days when IQ tests were dismissed as measuring "whatever it is that IQ tests measure." There really is no place to hide, and no point in worrying about it. There's some consolation though: the evidence suggests that the scientific approach does make the assessment fairer and more objective. Here are a few facts to help ease the anxiety of being turned into an unknown psychological quantity.

- There are three kinds of psychological test: interest, aptitude and personality. The tests you run into will vary according to the job you're after, the company, and how far you get in the selection process.
- Aptitude tests measure strengths and weaknesses in thinking style. Most people would be familiar with the basic tests of numerical, verbal and spatial reasoning from school onwards. They usually have right and wrong answers: filling in opposites, completing a sequence of numbers, mentally unfolding a cube. Very often you'll get a range of possible right answers to choose from. These aptitude tests crop up more often, because they're the most reliable predictors of what you'd be good for.
- The rise of information technology has led to the development of new kinds of tests. Like diagrammatic reasoning—the ability to interpret sets of abstract symbols, or to work from coded instructions. These tests can be very complex, depending on the level of job.
- As well as tests of general mental ability, there's now a wide range of tests of suitability for particular occupations:

Checking

Basic checking measures speed and accuracy of checking a lot of items on paper—figures, forms, fine detail. It's used for jobs that might include routine checking, from ticket collectors to clerical staff.

Audio Checking

Audio checking is tested for clerical jobs like tele-sales people and airline or hotel booking staff.

Text Checking

Text checking is yet another version, that assesses speed and accuracy in correcting spelling mistakes.

Mechanical Reasoning

Mechanical comprehension is about the understanding of mechanical principles and how they apply to things like pulleys and gears or to structures, recognising things that might fall down. Technical apprentices, process control operators, technicians and skilled operatives would run into these tests.

Fault Finding

These tests measure your ability to identify faults in logical systems—electronics, debugging software, process control systems and any kind of systems design.

Using Information

Tests of using information assess the ability to understand and deal with information you might use to answer public enquiries. Platform attendance staff, ticket sales/inspectors and public service information staff/administration are some of the jobs covered by this kind of test.

Following Instructions

Some tests measure the ability to follow written instructions when a form of coded language is used. Emphasising logical thinking, they're measures of aptitude for working with office machines, for accounts clerks and clerical supervisors.

- Random answering on personality tests will show up as exactly that.
- You can get better at tests you've done before—but not enough to affect the outcome significantly. Some tests could be biased if candidates are left-handed or if unclear instructions are given.
- Not all tests are statistical. A lot of French companies now use handwriting analysis as part of their recruitment process—and they say it works.
- Team typing is a very widely used personality test, a bit like the questionnaires you'll find in magazines. The theory is that you can describe

how an individual would operate in a team, in terms of eight types—from the shaper who injects competitive drive, to the completer, who likes to get the details right.

Psychometric test materials are available only to qualified testers, so there's no scope for doing any homework on them. All the items cross-refer, asking similar questions in a variety of ways, so you can't fake it either. But you can survive psychometrics, with a bit of self-knowledge and a positive approach.

Get yourself tested independently. It will damp down your fear of the unknown, but more importantly, you'll get feedback in the form of a written assessment. That will help you to confront weaknesses and build on strengths—and you can begin to translate yourself into terms that will be relevant to potential employers. Above all it will help you shift your focus, from trying to guess what right noises they're looking for, to finding a job that works for you.

14

When You Encounter Prejudice

None of us admits to having it. Parliaments pass legislation outlawing it. Yet it hangs around like a free-floating virus, ready to go to work if it gets a safe opportunity.

Because prejudice is often harboured by clever, subtle and charming people who move with the times, when it comes to employment, it leaves few traces. A few years ago, for example, it was just amazing how many male personnel interviewers got concerned about who was going to mind the children of a female job applicant, although when a man was being interviewed for the same job, it went without saying that his appointment would not endanger his children in their morals, toilet-training or nutrition. These days, it's less likely that such a question would be asked, but by no means sure that the viewpoint it expresses will not find other conduits.

If you are:

- A person with a disability
- Gay
- Female
- Fat
- Small
- Over 45

you stand a very good chance of running into prejudice when you are job-seeking or when you are trying for promotion.

This chapter gives individuals with any one, or a combination, of these prejudice-triggers some guidance on coping devices and approaches calculated to minimise the challenge.

Ultimately, though, it's important that you remember two things:

- An explanation is not an excuse. Even if there *are* prejudiced people out there, there are jobs out there, too, and the applicant with resilience, a good support system and a huge determination will get past the first and reach the second—eventually.
- If and when you get the job you want, or the promotion you want, recall the prejudice you had to overcome, and do your best to reduce

all prejudice-based employment obstacles in the company in which you work.

People With Disabilities

We don't know how many people with disabilities there are in this country, partly because definitions of what constitutes a disability vary, and partly because not everybody who has a disability wants it known. But it is assumed that the figures add up to about 350,000 people with disabilities of one kind or another.

At some stage in your life, the overwhelming likelihood is that you are going to be fairly directly affected by disability. You, or somebody close to you, will be permanently or temporarily disabled by accident or illness. If and when disability happens, the chances of a job for the person with a disability drop like a stone. It seems that we love to sympathise with "the less fortunate," but we'd prefer they didn't come to work alongside us. That's what the statistics indicate. Unemployment among people with disabilities runs as high as 70 per cent. Only about three in ten people with disabilities currently have jobs.

Different countries approach the challenge of employing people with disabilities differently. Some do it by quota systems in both public and private sectors. These include Germany, Spain, France, Greece, Italy, Netherlands, Luxemburg and Austria. Great Britain has a quota system in the private sector only. Belgium and Ireland have a quota system in the public sector only.

Not that quota systems work, anyway. According to the National Rehabilitation Board, while 3 per cent of all jobs in Ireland's public sector are reserved for people with disabilities, only 1.28 per cent are actually occupied by them.

Overseas, there are countries where quota-or-fine systems operate. In other words, a company must either employ x number of people with disabilities or pay a yearly fine. Sadly, many of them are only too willing to pay the fine, rather than be inclusive in their thinking.

When you have a disability and you run into this prejudice, it is very easy to take it personally, as a judgement on self. In fact, it's a judgement on the employer. An employer who doesn't have a positive, open attitude (never mind a positive discrimination intent) to people with disabilities is often:

- Unused to, scared by, and unwilling to learn about disability.
- Overly accepting of stereotypes, so that the acceptable applicant is a classic Yuppie, preferably validated by psychological testing (**see page 141.**)
- Unwilling to make the company premises user-friendly.

The last point is worth repeating. The alterations which all civilised employers should make to their premises, with or without a disabled employee on staff, make the premises easier to use by everybody. We have an ageing society, and twenty years from now, today's active forty-year-olds are going to have knee and hip problems that make needless stair-climbing onerous. A ramp instead of steps is easier for everybody at the point of access. Doors wide enough to accommodate a wheelchair should be standard in all buildings. Ergonomic chairs, grab-handles, glare-reducers and other design factors developing out of the needs of people with disabilities are incredibly useful to people who have no disabilities. If we include disabled people *in*, we gain, gain, gain.

But right now, you're a person with a disability, and you're applying for a job for which you've got the skills. The first problem you have to face is whether or not you choose to let them know, in advance of the interview, that you have a disability. That comes down to individual cases.

If you have a disability like deafness, which will radically change the management of the interview, then you must make it clear upfront. Your task is always to solve the interviewer's problem, so find a way, not only to introduce the disability, but to introduce your proposed solution.

In general, the best way to do it is to mention, rather than announce it. One sentence in a CV. Or a phone call on the day before the interview to the interviewer's secretary, saying, "Just struck me— I'm in a wheelchair. D'you have a ramp at the front, or what's the best way for me to get into your building and on to the right floor?" The tone needs to be cheerfully matter-of-fact.

During the interview, if the interviewer puts a foot in it by using the wrong terminology about your disability, don't waste your time getting huffy about it. Re-educating the nation and its various personnel managers is not your job. Your job is to defuse the anxiety of the person in front of you so that they end up impressed with how easy it actually was to talk to you, and enthusiastic about employing you. You won't achieve that by trying to claim any special privileges. You will achieve it by making the interviewer feel he or she will do well—personally—out of employing you. Address all of the problems posed by your disability and indicate how you manage them, with as much humour and succinctness as you can muster.

Before you even think about going for a job, talk to the people at the National Rehabilitation Board. They can help you assess your potential, develop your skills and improve your chances of getting the job you want.

Work Options for People with Disabilities

Employment is a central factor in the integration of people with disabilities into the community. Because of the range of abilities and productivity levels characteristic of this group, a number of different options are needed, if they are to be able to find and retain jobs.

Full Open Employment

For people with disabilities who are able to compete with other job-seekers in terms of their qualifications and productivity levels, open employment is likely to be the preferred option. This is work in an open environment on the same terms as everybody else, involving a contract of employment, a regular wage, payment of tax and social insurance contributions, entitlement to holidays and sickness leave and coverage by the provisions of employment legislation.

Special competitions for entry to the Civil Service are held for people with disabilities who want to be clerical officers, clerical assistants, executive officers or blind telephonists.

People with disabilities who seek open employment may apply for jobs in the public sector under the quota scheme. This scheme requires that 3 per cent of all jobs be allocated to people with disabilities. To qualify for recruitment under the scheme, people must be registered with NRB as being substantially disadvantaged in obtaining or holding employment. The special competitions mentioned above are the principal means of recruitment under the scheme.

Support Open Employment/Work

For some people with disabilities, obtaining employment may be difficult because they require special equipment or an adapted workplace, or because their productivity is below the level considered acceptable. Several support schemes can help, here.

Employment Support Scheme (NRB)

People on the Disabled Person's Maintenance Allowance (DPMA) whose work is assessed at between 50 per cent and 80 per cent of standard can obtain employment under the Employment Support Scheme. The employees are paid the full wage by the employer, who's then paid an employment support to make up the gap between the employee's assessed productivity and the standard. The DPMA allowance is paid to NRB, to help fund the scheme. From January 1993, eligibility for this scheme will be extended to include people with disabilities who receive social welfare allowances.

Part-Time Job-Incentive (Department of Social Welfare)

This scheme is intended as a stepping-stone to fulltime work. It lets people registered with NRB (and certain other long-term unemployed people) take up part-time work and receive a special income supplement. The supplement paid isn't affected by the income from the part-time work. Those registered with NRB are allowed to work more than twenty-four hours each week under the scheme. A person can stay on the scheme initially for one year.

Employment Incentive Scheme (FÁS)

The aim of this scheme is to increase employment through the payment of lump-sum premiums to employers who raise the level of employment in their businesses. Employers in the public and financial sectors are not covered by the scheme. People registered with NRB and certain other unemployed people are eligible employees under the scheme.

Employment Subsidy Scheme (FÁS)

The aim of this scheme is to support the creation of additional jobs. Employers are paid a weekly subsidy for each additional employee, on condition that the normal wage rate is paid and that the employment involved is fulltime and insurable. People who are registered with NRB and certain other unemployed people are eligible under the scheme.

Job Integration Grants Scheme (NRB)

This scheme assists employers who'd like to employ someone with a disability but whose workplace or premises needs to be adapted. It also assists self-employed people with a disability. Grants of up to £5000 are available to help adapt a workplace or to provide specialised equipment needed.

Other Services

Equipment on Loan (NRB)

People with disabilities who are employed or self-employed can get special equipment on loan to help them carry out their jobs.

Personal Reader Service (NRB)

A Personal Reader Service is available to help people with visual impairment who are starting a new job and need support in settling in; are either in danger of losing their jobs or are returning to possibly new or adapted duties with their original employers, following the onset of disability; or are restricted in their career development. The Personal Reader Service is designed to supplement, rather than replace, any reading help provided by work colleagues or on a voluntary basis by friends or relatives. The service is generally available for up to two years.

Job Interview Interpreter Grant (NRB)

Under a scheme to be introduced by NRB in autumn 1992, a grant of £30 will be available to people with hearing or speech impairment who require the service of an interpreter when they attend a job interview.

Social Employment Scheme (FÁS)

This scheme aims to provide employment for people aged over twenty-five who have been unemployed for one year or more. People registered with NRB and certain other unemployed people are eligible to participate. Individual workers may be employed for up to one year under the scheme. A FÁS grant is paid to the employing organisations for each person employed.

Further information about these schemes can be obtained from NRB,

25 Clyde Road, Dublin 4. Tel. 01-684181.

Sheltered Employment

For some people with disabilities, sheltered employment may be the preferred option. Sheltered employment is employment in a non-integrated setting, involving a contract of employment, wages, tax and social insurance rights and obligations under the employment legislation. At present, sheltered employment is available in one centre in Ireland: The Board for the Employment of the Blind.

Open Work

People with disabilities whose productivity is significantly below average sometimes work in informal arrangements in which payment takes the form of a supplement to their main income—Disabled Person's Maintenance Allowance or a similar disability-related benefit. Such arrangements do not involve formal work contracts and are not covered by employment legislation.

Sheltered Work

For most people with disabilities whose productivity is significantly below what is considered acceptable in open employment, sheltered work is the most likely option. People with disabilities in sheltered work receive a weekly payment consisting of their "staple" income (such as DPMA) and a supplementary payment, generally in the range of £10–£30 per week. In Ireland at present, there is an acute shortage of sheltered workplaces. They are currently available almost exclusively to people who have completed training programmes in community workshops or other rehabilitation training centres. With few exceptions, these places are full and there are long waiting lists.

New Initiatives

In view of the need to expand the sheltered and supported work options, so as to provide people with significant disabilities with the opportunity to work, several initiatives have been developed in recent years. The Open Road project (St Michael's House, Dublin), the Link-Up project (St John of God Brothers, Dublin) the Rapport project (APT,

Tullamore), Step Enterprises (St John of God Brothers, Dublin) are examples of such new approaches. The potential of telework as an employment option, particularly for people with physical disabilities, has been explored in the NRB TeAPot project (see *Slánuacht*, Issue No. 12, January 1990) and is being further developed in a number of further pilot projects funded under the EC HORIZON initiative.

Prejudice Against Women

This all got solved twenty years ago...in theory. They brought in laws to eliminate gender-based discrimination and sort everything out.

"Except it didn't work out that way," says Maire Geoghegan-Quinn, TD. "Let's be blunt; it just didn't. The laws were passed, the framework put in place, but this did not solve the problem."

The problem being, in Maire Geoghegan-Quinn's view, that equality in the workplace has never become routine. You never know when you're going to walk slap-bang into an assumption—and assumptions are powerful things.

"An assumption can be the basis for active prejudice," the Minister said, in a lengthy speech in 1992 to the ESB Conference *The Equality Challenge*. "An assumption on one person's part can put a constraint around someone else's career development."

Lady, you said it. The real difficulty, of course, is that an unexpressed assumption on someone else's part can stop a woman getting a job or getting promotion, and there's precious little the woman, or the Employment Equality Agency, can do about it.

Women Work Longer in North

Northern women are better represented in the workforce, work longer, and are better paid than their counterparts in the Republic.

But when it comes to politics and women's involvement in them, their record is abysmal compared to women across the Border, according to a new survey.

The probe shows that, as a proportion of those in employment, Ulster women hold almost 45 per cent of the jobs. In the South, the figure is just 32 per cent. In the North, women's earnings are 49 per cent of men's. In the Republic, it's 10 per cent lower.

But when it comes to politics, Ulster women lag far behind. There are no female MPs or MEPs, and only 63 of the 566 councillors in the 26 local government bodies in the North are women.

But in the South, thirteen women sit in the Dáil, women are represented in government, and no woman is a member of the European Parliament.

The new survey of women north and south of the Border concludes that there is "a see-saw impression of women north and south, with respective ups in one area and downs in another." But it concludes:

"Generally, the problems are the same."

The Irish Press—7 September 1992

The Employment Equality Agency's Model Policy for Interview Panels

This company will not tolerate bias against candidates on the basis of sex or marital status (or any other reason). Interviewers/Boards will not make assumptions based on sex or marital status about the suitability of candidates for any type of work.

Interviewers/Boards will be instructed in good interview practice and given a copy of this organisation's (authority's/company's) policy.

Questions will relate only to the requirements of the job.

Personal questions will not be asked. Where it is essential to assess if personal circumstances will affect performance, applicants will be asked only if they are aware of anything which might hinder their performance of the job.

To avoid the possibility of bias all interviews will be conducted by more than one person and both sexes will be represented on the interview board.

Applicants will be assessed at the end of their interview on pre-set criteria.

Lesbians and Gays in Ireland

Arguably the best statement about gays and lesbians in the workplace in Ireland was published in the Guidelines for Negotiators of the Irish Congress of Trade Unions, available from the ICTU at 19 Raglan Road, Dublin 4. We reprint a portion of it here with their permission:

> Lesbians and gay men are women and men whose most important relationships, emotional and sexual, are with other women and other men. Almost all of the popular stereotypes are untrue. There are lesbians and gays in all social classes, in all age groups, and in all parts of the country. They are rarely immediately identifiable and if people do not, or cannot, talk about their lives, then few other people become aware that those lives are different.

It is a common mistake to believe that "these people are few, and there are none where we work" and to think therefore that lesbian and gay rights are not real issues. Research many years ago showed that one person in ten is predominantly lesbian or gay and studies since throughout the world have confirmed that basic figure. This figure, when applied to Ireland, would amount to over 300,000 men and women—perhaps the largest minority in the country. In a workforce of a hundred, some ten people may be lesbian or gay: a committee or small group will probably have at least one lesbian or gay present. These figures still cause surprise, but it is very easy to hide or deny an identity even to oneself, and there are strong reasons for doing so.

One reason is the law which in the Republic of Ireland treats all sexual acts between men as criminal, and only limited decriminalisation has taken place in Northern Ireland. Lesbians are not directly subject to these laws, but they are still affected by them and sexual acts between women are regarded with perhaps even greater prejudice. Lesbian mothers also have to contend with prejudice from the judicial system in relation to custody of their children. The law creates a background of fear and restriction. Advertisements for lesbian and gay organisations or publications are refused and individuals know that the issue of criminality weakens their position with employers and others. Often in cases of harrassment or physical violence (common against both lesbians and gays), the legal rights of the attacked person are compromised.

Discrimination also operates at other levels. Housing, publicly or privately financed, is difficult to obtain for people of the same sex. Lesbians are affected by the general lack of women's rights, and frequently face the prospect of a lifetime of low pay, poor career prospects and insecure employment. Many lesbians and gays are denied the basic right to work as they are often refused jobs solely on grounds of their sexuality.

At work, lesbians and gays are often afraid of the opinions of their colleagues. They are afraid that if their sexuality becomes known they will lose any chance of promotion and, above all, they are afraid of losing their jobs. The enforced secrecy about people's lives is damaging and the continuous necessity to pretend or lie can cause isolation, mental stress and alcoholic problems. Discrimination also occurs in relation to conditions of employment. Partners are given no recognition in relation to sickness or bereavement. Underlying this discrimination is the usually unquestioned consensus that lesbian/gay sexuality is unnatural and/or inferior to heterosexuality. This consensus ('heterosexism') is pervasive but is also open to challenge. Trade unions must take up that challenge on behalf of all their members.

In the meantime, if you're going for a job and you're gay, the latter is your business, and its revelation at a job interview is your choice, bearing in mind the level of public fear related to gayness.

Prejudice Against Fat People

In the western world, we have a prejudice against fat people which is of relatively recent origin. A century ago, to be fat signalled prosperity. Today, to be fat signals self-indulgence, incompetence, laziness, ill-health and awkwardness. This prejudice is much more virulent when directed at women than when directed at men, and is justified by the people who hold it with vague mental reference to health implications.

Dear Reader, your author has, since her teens, been somewhere between one and four stone overweight at any given time, so if you have a weight problem, we're talking fellow-feeling, OK?

But the choices are blunt.

- Lose it, or
- Dress for it.

If you can't lose it, then you must dress extra well. Go for highly tailored, beautifully finished clothes, rather than flowing cover-alls, accessorise the hell out of them, keep them in good nick, take great care of hair and make-up, and fight the good (and confident) fight for those of us who are fat. Some of the most energetic and productive people we have ever met have been, technically, overweight.

Prejudice Against Tall/Small People

First of all, there's rarely prejudice against tall men. *Au contraire*, there's a positive advantage to being a tall man. A professor at the University of Pittsburgh some years ago was struck by the number of members of the Pittsburgh establishment who were over six feet. So he instigated a little survey to find out if his observation was linked to a pattern. It was.

His survey found that the salaries of those over six feet, regardless of educational achievement, tended to be at least a thousand dollars higher than those under six feet. Being tall paid off.

Being tall, if you're a woman, has less of a payoff. Men prefer smaller women. Men who are recruiting rarely want to employ a woman who towers over them. However, if you're a six-foot female, there's no point in wasting time anticipating the dismay on a small man's face when you greet him. The only thing worth anticipating is the anxiety-diffusing comment he may make about your height.

Men who are small maintain that they constantly run up against prejudice when they go for jobs. Not only do they believe that recruiters note their lack of height, but they also believe that the same recruiters frequently add pejorative and unproven deductions; the recruiter may believe that small men are difficult to work with, "always trying to prove themselves, little Napoleons, you know?"

Now, let's be clear. Some small men *are* always trying to prove themselves. Classic example was J Edgar Hoover, who was 5'7" if the wind was in the right direction. The press line issued by him, down through the years when he was head of the FBI, was, when asked about his height, that he was "just under six feet." Not only that, but he scaled his furniture as if he was living in a real-life version of *Honey, I Shrunk the Kids*. His loo was down-scaled so his feet wouldn't dangle humiliatingly when he sat on it, the couch facing his desk had extra-short legs so that guests were at a lower level when they faced him, and, to reinforce this, a platform was put under his chair so that he looked even taller.

The J Edgar Hoover approach to height-management makes it far too important an issue. The Bible points out that there's no way you can add a cubit to your height. Don't invest in elevator shoes and don't constantly refer to your height with little jokes.

Ageism

Remember phrases like "older and wiser?" They don't apply any more in the harsh world of business. Very few businesses these days equate age with wisdom. None will admit it, but at a time when the worship of change is worldwide, many businesses see older employees as obstacles representing an outdated way of doing things. Hence the proliferation of early retirement packages right and left. (It never seems to faze these companies when someone they have early-retired, at great corporate cost, goes off and heads up some other company with huge success, *à la* Lee Iacocca.)

The EC was recently accused of leading the ageist charge by specifying under-forty age groupings for many of its important posts. A British MP pointed out that this was the kind of restriction which would not be acceptable if it precluded someone on the basis of race, but because it related to age, the EC was getting away with it.

Those institutions which hold prejudices against older people have what they see as very good reasons for their views. A major teaching hospital, for example, may choose a younger surgeon for a consultancy post rather than an older man five years from retirement, because they believe that more innovative work will be done by the younger surgeon, and that this is what their students need and their reputation demands.

The prejudice against older people has not yet been fought with anything like enough aggression or consistency in Ireland, and so it is an unchallenged, often unacknowledged, but very real problem facing older job-seekers. For example, this came from *The Irish Times* in October 1992:

> *It is a particular problem for women who return to the workforce in their early forties, and who find themselves on the lower rungs of an employment ladder, with a ceiling being lowered on them because of their age.*

There is no simple or easy way to fight this prejudice. Evidence, presented in your CV or in your interview, that you are flexible, up-to-date in your practices and your reading, and innovative in your approach, might outweigh whatever disqualifying assumptions may lurk in the head of your interviewer.

Long-Term Unemployed

One of the most dogmatic prejudices at the moment is that someone who has been out of work for two years (or even, in some cases, for one year) has become part of the institution that is unemployment and will never be employable. Personnel people nod sadly when you ask them about this.

"Someone who's been out of the workforce for that long..." they shrug, as though the implication were self-evident. When you ask them to work through the implication, they make confident assertions.

"Someone like that has lost all the feeling for the workplace," they say firmly. "They don't have relevant skills any more. They can't adjust. They can't be re-trained. You'd never get them to fit in. And anyway, you have to ask yourself, why were they unemployed for so long?"

If you are one of the long-term unemployed who has spent the last eighteen months putting expensive stamps on job-seeking envelopes by the hundred, this kind of viewpoint is likely to make you bounce off walls.

It's important that you know the prejudice is there, and it's equally important that you realise it is not a prejudice which can be argued down, because it has the sociological authority of Holy Writ, although no personnel manager can ever quote the source of his or her dismissive certainty.

The only way to cope with it is to find a way around it. If you've been unemployed for six months, don't let it go to seven. Find somebody who will welcome you as an unpaid employee. Find a company that can't afford to pay someone, but which nevertheless needs an extra pair of hands. Do a deal with them that allows you a "placement" with them, ostensibly to learn a new skill, in exchange for your willing hands. (Make sure that you're not doing somebody out of a job when you try this one. If there is a trade union in the company, the trade union may have very strong views about unpaid help being offered, even if it's a way to get an individual back into the paid workforce. So be sensitive and be careful.)

If you can't find a suitable company, go to FÁS and get a place on a training course, even if you feel you have skills coming out your ears. Or start some kind of project yourself (see *Be Your Own Boss*, Poolbeg Press, £4.99).

Look at it this way. It's unfair to be unemployed, and it's doubly unfair to meet a prejudice because you're unemployed. But that's the status quo. So, instead of bemoaning it or fighting about it, the important thing is to find a way to solve the personnel manager's problem, and get yourself a job. If that requires a little fancy footwork, well, what's a bit of fancy footwork between friends?

Prejudice About Addresses

You are talented, good-looking, well-educated, charming, articulate and groomed to the nines. But you come from Bog Alley, Stinky Suburb, CrimeTown.

Is there a chance that your address will keep you out of the job you want? Not, frankly, much of a chance. The belief that this prejudice is rampant and exclusive is something of an urban legend, rather than a reality. Personnel managers and recruitment agencies are not concealing a determination to exclude from their consideration anybody who comes from X district or Y road. However, if you personally happen to come from X district or Y road and are convinced that you won't get a job as a result, you can always decide that you live—for the moment—in your sister's house, or over beyond with your aunt. Use that address.

15

Job Specs and Terms of Employment

Tax and PRSI are not the only things that happen to you when you get a job. Any job brings with it certain rights and certain obligations. For you. For your employer.

It's worth knowing about these for two reasons. Some of your rights will affect you immediately, and you should be aware of them from day one. Secondly, if you do ever face redundancy or dismissal, or if you have other problems at work, you'll be in a far stronger position if you know your rights. Not that you'll necessarily have to be confrontational, let alone take things to a solicitor or legal advice centre, but knowing what you're entitled to places you in a far better position.

This chapter is designed to give you a basic outline of the various rights that attach to your work. We've avoided going into the legal "small print," so if you do have a serious problem, or you feel you need more detailed information, then please look at the end of this chapter where we list a number of sources of further information and places where help is available. Alternatively you could check with a solicitor. A first consultation is often free, but be sure to check first; otherwise you could be landed with a hefty bill for what might seem like advice "off the top of the head" given in only a few minutes.

So do you have a contract?

Contracts of Employment

A contract of employment means a "contract of service" and shouldn't be confused with a "contract for service" where the person hired is an independent contractor.

There are several different types of contract. (Samples can be got from the Research and Information Division at Federation of Irish Employers Head Office.)

The different types of contract include:

- Fixed terms/specified purpose contracts
- Temporary contracts
- Contracts for independent contractors
- Contracts for hourly paid employees
- Contracts for managerial/clerical staff

There are three methods by which a contract may be formed:

- express written agreement
- express oral agreement
- conduct of the parties—terms of the contract though not expressed can be held to exist because of the conduct of the parties and the custom and practice.

Before a contract comes into force two things have to happen. The employer has to offer you a job, and you have to accept. Unless, of course, we're talking about that odd sort of "implied" contract (mentioned above). Here's how the FIE (Federation of Irish Employers) explains it.

Two principles govern the formation of a contract:

1 Offer

There must be a clear and specific offer of employment by the employer to the prospective employee. All conditions attaching to a job offer are clarified with and understood by the prospective employee before a firm offer is made, ideally in writing.

2 Acceptance

A contract of employment comes into existence once acceptance is formally indicated. It is important to note the time of acceptance as the offer may be withdrawn at any time before it is accepted, but not after that time (except where both parties agree).

Of course where both parties agree you can build pretty much anything you like into a contract, so long as it's legal, decent, honest and truthful. You couldn't, for example, have both parties agree that you would get extra cash into your hand and pay no PRSI.

The benefit of requiring a clear acceptance by the employee is that this establishes a firm and documented basis for the contractual relationship.

Legal Requirements

There are a number of statutory requirements which employers should incorporate into a written contract of employment.

Section 14 of The Unfair Dismissals Act, 1977 provides that an employer must give each new employee a written statement of the procedure which the employer will observe if at any time she/he is going to dismiss, fire, sack, or "let go" that employee. This written description must be provided within a month (twenty-eight days) of the date on which the employee begins work.

Unless the contract is in writing and contains all the required information set out below, the employer also has to give the employee—within a month of his or her commencing—a written statement of the terms and conditions governing his/her employment. (This is based on Section 9 of the Minimum Notice and Terms of Employment Act.) Here are the conditions which have to be either in the contract, or in a separate document given to you by your employer.

- date of commencement of employment
- details of pay and how it is calculated
- whether payment is weekly, monthly or otherwise
- conditions governing hours of work and overtime
- holiday entitlements
- sick pay arrangements and pension scheme, if any
- the period of notice, if any, which the employee is obliged to give and entitled to receive, or if the contract is for a fixed term, the date on which it expires.

At the time of publication these provisions do not apply to employees working less than eighteen hours per week.

Terms of Employment Contract

Aside from all these details—which the law insists must be included—your contract may also have any number of other terms or conditions.

Agreed Terms

Agreed terms are either "specific" or "general." Specific means that you and your boss sit down and work them out together. General terms typically would be terms that have been negotiated by a union or other representative body, and which might apply to all workers, or all workers in a certain area of the company. If there are general terms included in your contract, then a copy of the relevant agreements needs to be made available to you, so you can see what's involved, and determine whether they're satisfactory.

In other words if all employees in your position are subject to a house agreement between the employer and a trade union, this should be referred to explicitly, so that you can examine the relevant agreement and be aware of its contents.

Implied Terms

Implied terms may be of a general nature, held to exist in the contract by common law (getting paid on time!). Or they can be the kind that a third party would assume more as implied due to the conduct of the parties, custom or practice, or because without them the contract could not operate.

Implied Terms by Statute

Mouthful, isn't it? Such terms are held to exist in

every contract of employment not because they're obvious and reasonable, but because they're written into the law of the land—examples here include holidays, payment on redundancy, minimum notice, fair dismissal.

Incorporated Terms

Both parties may agree to incorporate into the contract of employment terms which have been determined elsewhere, for example in a collective agreement.

Variation of Employment Contracts

After employment has commenced, an employer may wish to vary the terms of the contract. If there is an "express" or "implied" term in the contract which permits this, this will not cause a breach of contract. Generally, the contract may not be altered by one side without agreement from the other. A contract may be altered in three ways:

- By agreement with the parties
- By conduct of implication: i.e. where a change is made, and is not opposed, and the contract continues under the new terms for a period of time, the parties will be deemed to have accepted the new terms by having gone along with them. Your employer asks you to work Saturdays and take Mondays off, even though your original contract specified working

Monday to Friday. If you agree to this and carry on for, say, a month, then you can't turn around and complain that he is in breach of your contract. What you might want to do in this sort of situation is respond to the initial request by pointing out that your contract does actually specify your working Monday to Friday, but that you'd be prepared to "try out" Saturdays, reserving your right to go back to your contractual hours, or you might even try to negotiate an extra payment for Saturdays or a once-off payment. Whether you want to do this all depends on how well you get on with your employer and how inclined you are to be helpful and flexible, not to mention how precious your Saturday-morning lie-in or windsurfing lessons are. Flexibility, though, is a universally useful and appreciated quality.

The principle of a contract changing by implication doesn't just apply to work hours. It could also be changed in terms of responsibilities, location or who you work under.

Termination of Contract

Any contract may be terminated by either party giving the required notice or reasonable notice where none is specified. All this is covered by yet another Act: the Minimum Notice and Terms of Employment Act, 1973, which sets out minimum periods of notice to be given. Like many laws, it incorporates the idea of something being "reasonable." Reasonableness, inevitably, having to be determined by an institution such as the Labour Court if things turn sour.

Termination of employment is a particularly complex issue, fraught with industrial relations and legal complications. Here is a brief outline of the various ways a contract of employment may be terminated:

By Mutual Agreement

A contract is made by agreement and can be ended by agreement between the parties.

By Circumstance

An example of termination by circumstance is where a "fixed term" contract expires. Another is a "specified purpose" contract whereby an individual undertakes to perform one, or a number of, specific task(s) within a company and on completion of such task(s) the contract will end automatically.

Operation of Law

A contract of employment may be ended automatically because of the operation of law. One example could be where an employee is absent on maternity leave and doesn't comply with the obligation to provide four weeks' notice of intention to return to work.

Breach of Contract

A contract may be terminated without notice, by either party, where a serious breach occurs. Termination by reason of breach of contract can be divided into summary dismissal and constructive dismissal.

Summary Dismissal

You can lose your job without notice for an act of misconduct such as dishonesty or assault. However, the employer must apply fair procedure and act reasonably, as a failure to do so may result in a successful unfair dismissal action by the employee.

Constructive Dismissal

You can resign if the employer commits a serious breach of contract. For example, if the employer fails to pay wages in accordance with the contract, or you feel that the actions of your employer towards you are so unacceptable that there is no alternative but to leave the job. (Sexual harassment, for example.) In this situation you can seek redress under the Unfair Dismissals Act, 1977.

Resignation

An employee can terminate his contract when he tenders his resignation and the employer accepts it. Once a resignation has been tendered by an employee to an employer and accepted, it may not be unilaterally withdrawn. In other words, second thoughts are out.

Terms of Contract of Employment

The terms which an employer may seek to include in the contract will depend on the type of contract itself, the position being offered, whether it is manual/hourly paid, managerial. They will also depend on the circumstances of the individual firm. The following is a checklist of terms that could be included in a standard contract of employment:

- Probationary period

  The offer of employment is initially for a short period, perhaps a few weeks or months, without an obligation on the employer's part to continue the employment after the trial period. Such a condition is useful to both parties since it gives them a chance to "test the water" and see how they fit together.

- Flexibility/interchangeability

  In a complex work environment, your employer may require some degree of flexibility as to your responsibilities and duties. These might change if the company shifts the focus of its activities, or if the employer feels that you would benefit by moving around, changing departments, and learning more about the company overall.

- Hours of work

- Requirements regarding shiftwork/overtime

- Lay-off/redundancy/short time

- Remuneration

  (That's a long word for how much you get paid, and also whether you will receive expenses, a company car or whatever. Interestingly it is illegal for employers to pay you in whole or in part with "vouchers" for a company store.)

- Method of payment: cash, cheque, transfer to your bank account

- Annual leave

- Sick pay/retirement/pensions

- Notice periods

  As mentioned above, the employer is obliged to give details of the procedure to be followed if you were let go.

- Right to search (if this is what I think it is it means that they can check under your fingernails, and in the heels of your shoes for stolen diamonds. Very popular in the diamond mines in South Africa, this one.)
- Grievance procedure

  What you should do and who you should see, if you have a problem at work.
- Disciplinary procedure

  What they might do to you if you're late, make unauthorised phone calls, or otherwise misbehave; show you a "yellow" card for certain offences, or fire you immediately for others.
- Dismissal procedure
- Company rules

  This could involve dress code, confidentiality, not drinking alcohol on company time.

What Are Your Rights?

Your rights as a worker are protected under various Employment Acts:

These are:

Industrial Relations

Industrial Relations Act, 1990 Dismissal

Minimum Notice and Terms of Employment Act, 1973

Unfair Dismissals Act, 1977

Equality

Anti-Discrimination (Pay) Act, 1974

Employment Equality Act, 1977

General Conditions

Holidays (Employees) Act, 1974

Worker Participation (State Enterprises Act, 1977)

Payment of Wages Act, 1979

Maternity (Protection of Employees) Act, 1981

Pensions Act, 1990

Worker Protection (Regular Part-Time Employees) Act, 1991

Health, Safety and Welfare

Protection of Young Persons (Employment) Act, 1977

Safety in Industry Act, 1980

Safety, Health and Welfare at Work Act, 1989

Redundancy

Protection of Employment Act, 1977

Redundancy Payments Act, 1979

Protection of Employees (Employers Insolvency Act)

PHEW!

Annual Leave

If you've worked for an employer for at least 120 hours (or 110 if you're under eighteen) in a calendar month you qualify for annual leave. You are entitled to three weeks' holidays if these hours are worked in each of the twelve months of the leave year. If you've worked for an employer for eleven months or less you are entitled to proportionately less leave. However, if you've worked for eight months or more you're entitled to two weeks' unbroken leave. Under the Holidays (Employees) Act, 1973 the leave year begins in April. (No kidding!)

What Happens If You Become Ill While On Annual Leave?

If you become ill while on annual leave and furnish the employer with the appropriate medical evidence then the period covered by that is not counted as annual leave, which is jolly good news for you, really, since it means that all your illness is taken out of your employer's time.

Public Holiday Entitlements

You are entitled to eight public holidays:

New Year's Day, if it falls on a weekday. If not, the next day.

St Patrick's Day (same conditions as New Year's Day)

Easter Monday

First Monday in June

First Monday in August

Last Monday in October

Christmas Day, if it falls on a weekday, if not, the next Tuesday

St Stephen's Day, if it falls on a weekday, if not, the next day.

If you're in a job and you're having problems getting your annual leave entitlement, get in touch with the Department of Labour. In the Conditions of Employment section you will be requested to complete a Holidays Complaint Form. The employer will then be notified and requested to comply with the provisions of the Holiday Act. If this doesn't happen, then an inspector is appointed by the Minister of Labour to examine the employer's records and take a statement from the employee. If an employer is found guilty of this offence, in addition to being fined, he will be ordered by court to pay whatever money is due under the Act to the employee.

The employee (or the trade union acting on his/her behalf) is entitled to recover the amount in a Court of Law. This is due as a simple contract debt but if you take such a case you must bear (pay) all your own costs, even if you win. Your union may have a fund to pay for such cases. (And after you've been through all that you'll probably *feel* like a holiday!)

Payment of Wages Act

This provides the legal framework for mutual agreement between employer and employees for non-cash payment of wages.

Employees right across the board have a right under the Payment of Wages Act to receive a pay slip which details deductions made from salary or wage. Employers are bound to give their employees such a statement.

Maternity (Protection of Employees) Act 1981

This Act entitles working mothers to maternity leave for a period before and after a baby is born, and to return to work afterwards. Employers are not generally responsible for pay during maternity leave and payment is made to the employees concerned by the Department of Social Welfare. If an employee takes additional maternity leave, this is unpaid leave. The Maternity Act applies to female employees in insurable employment who work for eighteen hours or more per week for the same employer.

Under the Act an expectant working mother is entitled to fourteen weeks' maternity leave. Out of these fourteen weeks a woman should normally take at least four weeks before the baby is due and four weeks after the birth. The remaining six weeks can be taken as she wishes. For example: ten weeks before and four after; four weeks before and ten after; six weeks before and eight after.

If you don't take at least four weeks before, you may lose some of the entitlement as the maximum post-birth maternity leave is ten weeks.

You should notify your employer of your intended leave at least four weeks before you plan to take leave.

If you're confused about any areas of maternity leave such as premature birth or delayed birth, read the SIPTU Guide to Recent Employment Legislation. Page 34 of this guide tells you all you need to know about your rights in this area.

Health and Safety at Work Act, 1989

Under this Act a new national authority has been set up to lead the way in safety and health, to give advice and guidance and to enforce the Act.

Everyone who works in all types of employment be it the employer, the self-employed or the employee is covered by this Act.

The employer must protect the safety, health and welfare of the people who work for them. This includes providing and maintaining safe places of work, safe plant and equipment and safe systems of work. Employees should be given adequate information and training to ensure their safety and health.

Every employer must prepare a written safety statement which should:

- identify the hazards faced by workers;
- assess the risks involved;
- set out arrangements to safeguard safety and health and the co-operation required from employees;
- set out the names of persons who are given safety and health responsibilities.

Employers must also safeguard people who are not their employees, such as members of the public.

The National Authority for Occupational Safety and Health will advise and guide people as to meeting the terms of the Act. It promotes training activities and information activities aimed at making workplaces safer and healthier.

SIPTU has developed a computerised health and safety database, as well as its own safety and health library. Any enquiries on this should be addressed to Donal O'Sullivan, Industrial Engineering Officer,

Liberty Hall, Dublin 1. Telephone 01-749731.

What If You're Made Redundant?

A worker is considered dismissed as redundant when the reason for this is the complete or partial closing of his/her place of employment because an employer ceases business or needs fewer workers. A worker dismissed for reasons such as misconduct or inefficiency is not entitled to redundancy payments.

The Protection of Employment Act, 1977 gives greater protection to groups of workers faced with redundancy. It also implies that the employer must notify the Minister for Labour of the proposed redundancies and then delay their implementation until thirty days have elapsed.

The statutory redundancy payment is a lump sum of half a normal week's pay for each year in the job between the ages of sixteen and forty-one and a week's pay for every year after that, plus one additional week's pay. There is a ceiling on this—the current ceiling is £250 per week. This money is paid directly by the employer who may then get a rebate from the redundancy fund.

A special Appeals Tribunal has been established under the Act to resolve disputes arising out of the operation of the scheme. If you need information on this you can get it free from the Department of Labour, Mespil Road, Dublin 4.

Unfair Dismissals Act, 1977

This Act protects employees from being unfairly dismissed from their jobs by laying down criteria by which dismissals are to be judged unfair and by providing an adjudication system and redress for an employee whose dismissal has been found to be unjustified.

This Act applies to all employees whose normal working week is over eighteen hours and who have had at least a year's continuous service with the same employer. This second condition, requiring a year's continuous employment, is the reason why some employers—either smart or unscrupulous, depending on your viewpoint, offer fifty-one-week contracts, let a gap happen, and then rehire the employee a few weeks later. (This practice is particularly common in the restaurant trade.) The Act does not apply to:

- Employees who have reached normal retiring age or who are not covered by the Redundancy Payments Acts because of age;
- FÁS trainees and apprentices;
- State employees other than certain industrial categories;
- Officers of Local Authorities, Health Boards, Vocational Education Committees and Committees of Agriculture.

The Act provides that every dismissal of an employee will be presumed to have been unfair unless the employer can show substantial grounds justifying the dismissal. To justify a dismissal an employer must show that it either resulted from one or more of the following causes or that there were other substantial grounds for the dismissal:

- the capability, competence or qualifications of the employee for the work s/he was employed to do;
- the employee's conduct;
- redundancy;
- the fact that continuation of the employment would contravene another statutory requirement.

Unfair Dismissal

Dismissals will be unfair under the Act where it is shown that they resulted wholly or mainly from any of the following:

- the employee's trade union membership or activities, either outside working hours or at those times during working hours when permitted by the employer;
- religious or political opinions;
- race or colour;
- legal proceedings against the employer where the employee is a party or a witness;

- unfair selection for redundancy or
- pregnancy

If you feel that you've been unfairly dismissed from the job, the case should be referred within six months of dismissal, in writing, to one of the Rights Commissioners. If you don't feel that you want the case dealt with by a Rights Commissioner, you can write to the Employment Appeals Tribunal, Davitt House, 50/60 Mespil Road, Dublin 4.

If an employer objects to a case being dealt with by a Rights Commissioner then you can, if you wish, give written notice of claim to the Employment Appeals Tribunal or the Circuit Court.

These notes are intended to be a short guide and are not a legal interpretation. For a complete presentation of the law, the appropriate Act should be consulted.

Useful Names and Addresses

(Note that all telephone numbers have the prefix 01 unless otherwise specified)

Ability, Grafton Street, Dublin 2 Tel: 6794884

Accountancy and Computer Personnel, 7 Lower Baggot Street, Dublin 2 Tel: 768525

Accountancy Solutions, 19 Duke Street, Dublin 2 Tel: 6797990

Accountants Panel, 39 Upper Fitzwilliam Street, Dublin 2 Tel: 614771

Ace Personnel, 41 Dawson Street, Dublin 2 Tel: 713126

Action Recruitment, 28 Exchequer Street, Dublin 2 Tel: 778544

Advantage Sales and Marketing, Fox House, Grafton Street, Dublin 2 Tel: 778877

Alfred Marks Bureau, 45 Grafton Street, Dublin 2 Tel: 778348

Ambassador Staff Agency, McPhillips House, 179 Parnell Street, Dublin 1 Tel: 734344

APB Recruitment, 42 Fitzwilliam Place, Dublin 2 Tel: 614522

Artir Business Consultants Ltd, 17 Kennington Lawn, Templeogue, Dublin 6W Tel: 552575

Atlas Staff Bureau, 14–15 St Andrew Street, Dublin 2 Tel: 776477

Ballymun Job Centre Co-Operative, Unit 36, Ballymun S.C., Ballymun, Dublin 11 Tel: 8425722

Belgrave Nurses Bureau, 47 Osprey Drive, Templeogue, Dublin 6W, Tel: 503640

Bi-Lingual Secretarial Bureau Ltd, 22 South Frederick Street, Dublin 2 Tel: 6793429

Blackrock Personnel Bureau, 23 Grove Lawn, Blackrock Tel: 2884867

Brennock International Ltd, Executive Recruitment Specialists, Clifton House, Lower Fitzwilliam Street, Dublin 2 Tel: 612611

Brophy's International Employment Bureau, 62 Middle Abbey Street, Dublin 1 Tel: 732576

Brunel Human Resource Management, Hanover House, 85–

89 South Main Street, Ballymount Road Lower, Dublin 12 Tel: 568199
Cara Park Training Centre, Belcamp Lane, Dublin 5 Tel: 8483551
Career Link, Clifton House, Lower Fitzwilliam Street, Dublin 2 Tel: 613788
Careers Register Ltd, 9 Anglesea Street, Dublin 2 Tel: 6798900
Carr Communications, The Old Railway Station, Taney Road, Dundrum, Dublin 14 Tel: 2989777
CCM Recruitment International, Gardiner House, 64 Gardiner Street Lower, Dublin 1 Tel: 366092
Clondalkin Personnel Ltd, Main Street, Clondalkin, Dublin 22 Tel: 570721
CMI Technical Recruitment, 19 Baggot St Lower, Dublin 2 Tel: 765722
Computer Placement, 36 College Green, Dublin 2 Tel: 772026
Computer Careers Ltd, Herbert Hall, 16 Herbert Street, Dublin 2 Tel: 761299
Coms Recruitment, 18 Dame Street, Dublin 2 Tel: 6799697
Contact Recruitment, Maro House, Belgard Road, Tallaght Dublin 24 Tel: 520477
CPM, 33 Greenmount Office Park, Harolds Cross, Dublin 6 Tel: 544313
Data Conversion, 25–26 Westland Square, Dublin 2 Tel: 771466
Dolebusters Unemployment Resource Centre, 18a Adelaide Road, Dublin 2 Tel: 619670
Dublin North SOS, 167 Lr Drumcondra Road, Dublin 9 Tel: 372606
Dundrum Personnel, 4 Glenville Terrace, Main Street, Dundrum, Dublin 14 Tel: 2960019
Ellis Accountancy and Ellis Executive Appointments, 5 Trinity Street, Dublin 2 Tel: 6791375
Ellis Employment Associates, 15 College Green, Dublin 2 Tel: 6793561
Engineering Appointments, 37 College Green, Dublin 2 Tel: 771845
ETS Recruitment, 5 The Mall, Main Street, Leixlip Tel: 6244467

European Employment Consultants, Euro House, Main Street, Blanchardstown, Dublin 15 Tel: 8204455
Europlacements, 59 Waterloo Road, Dublin 4 Tel: 603926
Executive Connections Ltd, Armitage House, 10 Hatch Street Lower, Dublin 2 Tel: 618740
FLR Personnel Consultants, 17a Ranelagh, Dublin 6 Tel: 962188
Fairfield College, Fairfield House, Fairfield Park, Rathgar, Dublin 6 Tel: 970389
Fairlink Ltd, 59 Clonard Court, Balbriggan, Tel: 8411362
First Lady Recruitment, 17a Ranelagh, Dublin 6 Tel: 965242
Firstaff Personnel Consultants Ltd, 85–86 Grafton Street, Dublin 2 Tel: 6797766
Gibson and Gibson Recruitment Consultants Ltd, 20 Merrion Street Upper, Dublin 2 Tel: 761128
GMB and Associates Ltd, MS House, Strand Road, Bray, Co. Wicklow Tel: 2867692
Grafton Recruitment, 39–40 Upper Mount Street, Dublin 2 Tel: 684388
Griffin Personnel Consultants Ltd, 11 Hume Street, Dublin 2 Tel: 762719
Hands For Hire Ltd, 1 Church Road, Malahide Tel: 8451534
Harrison Hotel and Catering Ltd, 68 Harcourt Street, Dublin 2 Tel: 781411
Head Hunt, 68 Harcourt Street, Dublin 2 Tel: 780222
Health Care Recruitment, 15 College Green, Dublin 2 Tel: 6793561
HRM Engineering, Europa House, Harcourt Street, Dublin 2 Tel: 754767
Hynes Staff Agency, 52 Lower O'Connell Street, Dublin1 Tel: 728769
Interstaff Recruitment Ireland, Fleming's Court, Fleming's Place, Dublin 4 Tel: 684344
Irish Health Service Development Corporation Ltd, Park House, North Circular Road, Dublin 7 Tel: 387333
Irish Nursing Services, 4 Grafton Street, Dublin 2 Tel: 713326
Irish Recruitment Consultants Ltd, 44 Westland Row, Dublin 2 Tel: 610644

JK Consultancy, 34–35 South William Street, Dublin 2 Tel: 6798766
Joan Morrison Recruitment Consultancy, 15 College Green, Dublin 2 Tel: 779256
Joseph & Company Design Group Ltd, Ballybride Road, Shankill Tel: 2822311
Josephine Employment Service, 14 Exchequer Street, Dublin 2 Tel: 710375
Kate Cowhig International Recruitment, 26 South Frederick Street, Dublin 2 Tel: 715557
Kelly Temporary Services Ltd, 21 Grafton Street, Dublin 2 Tel: 6793111
Kelly Recruitment Consultants, 21–22 Grafton Street, Dublin 2 Tel: 6793115
Key Personnel Ltd, Georges Court, 63a South Great Georges Street, Dublin 2 Tel: 783400
Law People, 5 Trinity Street, Dublin 2 Tel: 6793561
Leinster Business Institute, 28 Leinster Road, Dublin 6 Tel: 973584
Link Personnel Services, PO Box 23110, Malahide Co. Dublin Tel: 8453034
MTR Recruitment Ltd, 16 Wellington Road, Dublin 4, Tel: 683516
Malahide Secretarial Services, New Street, Malahide Tel: 8452000
Management Selection, 37 College Green, Dublin 2 Tel: 773573
Manpower, 4th Floor, Grafton House, 70 Grafton Street, Dublin 2 Tel: 777321
Marie Fleury International, Clifton House, Fitzwilliam Street Lower, Dublin 2 Tel: 615822
Marlborough Employment, Woodchester House, Barrington St, Limerick Tel: (061) 315955
Marlborough Employment, Iveagh Court, Harcourt Road, Dublin 2 Tel: 781000
Mary B Cremin, Grafton Arcade, Dublin 2 Tel: 711315
Noonan Recruitment Consultants, 41 Lower Baggot Street, Dublin 2 Tel: 768644
Pembroke Recruitment & Management Consultants, 44 Fitzwilliam Square, Dublin 2 Tel: 607411

Professional Placement, 37 College Green, Dublin 2 Tel: 6794739
Progressive Placements Ltd, Ryan House, 47 Leeson Street Lower, Dublin 2 Tel: 610434
Recruit International Ltd, 22 Merrion Square, Dublin 2 Tel: 612097
Recruitment Business Ireland Ltd, 27 Lower Mount Street, Dublin 2 Tel: 763335
Resultants Recruitment, 4 Merrion Square, Dublin 2 Tel: 768388
Richmond Recruitment, 2 Herbert Street, Dublin 2, Tel: 612138
Sales Placement Ltd, 5 Herbert Place, Dublin 2 Tel: 685144
Sandra Ganly Staff Search, The Mews, 151 Leinster Road, Dublin 6
Southside Personnel, 21 Main Street, Blackrock, Tel: 2832398
Switch Personnel, 67a Upper Georges Street, Dun Laoghaire, Tel: 2806772
Toni Gallen Recruitment, 22 Merrion Square, Dublin 2 Tel: 765795
Workforce, 25 Merrion Square, Dublin 2 Tel: 765188

Also By
Terry Prone

Write and Get Paid for It
Just a Few Words
Do Your Own Publicity
Be Your Own Boss (with Frances Stephenson)